SAS・特殊部隊

図解 敵地サバイバルマニュアル

SAS AND ELITE FORCES GUIDE

PRISONER OF WAR ESCAPE & EVASION

HOW TO SURVIVE BEHIND ENEMY LINES FROM THE WORLD'S ELITE MILITARY UNITS

クリス・マクナブ 北和丈［監訳］
Chris McNab Kazutake Kita

原書房

SAS・特殊部隊

図解敵地サバイバル・マニュアル

★

目次

第6章 ホーム・ラン——本拠地へ生還する 274

序文

過去のさまざまな戦争で、何百万という人々が敵の捕虜になってきた。野戦中に集団で捕えられた場合であろうと、テロリストによって個別に捕えられた場合であろうと、捕虜になってしまった者は人生のなかでもっとも不安

隔離

テロリストに捕まった時であろうと軍隊に捕まった時であろうと、捕虜になることはひどく悩ましい経験である。孤独や恐怖、不安、無力感、絶望を味わうことになるからである。生き残るという強い意志が不可欠なのだ。

定な経験の１つを味わうことになる。捕虜の命は敵の情けしだいとなり、そうした情けがとぼしい場合には生死を賭けて容赦ない苦闘を強いられるのだ。たとえば第２次世界大戦中、ドイツ兵によって約570万人のソ連の赤軍兵が捕虜となったが、そのうち約330万人が悪名高いナチの収容所で命を落とした。

捕虜という身分についてもっとも恐ろしい面の１つは、もはや自身の行動を自由にできないということである。飲食といった基本的な生理行為の自由までもが失われるのだ。さらに、昼夜をとわず敵から思いがけない虐待を受けたり、徹底的で組織的な拷問を受けたりする場合もある。その結果、完全な無力感や虚無感を覚えることになるのである。けれども、これまでの無数の戦争のなかで、自身にかけられた束縛に従うことを拒絶し、捕えられた瞬間から脱走することを決心していた者はいつの時代にもいたのである。

そうした果敢な者に共通する心理的要因を見出そうとするのはたやすいことではない。なぜならそうした人々が背景としてもつ職業や階級がきわめて多様だからである。脱走の動機もさまざまである。ある者にとってはふたたび家族に会いたいという願望であったり、また別の者にとってはふたたび戦線に戻りたいという意思であったりする。さらには、捕虜生活の退屈さゆえに逃走のことを考えて頭の訓練をする者あり、あるいはとにかく逃走しなければ収容所内で死ぬかもしれないと恐怖をいだく者ありという具合である。いずれにしても、そうしたさまざまな

たえまない観察

十分に訓練を受けたこの兵士は、捕虜となり拘束された瞬間から自身をとりまく環境についてできるかぎり多くを記憶しようとしている。そうした情報は、後に脱走を試みる際に非常に便利なものとなりうる。

警戒

脱走や逃走が成功するかどうかは警戒心にかかっている。兵士は自身の感覚を最大限に研ぎ澄まし、周囲の状況から生じうる脅威や変化を見抜かなければならない。

動機があってこそ、自由になるためのたえまない努力が可能になる。成功を勝ちとるためには、自身の資質を全身全霊をかけて注ぎこまねばならないのだ。

脱走するための訓練

本書の内容の一部は、監禁状態から逃げるための方略、能力、技術にかんするものである。ここでいう監禁には、戦争捕虜収容所での監禁も、テロリストの独房における監禁も含んでいる。また本書は、そもそも捕まらないためにはどうすればよいかという方法、つまり敵の戦線の背後で孤立してしまった際に追跡者から逃げるための技能についても扱う。なお、本書の内容は20世紀半ばから爆発的に増えた研究の成果がもとになっている。これは米軍がSERE（Survival：生存、Evasion：逃亡、Resistance：抵抗、Escape：脱出）と称している分野の研究であり、その成果の大部分は軍で配布されているマニュアルにまとめられている。さらに本書では、多数の逃亡者や脱走捕虜の実際の経験をもりこんでいるが、これらが本書で示す実用的な教訓を裏づけることとなるだろう。

本書を読み進めると、逃走に成功する者はもっとも過酷な状況でも明晰な思考を続けられる人物であるということがわかる。恐怖を完全に抑制することはむずかしいが、適切な訓練を受け一貫した思考法を身につければ、恐怖を意識の彼方に追いやることができる。そうすることで、過度にプレッシャーのかかる場面であっても適切に行動できるのだ。さらに、逃走中の兵士は楽観的思考と現実的思考を同程度に保つ

忍耐

脱走と逃亡はまさしく身体的に過酷な経験である。寒さ、疲労、ずぶ濡れになることにそなえるだけでなく、身体に現れる病の兆候を見逃してはならない。また、体力にどれだけ自信があろうとも、水や食料、隠れ場などは最優先事項としてつねに気にとめなければならない。

必要がある。楽観的思考とは、周囲の環境がどんなに過酷であっても、脱走も逃亡も達成可能だと考える思考である。一方、現実的思考とは、冷静な視点から作戦と行動を吟味する思考である。冷静かつ合理的に作戦と行動を評価し、勝機を判断するのだ。

米軍のサバイバルマニュアルやSEREのマニュアルでは、敵から距離を保つ方法の8つの基本原則を覚えるために、それぞれの頭文字を合わせた「SURVIVAL」という語呂合わせを用いている。

S：*Size up（周囲の状況、健康状態、十分な水の摂取、けが・病気の*

有無、食糧、装備などを評価すること）

U：*Use（全神経を注ぎこみ、ゆっくり思考をめぐらせること）*

R：*Remember（現在位置を心にとめること）*

V：*Vanquish（恐怖やパニックを抑制すること）*

I：*Improvise and improve（すばやく判断し、状況を改善すること）*

V：*Value living（生きていることの価値を噛みしめること）*

A：*Act（その土地のふるまいをすること）*

L：*Live（訓練と経験によって生きのびること）*

これらの原則には、先述の楽観的思考と現実的思考がバランスよく表れている。いずれの原則にもくりかえし暗示されているのは、実行する前にすべての行動を熟慮しなければならないということである。つまり、どこに向かっているのか、どうやって目的地に到着するのか、どのように道中生き長らえるのかといったことを考えずに、やみくもに逃走を進めてはならないということだ。もちろん、運よくふたたび捕まることを回避し死をまぬがれる可能性もある。しかしながら、過去の脱走や逃亡をふりかえってみると、十分訓練された特殊部隊の兵士でさえ脱走を成功させることはむずかしいものだということがわかる。こうしたことから、逃亡者はあらゆる行動が帰還につながるものになるよう心がける必要があるのだ。

本書では、脱走と逃亡は困難なものであるという事実を率直に述べている。敵が知的で巧妙な手段で脱走をはばんでくるような場合にはとくにむずかしい。一方で、本書では追跡されることや監禁されることがわれわれをそこまで無力にするわけではないことも示しておきたい。実際には、多少の知識と強固な勇気、柔軟な思考さえあれば、帰還する機会は十分うかがえるのだ。

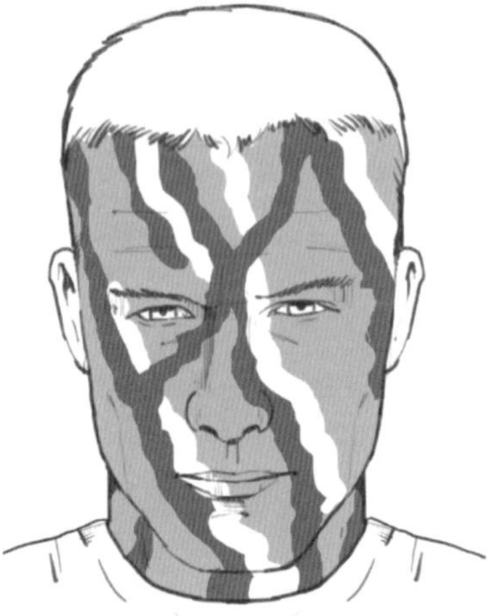

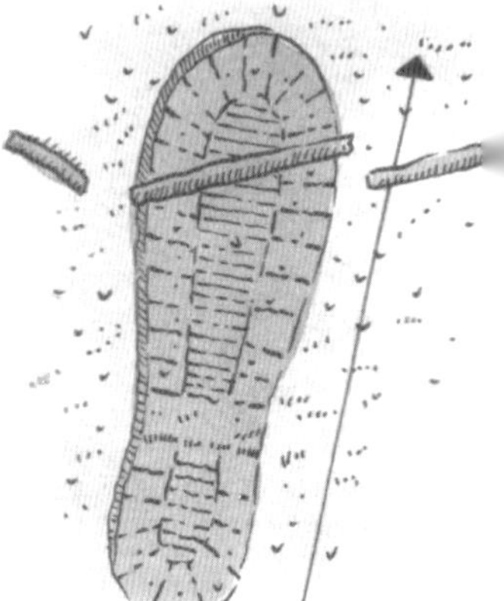

第 1 章

いかなる脱走もいかなる逃亡も、敵側の頭脳とこちらの頭脳のせめぎあいである。敵の立場を想像しながら、あらゆる知識を活用して一歩でも前に進めるように努めるのだ。

潜伏と逃走

多くの軍隊では戦争捕虜になった場合の訓練を受けるが、そもそも捕虜にならないようにすることが最善策である。兵士が捕虜になりやすい状況というのは戦いの性質によって異なる。第2次世界大戦のような大規模な戦争の場合には、部隊が敗れた際に多くの兵士がひとまとめに捕虜になる可能性が高い。たとえば1941年6月に起きたビヤウィストック・ミンスクの戦いでは、約28万7000人のソ連の赤軍兵がドイツ軍に包囲され一斉に捕虜となった。この戦いはバルバロッサ作戦の一環で、ソヴィエト連邦を脅かした戦略的な攻撃の1つである。1945年以降の戦争では捕虜の数にかんして第2次世界大戦に匹敵するものはないが、インドシナ戦争（1945-54）や、ベトナム戦争（1963-75）、インド・パキスタン戦争（1971）、イラン・イラク戦争（1980-88）、湾岸戦争（1991）では、通例の規定にのっとり多くの兵士が捕虜となった。

もし所属部隊が包囲され武装解除されてしまったなら、個人レベルで収容を回避するためにできることはほとんどない。場合によっては、死んだふりをすることで難をのがれることもある。

潜伏と逃走には、度胸や知性、能力だけでなく、強い精神力が求められる。大切なのは、行動を起こす前にそれがもたらす結果について思慮をめぐらすことである。

脅威レベル

敵陣内を行動する兵士は、想定される脅威と実際の脅威に対してつねに注意をはらわなければならない。この絵の場合、町の通りに子どもや女性が見あたらないことや、背後で壁越しにこちらを見ている人物がいることには、警戒すべきである。この人物は、計画中の奇襲攻撃や誘拐のための準備として敵の動向を監視している偵察員である可能性がある。

これはとくに、敵が速く動いていて、支配を固めるために周辺をうろつくようなことがないときに有効である。1944年6月に敢行したノルマンディ上陸作戦での空挺部隊による降下作戦で、米軍第505パラシュート歩兵連隊所属ジョン・スティールは、フランスのサント・メール・エグリーズの中心部にある教会の塔に自身のパラシュートをひっかけてしまった。街はドイツ兵であふれかえっていたが、スティールは死んでいるかのように静かにぶら下がっていたため、その街からドイツ兵が撤退し、アメリカの手にわたった翌日までぶら下がりつづけることができたのであった。このような手段を講じることは大きな賭けである。もし敵兵が、誰かが死んだふりをしていると感じたなら、近づいてきて生死を確かめるよりも銃弾を浴びせる可能性が高い。そのため、たいていの場合はよい隠れ場所を見つけ、夜が更けてから仲間の戦線に向けて移動することを選ぶほうがはるかに得策である（以下でこの点について詳しく述べる）。

基本的な予防策

現代のゲリラに対する戦いでは、一個人だけで捕虜になる危険性が高まっている。なぜなら、テロリストの徒党や反乱分子はたった１人の敵兵を捕虜

イギリス陸軍からのヒント――誘拐

パトロール中、検問所や在外基地での任務遂行中、襲撃の遂行中、平和維持活動中の小部隊に対して誘拐の起こる場面には、一般的に以下のような共通要素がある。

- 小部隊が都市あるいは辺鄙な地域で道に迷ってしまったとき。おもに操縦の失敗によって迷う場合と、障害物ややっかいな地域を迂回したために迷う場合がある。
- 検問所や在外基地で防衛にあたる際に兵士が少なすぎたり、援軍のいる地域から離れていたりするとき。
- 非常に危険な道を日常的に使用しなければならないとき。危険な道というのは、法の力がおよびにくかったり、反乱分子が地元の人間を支配していたりする地域の道である。
- 兵士となじみのある地元の者によって誘拐が行われる場合もある。そうした者は友好関係をよそおいつつ兵士を危険な状況に追いこむ。
- 不意打ちによって捕まるとき。具体的には兵士や小隊が不意打ちによって孤立してしまった場合や、簡易爆弾（IED）による攻撃を受けた場合があげられる。
- 乗物が故障してしまったとき。おもに不意打ちや機械の故障が原因となり、乗組員が援助を待っている間、攻撃されやすい場所で取り残されてしまうのである。
- 特殊部隊の兵士は、要人のボディーガードとしての職務経験上、こうした要因に敏感である。そのため、彼らは誘拐される可能性を劇的に減らすべく、厳密に様式化された戦術的なふるまいをあみだしている。本章では、地上での逃亡の基本的手段を詳細に論じる前に、誘拐される可能性を弱めるこれらの手段の一部を検討する。

とすることで注目を集め、交渉のテーブルに座ることができるからである。たとえば2006年6月25日日曜日のこと、イスラエル国防軍武装兵団所属のギルアド・シャリート伍長はパレスチナの武装組織ハマースの部隊によって誘拐された。この事件は、ガザとの境界線南部にあるイスラエル軍監視施設の襲撃後に起きたものである（この事件で2名の国防軍兵が命を落とし、3名が負傷した）。本書執筆の時点（2011年）では、シャリートはいまだ

ルートの変更

敵陣のなかで一定の地点の間を定期的に移動する軍隊にとって、機転をきかせてつねにルートを変更することは不可欠である。こうすることで、奇襲をしかけてくる敵にルートを予測されにくくすることができるのである。

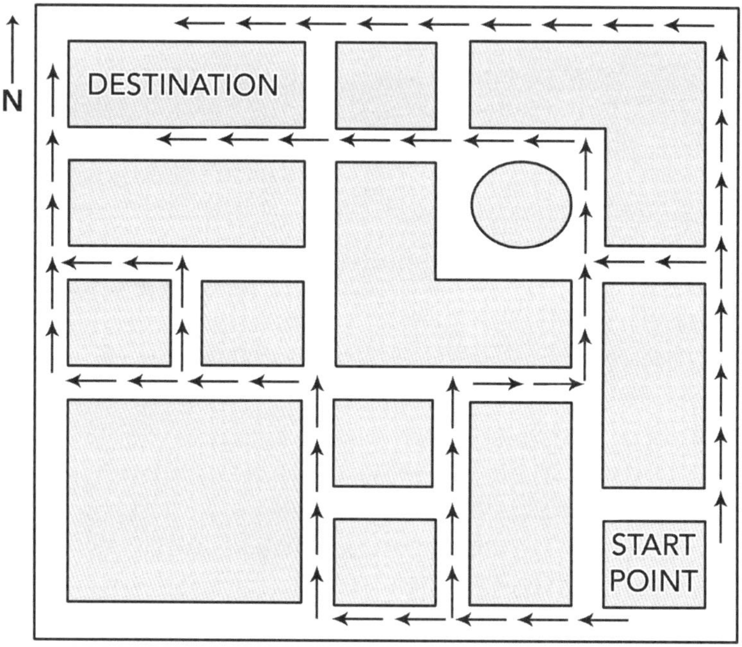

2007年イラクでの誘拐

2007年5月29日11時50分（現地時間）、バグダードにて5人のイギリス人がイラクの武装グループによって誘拐された。誘拐は2003年の軍事介入以降初めてではなかったが、その内容は治安支援部隊の間に衝撃を与えるものであった。なぜなら、この事件は辺鄙な道路や敵陣の都市で起きたわけではなく、バグダード市内東部の金融省の建物のなかで起きたからである。さらに、その犠牲者は一般人だけではなく、うち4名が警備員やボディガードとして働いていた元軍人であった（もう1名の犠牲者は地元のITコンサルタントであった）。目撃情報によれば、武装グループは集団（おそらく100名ものグループ）でやって来て、多くは警察や軍人の制服をまとい、本物の書類を持参していた（警察長に扮した人物が集団を率いていた）。武装グループは建物に侵入し、講義室になだれこみ、「外国人はどこだ」と叫んだ。そして欧米人の集団を確認したとたんに、彼らを力ずくでトラックへと押しこみ、長きにわたる捕虜の生活を強いることとなった。その後、4名の警備会社職員は殺害され、ITコンサルタントのみが解放された。じつは最初の奇襲の時にもう1名ITコンサルタントがその場に居あわせていたが、床の下に隠れることで難をのがれていた。

に捕虜のままであり、彼の捕虜としての立場は政治的な交渉の切り札としてその地域で利用されつづけている。

アフガニスタンとイラクにおいて欧米の軍隊の配備が活発になるなか、誘拐を想定した訓練は、あまねく行われているとはいえないながらも重要なものとなっている。そうした訓練を受けることで、捕虜となる可能性を減らすために重要な技術や戦術を身につけることができるのだ。

ルート、時間を変更する

反乱分子もテロリスト集団も予測に長けている。たとえば、平日の朝8：30から9：30の間に2つの街を軍需品輸送車が走っているという情報をテロリストがにぎっていれば、その情報にもとづきもっとも効果的な攻撃を計画し調整されかねない。そのため、敵に移動パターンを悟られないように、争いの激しい地域では歩兵も機動隊も日々の移動ルートをつねに変更する必要がある。さらにいえば、移動の時間もつねに変更する必要がある。軍の本部は時に敵の監視下に置かれていることがあり、反乱分子は出発時間から奇襲をしかけたり追跡したりできそうな時間を予想し、連絡しあうことができるのだ。ルートを決定する際には、近郊の危険地帯にかんする知識が不可欠である。攻撃作戦の場合や他に選択肢がない場合を除いて、危険をはらむ地域はルートとしてふさわしくない。つまり、敵軍が密集している地域は避けなければならないのである。危険度の高い地域を通らざるをえない場合には、

GPSによる案内

携帯可能で輸送機器に搭載できるGPS装置は便利なナビゲーション機器である。ただし、安全が確約された道具ではないため、伝統的なナビゲーション手段と併用したほうがよい。

特殊部隊からのヒント——動きは注意深く、継続して

奇襲も誘拐も予測可能な場所で起こる傾向にある。たとえば以下のような場所である。

- 自然の地形あるいは都市の構造により道が狭くなっている場所。
- 急な曲がり角の周辺（カーブでは視界が狭くなるため、障壁や路上障害物を設置することができる）。
- 孤立した在外基地。
- パトロール部隊がよく利用する舗装された道。敵によって予測されてしまう。
- パトロール部隊が分散してしまうため巡察がむずかしい地域（山脈地帯や森林地帯）。
- あらゆる都市部。反乱分子が熟知した攻撃経路や退避経路を提供してしまうことにくわえて、機動隊にとって応戦しにくい場所でもあ

る。
- 橋、浅瀬、その他管理のいきとどいた横断地点。

敵陣のなかにこのような道がある場合には、なんとしても通ることを避けるべきである。絵のなかでは車が路上バリケードとなり、パトロール部隊を伏兵のひそむエリアへと誘導している。

攻撃にそなえて十分な射撃能力をそなえておく必要がある。

ルートを把握する

道に迷うことは、反乱分子が縄張りとする領域内で活動する小隊にとってもっとも危険な状況の１つである。この状況を生じにくくするためには、そなえが重要である。パトロールにあたる各成員、とくに部隊のリーダー（幹部や下士官）は、作戦の行われる領域全体を確実に把握する必要がある。把握するべき情報には、大小とわずさまざまな道路、橋、川、集落が含まれる。また、兵士は道に迷った際に目印となる場所を見つけておく必要がある。たとえば、もしある川が東から西へ流れていることを把握していれば、この情報がパトロールする際の手がかりとなるだろう。同様に、太陽の動きも把握していれば、まちがった方向へ進んでしまった際に大きな手がかりとなる（第６章284ページを参照）。もっとも重要なことは、衛星からの情報（全地球測位システム：GPS）のみに頼るべきではないということである。GPSの情報が、良質な地図や経験よりも優先されてはならない。

左記のリストからわかるのは、狭い場所や分散させられてしまうような場所を通り抜けるとき、あるいは決まった道を通らざるをえなくなったときなどに、小部隊は奇襲攻撃を受けやすいということである。こうした場所を通るときには、最悪の状況におちいっても対応する策がかぎられてしまう。また、奇襲攻撃を受けやすい場所は、その戦闘地帯を通り抜ける小部隊の動きを鈍らせるような特徴をそなえている。

賢明な予防策があれば、多少なりとも脅威は緩和できる（ただし活発な反乱分子との戦いでは、完全に脅威をと

奇襲を防ぐ

レベルの高い奇襲であれば、軍隊の縦陣の複数個所を同時に攻撃してくるものである。先頭と最後尾の車を破壊し、その間の部隊を捕えるのである。そのため、部隊は両脇が絶壁でふさがれた狭い道を通ることは避けたほうがよい。

りのぞくことが不可能な場合もある)。たとえば、急な曲がり角に車や徒歩で近づく際には、角を曲がりきる前に速度を落とし横に開くことで、曲がり角を直接観察できるようにするとよい。

さらに、周囲の状況を入念に調べることも不可欠である。遠くから自分の動きを監視している者はいないだろうか。誰かと携帯電話で連絡をとっている者はいないだろうか。あるいはビデオカメラで撮影をしている者はいないだろうか。こうした行動は無害なものかもしれない。しかし反対に、奇襲攻撃のための監視役で、仲間と連絡をとって動きにかんする情報を本部へと伝えているのかもしれない。また、自分の進む方向を限定しているかのように、作為的に道に障害物が置かれてはいないだろうか。都市や村落では、怪しいくらい閑静な場所はないだろうか。反乱分子が襲撃を計画しているときには、たびたび地元の住民に道路から離れるように命じている。そのため十分に訓練された兵士は、子どもが見あたらないときには警戒するものである。

このような奇襲の兆候に対してとるべき行動には以下のようなものがある。

- 警戒心を高める――周囲にたえず視線を向け、窓、道の角、建物の屋根、水路、畑など、敵が隠れている可能性のあるいかなる場所にも警戒する。
- 準備を整える――身を守る準備をする。武器を装填し、発射の準備を整え、攻撃されそうな場所に照準を合わせておく必要がある。仲間とともに、防弾装備やヘルメットを身につけておくこと。

- 別の道を見つける——目的地が明確で、新しいルートが危険度を増さないことが明白である場合には、別の道をとるとよい。その際、反撃のしやすい場所や回避するための選択肢の多い道を選ぶこと。
- 動きつづける——動きまわっている標的は静止している標的よりも命中しにくい。危険地域の場合には一定の速さで動きつづけること。実際に襲撃を受けた場合には、敵の攻撃をけん制しながら、できるだけすばやく加速して危険地帯から脱出するとよい。

仲間を知る

16ページのコラムで見たように、敵は正規の職員をよそおうことや、時には友人の格好をまねることさえある。地元の人々をある程度信頼し、心情的・知的関係を作ることは重要だ。兵士は周囲の人間が怪しい人物かもしれないという疑念をむやみにいだいてはいけない。しかしながら、よく知らない者と共存する際に用心すべき点というものもあるので、ここで明らかにしておこう。

まずはじめに、あらゆる人物の身元を正確に調べるということを念頭に置いてほしい。この調査は、その人物の経歴にくわえ、家族の経歴まで含まれる。これは反乱分子・反乱指導者との過去のつながりを明らかにするために重要な情報である。さらに、その人物が財政上の問題を抱えていないかも探る必要がある。反乱分子が金銭の提供を申し出ることで簡単にかつ効果的に勧誘をしかけられる人物だということになるからである。ある人物についてほとんど情報がない場合は警戒しなけ

広範囲の意識

兵士にとって、チームワークは命運をにぎる鍵である。この絵では、パトロール機動部隊がストライカー装甲車のまわりに展開している。各兵士はそれぞれ担当の方向を監視する任務にあたっており、チーム全体で360度すべての方向の警戒にあたっている。

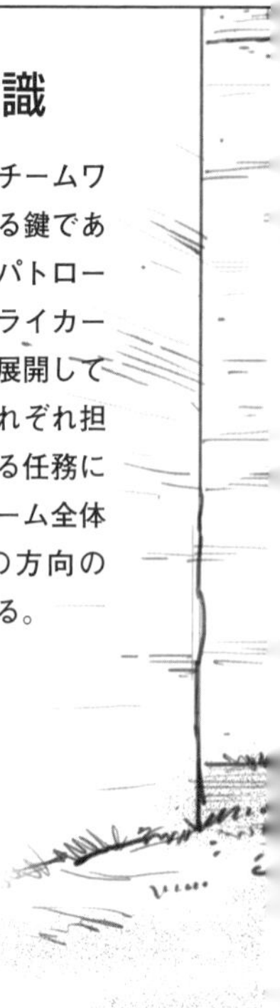

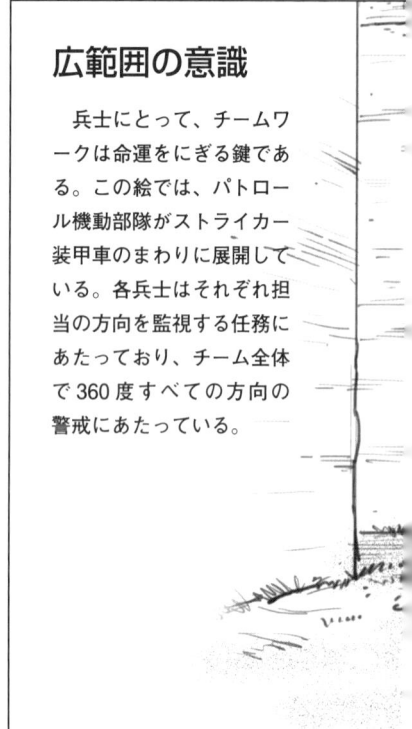

ればならない。その地域の外部から雇われた者だという可能性もある。

２つめとして、その人物の日常的な行動を観察しなければならない。その人物は、一瞬でも敵意を見せていないだろうか。あるいはあなたの所在地や今後の計画にかんしてひんぱんに質問していないだろうか。重要な軍事施設や軍事装置の写真を（カメラや携帯電話で）撮ったりしたことはないだろうか。また、不自然な時間に電話で会話しながら姿を消したりしていないだろうか。こうした一連の行動には正当な理由がある場合もあろうが、警戒しておく必要はあるかもしれない。そのため、さらなる情報を集める必要が出てくる。時には怪しい人物を活動の拠点から移動させる必要さえもあるだろう。

また、異様な大集会を見かけたが、理由をきいても即座に回答が得られな

ヒント――簡易爆弾（IEDs）を見分ける

どんな戦場であっても、奇襲攻撃というのは爆撃によって始まることが多い。とくにベトナムやイラク、アフガニスタンといった戦場では、簡易爆弾が爆撃の主要手段となっている。イラクでの2003年から2010年までの死傷者の内、簡易爆弾による死傷者は7割にも上っている。簡易爆弾を見分けることは非常にむずかしい。なぜならその仕組みもしかけ方もじつに巧妙になってきたためである。以下に、見分けるための典型的な手がかりを記す。

- 人間や動物の死骸が不自然な場所や、やけに目立った場所にたたずんでいるとき。
- 路肩に放置されたボロボロの車。
- 縁石やアスファルトの圧板が動かされているときや、箱が放置されているとき。

- 不自然に積み重ねられた土や木材、がらくた。
- 荒らされた土地や草木。
- 修繕された形跡のある路面。正規の工事が行われていないはずの場所で、埋められたばかりの穴がある場合など。
- 修理された跡の残った壁。荒廃した場所にもかかわらずれんがや漆喰が新しい場合など。
- 地面のなかや建物につなげられたコードやケーブル。

上記のような疑わしい場所からはすぐに離れるべきである。理想をいえば、その場所から数百メートルは離れておくとよい。そして隠れ場で待機し、爆弾処理の専門家の助けを待つのだ。

いときには、警戒しなければならない。これまでにも多くの兵士が、仲間とはぐれてしまったときに暴動のような社会的混乱にまきこまれて誘拐されている。最後になるが、人々がもっている書類が正しい事務書類であることを確認する必要もある。たとえその書類が本物で正しいものに見えたりしても――実際本物なのかもしれないが――、情報部を通じてその書類を所持している者の経歴を確認するほうがよい。そうすることで、その人物がデータベースや記録になんらかの異常を与えていないかを確認できる。

周囲の安全を確保する

多くの誘拐は、軍の在外基地や検問所、兵士やその他重要な人員の集まる公共施設などで起こっている（反乱分子はめったに大規模な軍の基地には攻め入らないものである。ただし、ロケットやミサイルによる遠隔攻撃の場合はこのかぎりでない）。いかなる場所でも、つねに意識と警戒心を保たなければならない。部屋に入る際には出入り口を確認し、脱出口のないような場所に入ることは避けるように心がけたい。

また非常に危険な場所では、容易に侵入されるのを防ぐために、窓やドアの管理を徹底しなければならない。さらに、すべての監視・警備装置が働いていることを確認し、建物のまわりに「目のいきとどかない場所」を作らないようにしなければならない。

在外基地や検問所にかんしては、360度見渡せるように設計する必要がある。また、発砲できる空間も周囲に確保しなければならない。施設につながる道路には、急な乗物の侵入を避けるために、障害物や防壁を配備することで安全を確保するよう心がける。くわえて、その建物で任務にあたる人には交戦規程（RoE）を徹底しておかなければならない。たとえば実弾を用いて射撃を始める前に警告を与える決まり（警告音の後に発煙弾を使うなど）が必要だ。

戦いにそなえる

上述の心がけは捕虜になる可能性を減らすことはできても、完全になくすことができるわけではない。戦線にはかならず危険がつきものであるということはゆるぎない事実なのだ。イラクやアフガニスタンにおける最近の経験をふりかえると、敵軍の誘拐からのがれることが重要であることがわかる。軍隊が待ち伏せされたり攻めこまれたりした際には、しっかりと応戦することが不可欠である。一般的な攻撃への対応は、防御できる場所を見つけすぐに鎮静力のある射撃で応戦することである。敵軍は誰かを捕虜として捕える

自然の地勢を活用する

逃走を実行する兵士は、小さな隠れ場所でも最大限活用するべきである。そのためにも自分と敵兵との間でちょうど照準線をさえぎるような地形を探すこと。

ためにはこちら側に接近しなければならない。そうするのがむずかしい場合には、敵軍が撤退する確率は高いだろう。また、応戦しておくことで、すくなくともこちら側が援軍を要請する時間をかせぐことはできる。さらに大切なのは、指令を出しているようすの敵兵や士官階級の軍服を着ている敵兵を標的にすることである。そうすることで敵軍の指揮官の「首をとる」ことができるのだ。建物の上にいる目撃者にも気を配ること。とくに目撃者が誰かと携帯電話で連絡をとっているような場合には、敵兵にリアルタイムで情報がわたっている可能性がある。そのためすぐに退去勧告をしたうえで、それに応じなければ射撃警告を発するべきである。いかなる射撃戦も結果がどうなるかは読めないが、激しく応戦すればその分捕虜になる可能性を減らすことができる。

移動を決意する

兵士にとってもっとも危険な状態の1つに、戦線の向こう側や敵の支配する地域で仲間の部隊から離れてしまうことがある。こうした危機におちいる状況は多岐にわたる。たとえば、空士の場合は敵の領空を飛行時に撃ち落されるような状況があるかもしれない。海兵の場合は混戦中に分隊から離れてしまうような状況がある。機動部隊の場合は乗物が簡易爆弾（IED）によって動かなくなり、乗組員が取り残されてしまうかもしれない。しかしどのような状況になろうと、兵士がすぐに捕われたのでないかぎりは、技術を駆使して捕虜にならずに逃げきらなければならない。

仲間の部隊が近くにいないような危機的状況では、まず安全な隠れ場所を探すことが大切である。とにかく「安全」ということが第一だ。大きな戦いの後は孤立した兵士たちが散在していたり隠れていたりする可能性があるため、敵兵がすぐに捜索にのりだす。そのため、明白な隠れ場所である農家の納屋や小屋などに隠れるのは、その内部によい隠れ場所があるのでないかぎり、やめたほうがいい。また、動物や家畜に囲まれた場所に身をひそめる際には注意をはらわねばならない。動物は鋭い感覚をもっているため、近くに汗ばんで疲弊した兵士がうずくまっていることに反応し、その行動が敵兵の注意を引きつけてしまう可能性があるからだ。

よい隠れ場所を探す際には、行きたくないような場所を探るべきである。われわれが行きたくないような場所には、敵兵も探しに来たがらないものである。そのため絶好の「籠り場」は排水溝や排水管、草の生い茂った場所、近寄りがたい屋根裏、廃業した工場といった場所になるだろう。上記のような場所であれば、敵の視界から安全に隠れることができる。また、理想をいえば仲間とはぐれた場所の近くに身をひそめるとよい。そうすることで、仲間の捜索の網に引っかかりやすくなる。ただし周囲の状況によっては、移動を強いられる場合もある。

多くの状況では、車や飛行機に待機することがもっともよい選択になるだろう。たとえ機能している無線機器がなくても（非常用伝達手段については第６章参照）、現代の軍用の位置特定機器は非常に高度だからである。たとえば空中査察器や衛星監察機などがこれにあたる。さらに、一部の車・飛行機は精鋭部隊用視認射程外位置追跡装置（BRAT）を代表とするような応答機をそなえている。もしこうした機器

上等水兵デール・E・ランド

1942 年 11 月 15 日、太平洋に浮かぶガダルカナル島でアメリカ艦船の駆逐艦ウォークは日本海軍により撃沈された。生き残った水兵の１人にデール・E・ランドという者がいる。ランドは機械運転手であった同僚のハロルド・テイラーとともに約二日間海で漂流しつづけた。漂流の後に、彼らはタサファロングの近くの島に打ち上げられた。仲間の米兵は東側に陣を張っていたため、仲間の居場所に合流するためには日本兵の支配するジャングルを潜り抜けねばならなかった。２人は死んだ日本兵からライフルと火薬をくすね、仲間のもとへと向かった。その旅は非常に過酷なものであった。２人はココナッツと日本兵からくすねた数枚のビスケットのみで生きのびた。安全のため、移動は夜にしかできなかった。周囲の環境はほとんど侵入不可能な草地と沼地であり、２人は虫にひどく刺された。また彼らは数回日本兵の部隊との小規模な戦闘を強いられ、そのうちの１つでテイラーは被弾し死亡した。ランドは待ち受ける敵兵の捜索部隊の目を盗み、高熱に苦しみながらも、１人で仲間のもとへと向かうことをあきらめなかった。その甲斐もあり、12 月 5 日に米軍の第 182 部隊に合流することに成功し、難をのがれたのであった。彼の逃走生活は３週間にもおよぶ、太平洋でもっとも敵の多い地帯の１つにおけるものであった。

が利用可能であれば（こうした機器は小さいため鞄につめこむことが可能である）、自動的にGPSネットワークを通して本部に現在の位置情報を伝達することが可能である。こうした情報は救助部隊を孤立部隊の居場所へと導くために非常に有用である。このような機器を使うことは、不用意に敵陣を歩きまわるよりもはるかに安全である。

しかしながら、仲間とはぐれた場所を離れることを余儀なくされる場合もある。暴動などで戦争状況にある都市部では、故障した車や撃ち落された飛行機は敵軍にとってよい標的となって

捜索犬からの逃走

捜索犬は１つの臭いが一直線に続いている時に能力を発揮する。そのため、移動する際に障害物のまわりをまわったり、水の上を横切ったりすると、捜索犬を立ち往生させたり、追跡を完全に打ち切らせることができる。

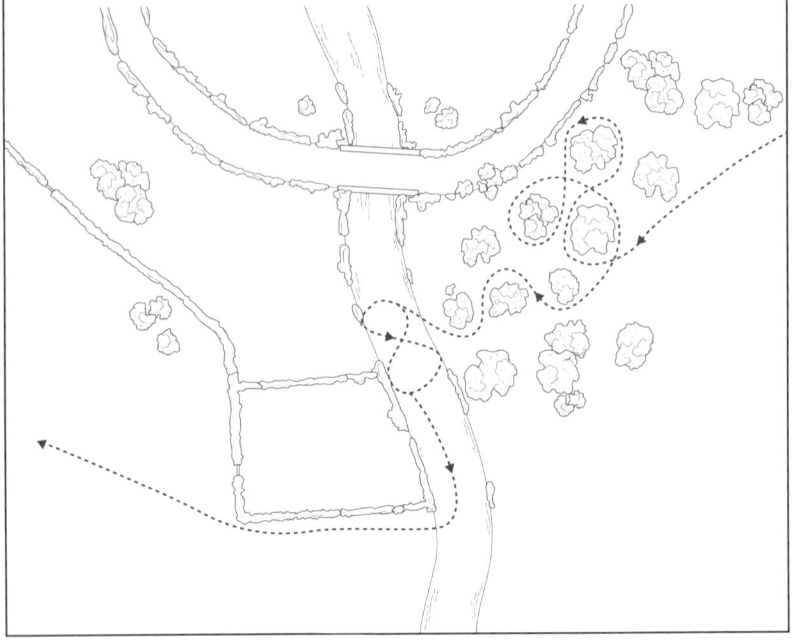

米陸軍からのヒント――とどまるか、移動するか

1999 年に出版された米軍の部署間共通マニュアル『サバイバル、逃走、救出』には、とどまるか移動するかの決定にかんして、以下の助言が書かれている。

1　とどまるか移動するかについて考慮すべき事柄

a　戦闘のない地域で車や飛行機がある場合にはその場にとどまること。

b　以下の場面でのみ、その場を離れることが望ましい。

　(1)　身近に脅威がある場合。

　(2)　現在の居場所と目的地が明白で、目的地に到着できる状態であるとき。

　(3)　移動することで水や食べ物、避難所、援助を期待できる場合。

　(4)　仲間の援助の到着が期待できない時。

c　移動することを決めた場合には、以下のことを心にとめよ。

　(1)　前もって決められた逃走計画に従うこと。

　(2)　どの方向に移動するのか決め、その理由も明確にすること。

　(3)　どの備品・装備を携帯するのか、どれを置いていき、隠し、破壊するのかを決めること。

しまうことが多い。そのため、時間がたてばたつだけ、そこにとどまることの危険度は増すばかりになってしまう。さらに特殊部隊の兵士の場合、とくに外国における機密任務などでは、助けが簡単には来ないような場所で任務にあたることもある。この場合、任務が失敗してしまったら、多くの兵士は前もって計画されている逃走経路に従うはずである。これはたとえば、より逃走しやすい場所である国境付近への移動などである。上のコラムですでに述べたが、大切なのは、はっきりとした目標や目的地をめざし目的をもって移動するということである。また、移動中のもっとも大切な心がけは、身を隠しながら移動するということである。

敵を知る

危険度の高い地帯における逃走は精神的にも肉体的にもかなり厳しいものである。荒れ地で生きのびるための厳しい肉体的負荷に耐える（場所にもよ

移動と追跡

追跡者が逃亡者の移動した形跡を捜し求めるということを忘れてはならない。たとえば以下のようなものが形跡となってしまう。このような形跡がいくつか残っていると、追跡者に逃亡者の移動方向がわかってしまう。そのため、できるだけ形跡を残さないようにすることが求められる。

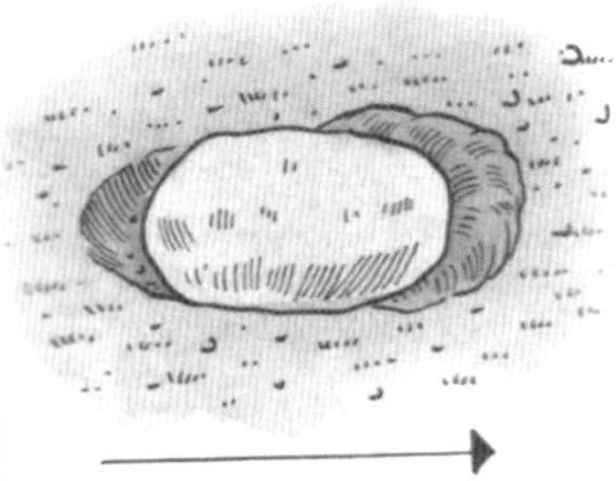

・動かされた石

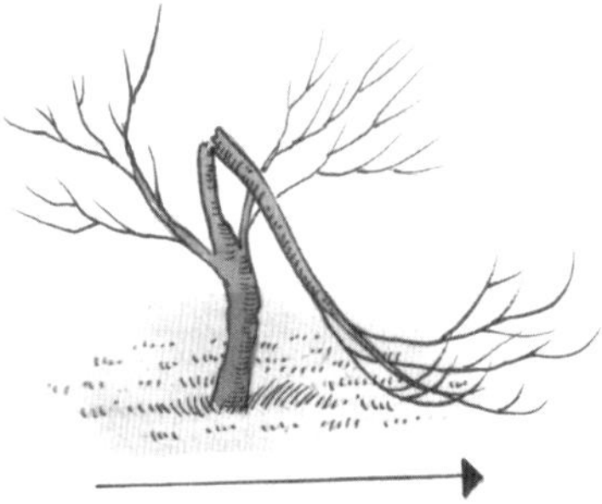

・折れた枝

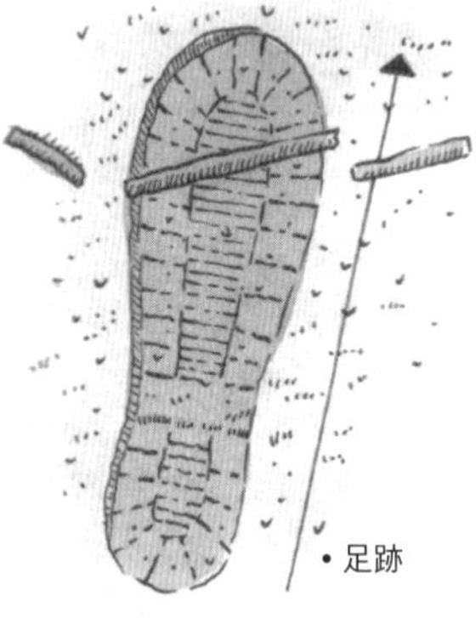

・足跡

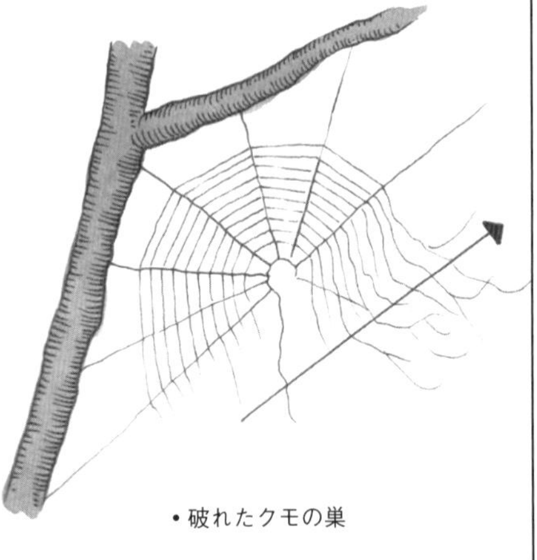

・破れたクモの巣

るが）ことにくわえて、敵の追跡をはばむために、逃走にかんする自身の知性や能力を生かしきらねばならないからである。

搜索を続ける敵兵の所持している人材や資源はさまざまであり、これにより敵の捜索の質は変わってくる。

捜索部隊

捜索部隊（「追跡班」とも呼ばれる）を組織するというのは、逃走中の兵士を捕まえるための手段としてもっとも長い歴史をもつものである。捜索部隊のもたらす脅威は、その部隊の性質や規模に左右される。たとえば捜索部隊は目的もなくうろつくような訓練不足の兵士によって編成されているかもしれない。一方で、十分な訓練を受けており高度な道具を携帯している特殊部隊もある。また、捜索部隊の規模が大きければ大きいだけ捜索の精度は上がるが、小さい部隊に比べて行動は遅くなってしまう。そのため玄人の集まった捜索部隊は少人数で組織されることが多い。多くの場合、隊長と副隊長と数人の衛兵で組織される。その際、捜索部隊の隊長は一般的に追跡の専門家であることが多い。部隊には、その土地をよく知っていて、兵士がどこに隠れているか、あるいは向かっているかがわかる地元の一般市民を含むこともある。

捜索部隊による捜索は方法が確立している。まず、捜索は逃走者が最後にいたと考えられる場所から始め、そこから逃走の方向を示す形跡を探り、さらに残された形跡に従って追跡を続けていく。もし形跡が見つからない場合でも、最後にいたと考えられる場所から組織的に捜索が行われるのは同じである。なお、一般的に人間の視界では前方180度10～15メートルを見渡せるものである。このことを知っておくと敵の視界からのがれる際に便利であろう。

捜索部隊の隊長が捜索ルートを決定する際には、多くの場合２つの可能性をもとに決断がくだされる。１つは逃走者が直接仲間のいる場所に戻る可能性、もう１つは救出を待つのに適した場所に向かっている可能性である。

捜索犬

捜索犬は逃走する兵士を長いあいだ苦しめつづけてきた。人間では感知できない臭いを探知し追跡できるため、捜索部隊の精度にも速さにも大きく貢献する（すぐれた捜索犬は時速16キロもの速さで捜索を続けることが可能である）。視界は人間より狭いが、嗅覚は人間の900倍、聴覚は40倍もすぐれている。

嗅覚により捜索をする場合、捜索犬は逃走者の残した「臭いの面影」をもとに捜索を続けることになる。これは、地面や周囲の環境に残された汗の臭いや衛生用品の放つ臭いによって形成される嗅覚像である。逃走中に私有物を落としてはならない1つの理由は、その人物固有のにおいの「強化刺激」を犬に与えることで、敵の捜索の精度が上がってしまうからだ。

捜索犬の能力はなにも無限大というわけではない。実のところ、捜索犬の臭いを追跡する能力はさまざまな環境要因に左右される。捜索犬が適切に追跡するためには、捜索開始の地点（たいていの場合追跡される者が最後にい

隠れ場所

絵のような排水溝は敵の捜索部隊から逃走する際に理想的な経路となる。この水路は木の生い茂った地域にある安全な出口につながっているうえに、水によって捜索犬の嗅覚に頼った捜索を難航させられるからである。

たと考えられる場所）ではっきりした臭いが必要である。捜索犬にとって理想的な環境条件は、夜か早朝の涼しい曇った天気で、風がほとんどないときである。これらの条件では汗の残す臭いが拡散しにくくなるからである。また、厚い葉をもつ植物がある場合も捜索にはふさわしい環境である。厚みのある葉は汗を吸着し保持しやすいからである。逆に、気温が高く乾燥した状況（汗が即座に拡散してしまう条件）では、犬は嗅覚を生かすことができない。風が強かったり強い雨が降っていたりするときにも、臭いが残りにくいため捜索犬は力を発揮できない。また、水や雪を横切ったり流砂があったりするような場所も、嗅覚を最大限生かすことはむずかしい。都市部や肥沃な土地では、さまざまな臭いが混在するため追跡に支障をきたす。

ヘリコプター

ヘリコプターは、非常に速いスピードで数百キロメートルを一挙に見張ることのできる究極の捜索装置である。実のところ、ヘリコプターの飛来に気づいた時に身を隠すことは比較的容易であるが、地形によっては赤外線前方監視装置（FLIR カメラ）が使用されることがある。その場合は、赤外線映像によって眺望のきく高い位置から広大な範囲を見渡すことができてしまう。また、ヘリコプターによる定期的なパトロールによって逃走計画がだいなしになることもあるだろう。ヘリコプターの乗組員は無線機で地上の捜索部隊に連絡をとることができるため、一度視覚的・技術的な捜索網が張られてしまったなら、逃走は困難をきわめる。

科学技術による手がかり

追跡部隊は捜索に有用なさまざまな光学器具を所持している。たとえば双眼鏡や望遠照尺付きのライフルなどである。こうした道具は夜間（逃走者がもっとも活動しやすい時間）には使用が制限されるが、相手がそれ以外に夜間でも使用可能な技術（暗視装置：NVT）を用いてくる可能性を忘れてはならない。NVT には3種類ある。

- 光増幅器：光学レンズを通して可能なかぎり光（月明かりや星の光など）を増幅する装置。
- アクティヴイルミネーション：赤外線の照射によって映像の鮮明度を増す装置。
- 熱画像測定器：周囲の環境との温度差で映像を映し出す装置。

アクティヴイルミネーションと熱画像測定器は夜間の逃走者にとって最大の脅威である。とくに熱画像測定器はじつに効果的といえる。この装置は、たとえば木の葉のような物陰に隠れて

捜索技術

図のような捜索技術は展開方形捜索として知られる方法である。まず捜索部隊は最後の手がかりの残っている場所から捜索を始める。それから一定間隔で直角に曲がることで四角形を描きながら、捜索範囲を拡大していく。

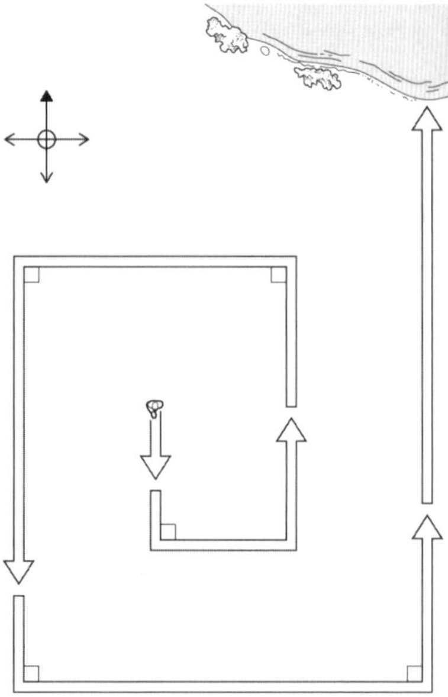

いたとしても、木の葉との温度差によって体温を「見る」ことができてしまうからである（その意味で、熱画像測定器は昼間でも効果的である）。熱画像測定器から身を隠すためには、洞窟や建物といった完全に体温を隠せるような場所に入る必要がある。あるいはその地で生活している地元市民をよそおってしまうのも手である。熱画像照射器の画像は熱による輪郭しか映し出せないため、視覚的な詳細はわからない。敵兵も地元市民とかんちがいしてしまう可能性はある。

視界の外

一般市民が遭難したような場合には、できるだけ目立つことで発見される可能性を高めることが大切である。だが逃走する場面では、隠れているほうが基本であろう。そのためカモフラージュや潜伏するための原則を知っておく必要がある。

カモフラージュや潜伏の原則を覚え

次の図は異なる捜索方法を示している。この方法では、等間隔にならんだ部隊のメンバーが同じ方向にまっすぐ移動していく。速いスピードで移動していくため、部隊の動きを正確に指揮できるかは統率者の腕にかかっている。

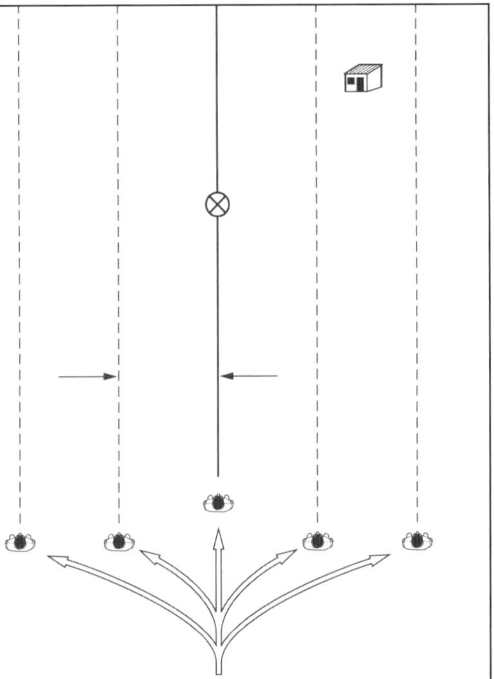

る方法は組織や国によってさまざまであるが、以下のSで始まる７項目を頭に入れておけばよい。

- 形（Shape）
- 光（Shine）
- シルエット（Silhouette）
- 影（Shadow）
- 音（Sound）
- 速さ（Speed）
- 周囲の環境（Surroundings）

形

「形」とは、人体の描く輪郭のことである。自然のなかでは人体の輪郭が非常に目立つ。やらなければならないのは、自分の体を見えなくすることではない。当然ながら、見えなくなることは不可能だ。本当にしなければならないのは、どうにか目立たないように自然のなかにまぎれこむことである。

その土地に合わせた迷彩服はわれわれの体を効果的に目立たなくしてくれるが、迷彩服ばかりに頼ってはならな

ヘリコプターによる捜索

ヘリコプターによる典型的な捜索方法は、逃走者の最後の手がかりの残っている地点から円を描くように飛行しながら捜索網を広げていく方法である。赤外線前方監視装置（FLRI カメラ）のような技術が投入された場合、ヘリコプターは逃走者にとってもっともやっかいな存在となる。

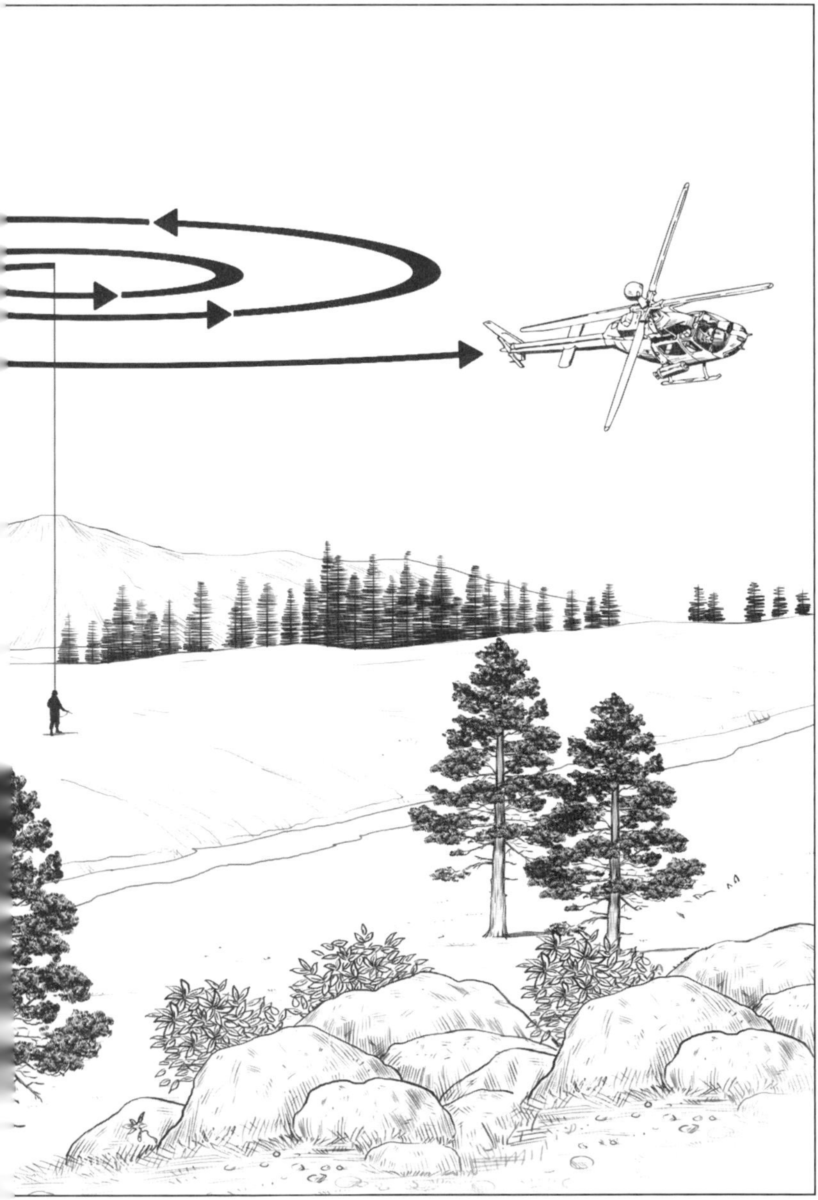

周囲にまぎれる

野戦のような場合、周囲の環境に自分の体をまぎれさせる必要がある。直線を作らないこと——この狙撃手は布をかぶせて銃身の線を隠している。

い。身体を目立たなくするために即席でできることは他にもある。たとえば、その土地に生えている植物を体や服になじませることでカモフラージュすることができる。これはヘルメットや肩、V字を描くような部位（腋や股など）につけると効果的である。ただし、過剰な装着は逆効果だ。大きな植物の塊が動いていたら、何も装着していない兵士よりも目立ってしまうからである。身につける植物は周囲の環境に合わせて選ぶようにして、別の土地に入ったら装着する植物は変えるべきである。また、定期的に新しい植物に変更したほうがいい。枯れはじめると色が変わって非常に目立つからだ。

カモフラージュのもう１つの方法に、即席の「ギリースーツ」を作ることがあげられる。こうした自然色の織物を身体に巻きつければ、輪郭をまぎらわすことができる。こうした衣服は潜伏して作戦にあたる狙撃手や特殊部隊員が身につけることが多いが、逃走中の場合にはギリースーツを手に入れることは困難だろう。そのため、この手段を講じるには、協力してくれる現地民の力が不可欠である。

光

「光」とは、光を反射したり伝えたりするすべてのものをさす。こうしたものは敵にみすみす居場所を伝えてしまうのである。たとえば、肌は汗や油が付着していると非常に光を反射しやすい。そのため、露出しているすべての肌はグリースペイントや即席の道具（炭、靴磨き、泥、つぶした果物など）で塗装をほどこすべきである。その際、もっとも反射しやすい部位である鼻、頬、顎、耳、額などを入念に隠すことが大切である。同様に手にも塗装するか濃い色の手袋を装着するとよい。カモフラージュの場合と同様、塗装のパターンはその土地に合わせて変えること。「ブロッチタイプ」（まだら模様）は、広葉樹の生えた温帯や砂漠、積雪地帯に合った塗装である。「スラッシュタイプ」（斜線模様）は、針葉樹の生えた森林地帯やジャングル、草原に適した塗装である（詳しくは44、45ページ）。この２つのパターンは中間の地帯では組みあわせてもよいが、やりすぎは禁物である。過度な塗装は逆に目立ってしまう。

他にも反射源となりうる物には、さまざまな装備や所有物があげられる。兵器の尾筒部などの金属製品は光沢を消す必要がある。その際には塗装、泥、靴磨き、ろうそくのけむりなど何でも使おう（道具の場合、その大事な機能に影響がないようにすること）。ギリー模様の織物や網目の布で反射部位をおおうことも有効である。また光学式レンズ（双眼鏡、照準具など）をカモ

ヘルメットカモフラージュ

ヘルメットに植物などをのせることで、兵士は頭部のシルエットを隠すことができる。この時大切なのは、新しい植物をまとうことと、移動中の土地に生えている植物を選ぶことである。

フラージュすることを忘れてはならない。こうした道具が太陽光を反射すると、その光は数キロ先までとどいてしまうからである。また、携帯電話を所持している場合には注意が必要である。とくに携帯電話使用時には周囲から完全に見えないようにすることを心がけねばならない。真っ暗の映画館で携帯電話の画面の光がどれだけ目立つかを考えればわかるだろう。同様のことが、懐中電灯やキーホルダー型電灯など、人工的な光を発する道具すべてにあてはまる。そしていかなる状況でもタバコを吸ってはならない。煙草というつかのまの楽しみが、その光と臭いにより命取りになりうる。

シルエット

丘の頂上や人為的な光のあたるなかで、人間のシルエットほど目立つものはない。こういった場面ではカモフラージュをしてもむだであるため、背景に何もない地平線上に自身のシルエットを映し出さないようにしたり、たえず死角を利用したりすることを心がけるべきである。死角とは周囲からの監視を避けることのできる場所のことだ。たとえば深い排水溝の底や草の生い茂ったところである。

シルエットを隠すために、必要に応じて地面に這いつくばるのも手である。また、あたりが暗くなったからといってシルエットが目立つ可能性がなくなったと考えるのはまちがいである。死角から出てしまうと、月の光はシルエットを映し出すためには十分な明かりをもっている。車の前照灯や投光照明といった人為的な光にも十分な配慮が必要だ。発光源と監視者の間に立ってしまえば、逃走者のシルエットは光と対照的な暗い部分としてたちまち映し出されることになる。どんなときも低い姿勢を保たなければならない。フェンスのような平行な物を越えなければならない時には、その下をくぐったり、その上部で地面に平行に、体を巻きつけるようにするとよい。

影

逃走する場面において、影というのは味方でもあり敵でもある。利点としては、影によって自身のシルエットや光を隠せるということがあげられる。たとえば太陽に照らされた道を横切らなければならない時には、大きな木陰を利用して安全に道を渡ることができる。一方、影が不利に働く例としては、「足跡」を目立たせてしまうことがあげられる。逃走者が立っている場合、太陽が低く明るく照っているときには数メートルにもわたって影が映し出されてしまう。この影は地上にいる敵兵にとっても空中にいる敵兵にとっても格好の手がかりとなる。太陽による影

顔面塗装

「ブロッチタイプ」は、広葉樹の生える温帯（落葉地帯）や、砂漠、荒れ地、積雪地帯といった地域に適している。暗くしすぎないことが重要だ。暗すぎる塗装は逆に目立ってしまうのである。

「スラッシュタイプ」とは針葉樹の生える地帯や、ジャングル、草原に適した塗装である。明るい色と暗い色が縦縞の模様となっており、周囲の植物の縦の線と調和する。

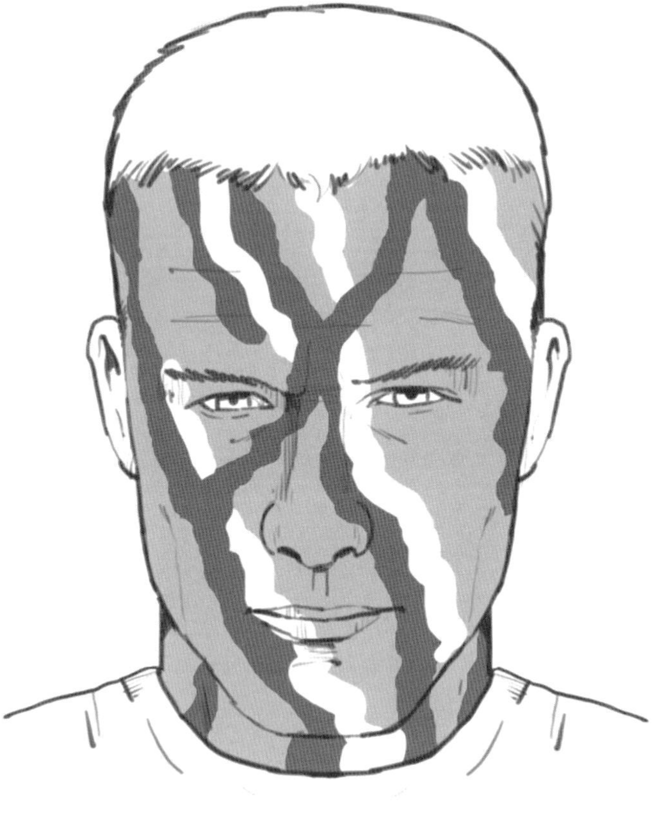

米陸軍からのヒント――逃走成功のカギ

1　計画

b　逃走を成功させるためのガイドラインは以下のとおりである。

(1)　積極性を維持すること。

(2)　確立した手順を意識すること。

(3)　逃走計画を遵守すること。

(4)　辛抱すること。

(5)　水分補給を怠らないこと（水分補給なしの食事は禁止）。

(6)　しかるべきときにそなえて体力を温存すること。

(7)　できるかぎり休息を確保すること。

(8)　敵の視界を避けること。

c　以下のものは臭いが強いため逃走をふいにしてしまう可能性がある。

(1)　臭いのある石鹸やシャンプー。

(2)　シェービングクリームや美容ローションといった化粧品。

(3)　虫よけスプレー（カモフラージュ・スティックは非常に臭いが薄い）。

(4)　ガムや飴（強いあるいは甘い匂い）。

(5)　タバコ（まちがえようのない臭い）。

d　どこに逃げるべきか（逃走を始めるとき）

(1)　救出されやすそうな場所の付近。

(2)　逃走のために前もって指定された場所。

(3)　中立あるいは味方の国や地域。

(4)　救出の際の指定地域。

――『サバイバル、逃走、救出――サバイバル、逃走、救出のための部署間共通手続き』（空地海応用センター、1999年）

隠れ場所の利用

植物が密集して茂っている場所では、敵の視界からのがれやすい。ただし隠れ場所が遮蔽物ではないことを忘れてはならない。植物は銃弾から身を守ってはくれないのである。

を避けるためには夜間のみに移動するのが適切な手段である（人為的な光という問題は残る）が、原則として、自身の影がどちらの方向にどの程度伸びているのか意識することや、直接光を浴びぬように死角を利用することを忘れてはならない。

音

逃走中に音を立てないようにすることは、身を隠すことと同じくらい大切である。静かな状況——平地における（とくに砂漠における）空気の乾いた夜など——では、ベルトのバックルと銃がぶつかりあう音でさえ数百メートル先まで聞こえるものである。銃声のような非常に大きな音は数キロ先までとどいてしまう。

身体から音を発していないか確かめる1つの方法として、その場でジャン

ユーゴスラヴィアにおける逃走

1995年6月2日、米空軍F-16Cの操縦士スコット・オグレイディは、旧ユーゴスラヴィアの一部であったボスニア・ヘルツェゴビナの上空をディナイ・フライト作戦の一環として飛行していたが、SA-6「ゲインフル」ミサイルに被弾し墜落を余儀なくされた。オグレイディは安全に脱出をしたものの、敵陣の奥のほうに降りてしまった。そのためセルビア軍は積極的に彼の捜索を始めた。オグレイディは着陸すると即座にパラシュートを隠し、カモフラージュのために顔に泥を塗りたくった。また、手を保護するために緑の手袋を装備した。それから深い森のなかへと身をひそめた。時には数メートルしか離れていない位置で彼の居場所を探るセルビア兵の捜査隊に出くわすこともあったが、見つからずにすんだ。オグレイディは墜落した場所から3.2キロの範囲にとどまりながら、毎晩よりよい避難場所へと移動を続けた。そしてサバイバルバッグの中身と周囲の植物、虫を食べながら、なんとか6日間生き長らえた。オグレイディがもっとも頼りにしていた道具はPRC-112という非常用ラジオであった。このラジオを使ってなんとか米空軍と連絡をとることができたのだった。米空軍による大規模な救出作戦が敢行され、6月8日午前、セルビア兵が攻撃を続けるなか、シースタリオン（輸送用大型ヘリコプター）によってオグレイディは救出された。

平行になって乗り越える

フェンスの様な水平なものを越える時は、体もつねに地面と平行にすること。そうすることで遠くからの監視が自身のシルエットに気づきにくくなる。大きな装備は先に向こう側に投げておくとよい。

地平線を背にしたシルエット

地上を動きまわる時には、地平線を背にしてシルエットを作ることは避けねばならない。絵の兵士は丘の頂で静止しているため、空を背にして非常に目立ち、スナイパーにとって格好の的になってしまっている。

光を背にしたシルエット

強い光を背にする場合、シルエットだけでなく影も作ってしまう。これらは敵に居場所を伝える大きな情報となる。また、発光源が地平線や地面に近ければ近いだけ、影が長くなることに気をつけなければならない。

プしてみる方法があげられる（もちろん安全な場所ならばの話である）。身につけている何かが音を鳴らしている場合には、テープやひもなどで固定するとよい（ただし銃の遊底の動きや発射・再装塡を妨げるなど、武器を自由に使える状態でなくしてしまうようなことはしてはならない）。装備品を身につけるつりひもが身にしっかり固定されていないと騒音が生じるので、確認を怠ってはならない。また電子機器のアラームやチャイムは解除しておく必要がある。

逃走者が音を発する最大の要因は足音である。夜間に自然環境で移動している場合、小枝を踏むことでごまかしのきかない音を生じさせてしまう危険性がある。そのため、特殊部隊の兵士は小枝を踏まないようにする訓練を受けている。前進する場合には、ひざを高く上げ、かかとを地面につける前に爪先で植物を端に除けるようにするのだ。あるいはかかとを先に地面につけて、体重をかける位置の植物を爪先ではらいのけるようにするのもよい。葉っぱのたくさん茂っているような場所では、邪魔な小枝をつかんだり折ったりしないようにしなければならない。小枝を不用意に折ってしまうと音が発せられるばかりでなく、枝の折れ目の白い部分が追跡の手がかりになってしまう。

天候によっては音のとどきにくい環境になる場合もあることを覚えておくとよい。風の強い日や、雨の夜、雨音が激しい天気の場合には、逃走者の移動によって発せられる音はわかりにくくなるだろう。また、多くの敵兵は逃走者を追うよりも、雨風をしのげる場所を探すことに集中するはずである。

影の利用

道を横切る際には、木陰に沿って渡るとよい。低姿勢ですばやく移動し、音をできるだけ立てないようにすることが肝心である。

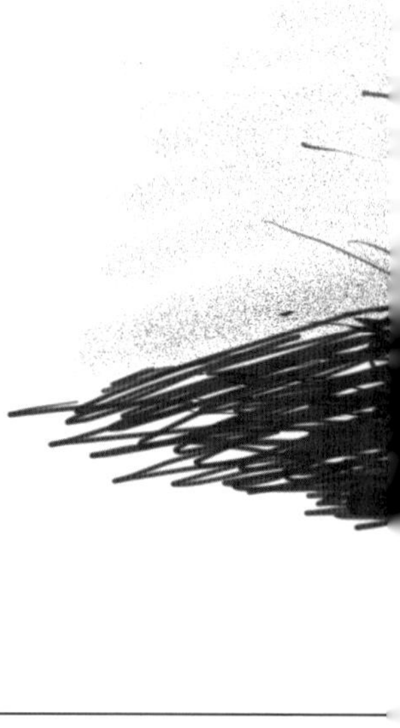

速さ

逃走という条件のなかでは「速く」というのは「移動せよ」と同義語である。しかしながらここでは文字どおり「速さ」について考えたい。敵のたくさんいる危険な地域では、慎重によく考えて動けるようペースを落とすべきである。また、安全な場所から離れるときには、しっかり計画を練っておく必要がある。つまり、目的地をはっきりさせ、時間配分に余裕をもたせておくのだ。隠れ場所や避難場所のたくさんある道筋をたどるのがよい（逃走経路の選択にかんしては第6章でふたたび述べる）。移動中は一定の速さで進まなければならない。前進しつつも、疲れすぎたり注意が散漫になったりしないように、適切な速さで進むのであ

る。さらに定期的な休息も大切である。身体を休めることができるだけでなく、敵兵の活動や追跡の兆候を察知できるからである。音をたてぬよう、敵に見つからぬよう、すべての行動を慎重に注意深く行うこと。一回の過失ですべてがふいになってしまうことを忘れてはならない。

周囲の環境

捜索部隊は周囲の環境に残されたささいな異変を察知しようとして、地表を入念に調査するものである。そうしたささいな手がかりは、逃走者の居場所を直接示すものであったり、少し前に逃走者が通りすぎたばかりであるという形跡を示すものであったりする。

身を低く保つ

近くに敵がいるような危険な場所で移動をする時には、匍匐前進をするとよい。匍匐前進とは肘と膝で移動する手段である。植物のたくさん生えている地帯であれば、葉や枝の隙間から周囲の観察を怠らないように気をつけよう。

そのため、逃走者は自身の居場所にかんしてできるだけ形跡を残さないようにしなければならない。小枝を折ってしまったり、草地に跡を残したりしてはいけない。策としては、棒を使って小枝などを端に除け、移動後にもとの自然な場所に戻す方法があげられる。足の置き場所にも注意をはらわなければならない。固い地面の上を移動する時にはほとんど「形跡」（逃走者の居場所を告げるもの）は残らないが、泥地の上を移動する時にははっきりとした足跡が残されるものである（泥地から岩場へ移動する場合には漫画に出てくるような足型の泥が岩に残されることになり、目立つことこの上ないのでとくに注意が必要である）。長い木や大きな岩をひっくり返すなどという行為は言語道断である。また、一時的な避難場所を作った場合には、そこを去る前に使った木くずなどを散乱させておくようにつとめるべきである。鳥や鹿などの動物に出くわしたときには、そうした動物を驚かせるのではなく自然にいなくなるのを待つのがよい。驚かされた動物というのは敵にとって格好の目印となり、発見される可能性を高めてしまう。

自制

逃走者は自制することを心がけ、ゴミを放置したり、装備品を残したりしてはならない。追跡者にとって格好の証拠となるからである。排便をするような際には、袋のなかに排便してもち運ぶか、目立たない場所に埋めるとよい。つまるところ、周囲の環境をもとどおりにしておくことが重要なのである。

居場所を暴くもの

以下の絵にあるようなものは、逃走者の居場所を敵に知らせる手がかりとなる。逃走者は自身から発せられる音、光、臭いに気を配らねばならない。またゴミや足跡といった形跡を残さないように注意が必要である。

つねに先手を打つ

今まで述べてきたように行動を統制していけば、敵兵に居場所を悟られにくくなる。しかし、他にも敵の捜索網から逃げるための策略はいくつかある。

米軍では、「変則的な時間間隔」をあけながら以下の行動をとるよう助言が与えられている。

(a) 隠れ場所で待機する。

米陸軍からのヒント

柔らかな地面の上に残ってしまう足跡を隠すために

(a)　植物や倒木、雪の吹き溜まりの影に足跡を残すようにすること。
(b)　足跡が自然に消えるように、雨や雪の降る前や降っている間に移動すること。
(c)　風の強い間に移動すること。
(d)　移動の証拠を減らすために固い場所（丸太や岩など）を選んで移動すること。
(e)　足跡を壊れやすくしたり、古く見せたりするために、軽くたたいておくこと。

——『サバイバル、逃走、救出』（1999年）

(b) 人間や動物が活動している証拠（煙、足跡、通り道、軍隊、車、飛行機、ワイヤー、建物など）を捜す。また、しかけられた罠に気をつけるとともに、逃走中の証拠を残さないよう心がける。夜中や夕方に何かが動いていることを探知するためには、周辺視野を用いるとよい。
(c) 車や軍隊、飛行機、武器、動物の立てる音に注意をはらう。
(d) 車、軍隊、動物の放つ臭いに

危険な移動

49ページのフェンスを越える場合と同様に、線路の上を移動するときには身を低くし、レールと平行に移動することが大切である。さらに、すばやく移動して隠れ場所へ渡ることも重要なポイントである。

注意をはらう。

上記の助言のなかで、夜中や薄暗い環境における周辺視野の有効性が説かれている。夜中に疑わしい物影を見つけた場合に、それを直視してしまうと暗闇のなかに見失ってしまうだろう。直視するのでなく、その物影の横に視線を向けるとよい。そうすることで周辺視野を活用でき、物影をとらえることができるのである。

また、すでに見たように、逃走中には天候や地形を有効に活用するとよい。強い雨と風が重なったようなひどい天

気の場合には、自然による避難場所や隠れ家が得られる。天候が悪ければ捜索部隊は飛行機を飛ばすのを止めることもあるだろうし、飛ばしたとしても雲の位置が低いため捜索精度はいちじるしく低下する。捜索ヘリコプターや固定翼飛行機の場合、天気が悪いときには木の生い茂った起伏のある森や岩場、山といった場所を飛行したりはしないだろう。

形跡をごまかす

逃走者の通った道がはっきりした一本道であるような場合が捜索部隊にとって理想的な状況である。このことは捜索犬をつれている部隊にとくにあてはまる。そのため逃走者は、追跡者も捜索犬もまどわせるようにふるまわなければならない。たとえばある地点で引き返してみたり、後ろ向きに歩いてみたりするとよい。そうすることで、足跡が示す方向と実際に進む方向をくい違わせることができるのだ。また、ひんぱんに水際を通り抜けることは、犬の嗅覚による追跡をまぬがれるために有効であるだけでなく、進む方向を大幅に変える絶好の機会としても利用できる。つねに足跡を消すことも忘れてはならない。たとえば、乾燥したほこりっぽい場所を通り抜けるときには、葉のついた枝を引きずりながら移動することで足跡をわかりにくくすることができる。

距離を置く

もう１つの簡単な逃走技術は、たんに敵兵から距離を置くことである。移動は注意深く、とここまで述べてきたことを念頭に置くと、この方法は敵兵があまりいないような、広大な野生地に適した方法であることがわかる。この方法をとるためには体力が必要となるが、基本的には敵兵が予想しているよりもすばやく長いあいだ移動しつづけるということが重要である。

多くの場合、逃走者が逃げようとする気力よりも追跡者が捕まえようとする気力のほうが（わずかとはいえ）弱いものである。そのため、身体的な疲労が始まると追跡者はすぐに休憩をとるだろう。追跡者が1時間程度休憩をしている間に逃走者が逃げつづけた場合、すくなくとも6.5キロは距離を伸ばすことができるのだ。

しかしながらこの方法には注意が必要である。息をきらしながら逃走を続けることは、逃走者から体力を奪うだけでなく、追跡者に多大な情報を与えることになる。その情報には、物音や視覚的な証拠（静かな風景のなかで何かが動いていると目立つものである）や、捜索犬にとって格好の証拠となる汗などが含まれる。

追跡者と戦う

事態として最悪なのは、追跡者が逃走者のすぐ後に追いついてしまいそうなときである。この状況ではいくつかの選択肢が残されている。1つめはその場にとどまり隠れることである。完全に静止し静かにやりすごすのである。

足跡の種類

足跡を読むことができると、追跡者や地元住民にかんして把握しやすくなる。たとえば絵の足跡は、上から順に、以下のような情報を示している。

- 誰かが走っていたこと（一歩一歩が大股である）。
- 誰かが重い物を運んでいたこと（一歩一歩の間に足が引きずられている）。
- 軍靴を履いた誰かが通ったこと。
- 女性がハイヒールを履いて歩いたこと。
- 誰かが後ろ向きに歩いたこと。

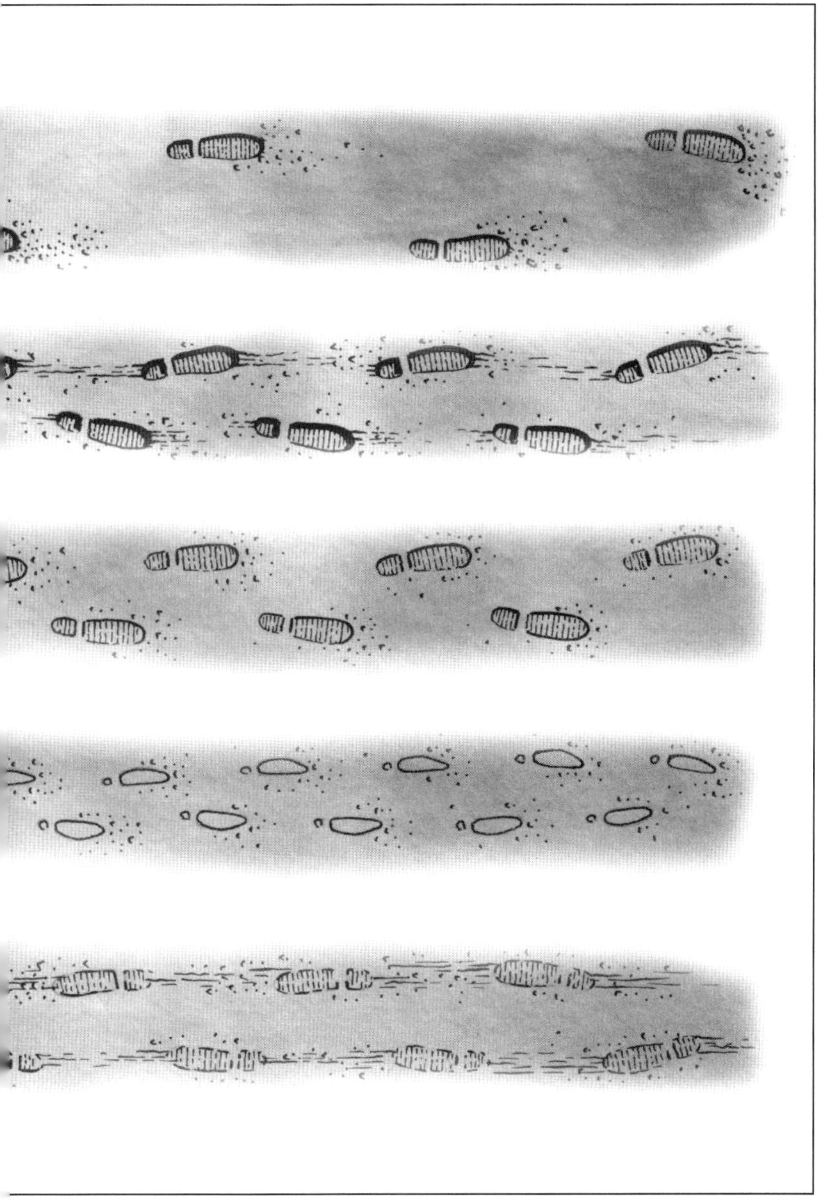

足跡の査定

ある地点を何人の人間が通りすぎていったのかを判断するためには、90 センチ四方の四角形を想像するとよい。その四角のなかにいくつ足跡が入るのか数え、その数を 2 で割ると、だいたい何人の人間が通りすぎていったかがわかる。

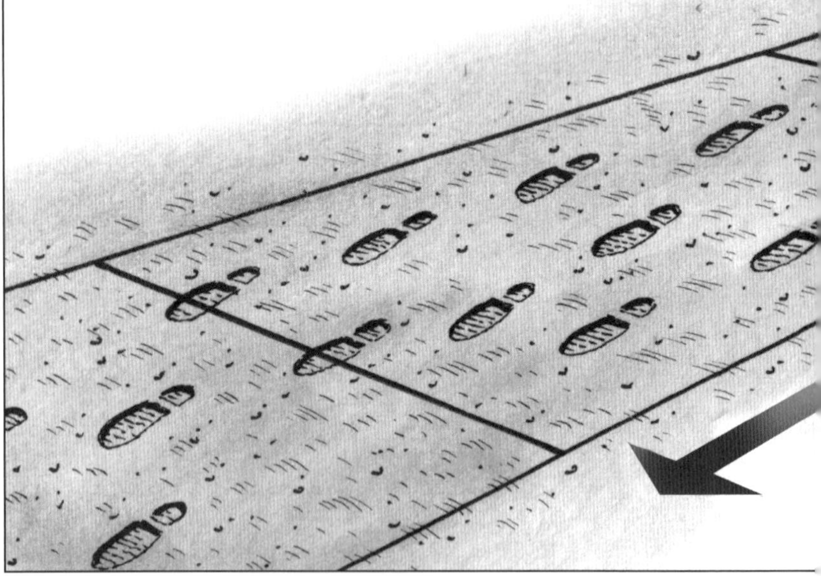

ひょっとしたら追跡者はこちらに気づかず、逃走者の向かった方向がわからなくなり、まちがった方向へ進んでしまう可能性がある。2つめは戦うという選択肢である。この選択をするのは、気力と現実味があり、適切な武器をもっている場合にかぎられる。追跡部隊が小隊であり、逃走者が複数であったり武器が充実していたりする場合には、戦っても勝機がある。逃走者が1人でピストルしか携帯していないような場合には、戦うのが得策だとはいえない。

敵兵と直接に接触した場合の対処法については第5章に話をゆずることにする。捕えられ捕虜になることを避けられない場合があるのだ。

都市部における逃走

敵の支配下にある都市部での逃走は困難をきわめ、非常に危険である。以下の助言を守るとよい。

- できるかぎり夜中に移動すること。その際は人混みを避けるために、街のなかでも人気のない場所を移動するとよい（高速道路の側道にある未開地など）。
- できるだけその地の人が着ている服を着るとよい。夜間には服装だけで十分風貌をよそおうことができる。
- 戦闘の配置につく前に地元のあいさつや言いまわしを覚えておくとよい。地元の人に話しかけられても短く答えて歩きつづければ、変わった人だと思って放っておいてくれるかもしれない。
- まったく知らないような場所を歩きまわってはならない。利用可能なコミュニケーション機器を用いて仲間と連絡をとり、こちらの居場所を伝えるのだ。その際にわかりやすい目印となる場所を教えておく必要がある。それから隠れ場所を探して助けを待つのだ。

第2章

監禁されたり人質になったりすることは精神的にも身体的にも辛いものであり、生きのびるには本当の知性が求められる。

捕縛と監禁

捕虜になったり人質になったりすることほど恐ろしい経験はない。いったん囚われてしまったなら最後、自分の行動や将来は自由でなくなり、敵の手にゆだねられることになる。ジュネーヴ条約のような協定に従って人道的な保護を保証されている場合であれば、捕虜としての生活は、たいへんだがおそらく耐えられないほどのものではないはずである。一方、反乱分子や過激な宗教集団に捕らえられた場合、その経験は身の毛もよだつものとなる。

本書はおもに逃亡と逃走のための技術にかんするものであるが、戦争捕虜（POW）にかんしても触れておく。捕虜になるという、特有の危険性があり心理的に疲弊するような状況にあっても、かねてより研究されてきたさまざまな方略がある。この方略を学べば、上手に捕虜生活を送り救出にいたる可能性は高くなるであろう。

捕虜はたくさんの困難を強いられることになる。その困難は孤独、拷問（心理的にも精神的にも）、退屈、恐怖、他の捕虜との共生など多岐にわたる。自分でコントロールできることはコントロールするということが大切である。

敵の手中

2002年10月、米総合参謀本部長であったリチャード・B・マイアーズは『対テロリズム個人防衛ガイド——テロリズムに対する自助ガイド』を編纂した。この本のなかで政策指針にかんして述べた部分には、敵が正規兵であろうと非正規兵であろうと、なぜアメリカ人捕虜が敵兵にとって価値のあるものとなっているかが書かれている。

テロリストによる捕縛、敵国による拘留を受けたアメリカ兵は、たいていの場合個人として、あるいはアメリカ政府との交渉のため、あるいはその両方を目的として利用されることになる。利用の方法は多岐にわたるが、いずれの場合も敵国政府やテロリストを利することを意図している。過去には、テロリストや敵国が捕虜を情報源にしたり、犯してもいない罪を認めるよう脅してプロパガンダに利用したりしてきた。これにより敵側が正当性を得るというわけである。政府が脅迫対象となる場合は、その国の信用を失墜させるような声明を出させることや、他国に対する弱腰の体を晒させることが目的となる。政府がテロリストに囚われた捕虜のために身代金をはらうようなことがあれば、その資金がテロリストの財政や物資を潤わせ、地位や影響力をも高めることになるため、そのような集団によるテロを長期化させることになる。わが政府はテロリストとはいっさい交渉をしないという方針を掲げている。

つまるところアメリカ側にしてみれば、情報開示の要求や財政・組織的主張のてこ入れのために捕虜が悪用されるのである。そうした要求をのんでしまえば、テロリストが息を長らえる手段を提供することになってしまうのだ。今までの歴史をふりかえってみると、戦争捕虜はさまざまな目的で利用されてきた。第2次世界大戦中に捕えられた何百万人ものソ連の赤軍兵戦争捕虜は、ドイツによってさまざまな形で奴隷として利用され、多くの人が死ぬまで労働を強いられたり容易に殺害されたりした（終戦まぎわには赤軍兵が300万人ものドイツ人戦争捕虜に対して同じ仕打ちをすることとなった）。時に、捕虜は集団で殺害されることもある。これは死刑を執行する側の思想的な「純潔」を証明するための一種の儀式として行われるのだ。最近でいえば、中東や中央アジアのイスラム過激派によって集団殺戮が執行された。集団殺戮そのものの歴史は古く、打ち首などの形で昔から存在していた。

こうした恐ろしい現状や、（アメリカのような）多くの政府が「テロリストとはいっさい交渉しない」と明言している事実を考えれば、戦争捕虜がいかに無力な状況に置かれているかがはっきりするだろう。しかしながら、捕

降伏

敵兵に降伏するのは危険なことである。とくに戦闘が終わってすぐの場合はなおさらである。腕を高く上げ、いかなる武器も携帯していないことをはっきり示す必要がある。

始めの瞬間

捕虜になる最初の瞬間がもっとも危険なときである。捕える側が新しい捕虜に対して神経質になっているからである。いかなる命令にも従うこと、そして急な動きをとってはならない。

虜になることで生じる危険を完全になくすことはできないものの、兵士が捕虜生活をうまくのりきる方法や、脱走の機会や救出部隊の到来を待ちつつ生き残るための方法は残されている。

始めの瞬間

捕虜となった最初の瞬間こそがすべての戦争捕虜にとってもっとも危険なときである。戦闘のすぐ後であるため、捕える側は、引き金を引く人差し指がまだうずいており、心臓は激しく波打ったままであるため、捕虜に対していっさいの理解も感情移入もない。実のところ、捕える側にとっては、捕虜を保護して収容所へつれていくことよりも、その場で殺してしまったほうがたやすいものである。歴史をふりかえってみると、戦場で捕えた捕虜をつれて帰りたがらないのは過激派にかぎった話ではない。第２次世界大戦中、米軍の第１部隊の軍医総監はこう述べている。「敵兵が20人以上のグループでやって来るのでなければ、アメリカ兵はほとんど彼らを捕虜として保護する気はない」。1982年のフォークランド紛争では、イギリス兵が敵軍の降伏直後にも武装解除した兵士を射殺していたことが知られている。これはたんに、戦闘が一度始まってしまうと敵兵を撃つという流れを中断することがむずかしいためである。

命令に従う

捕虜となった初めの瞬間において、敵兵の命令に従うことほど大切な行動はない。虚勢を張ったり挑発的な態度をとったりすれば、暴力をふるわれたり、場合によっては死にいたったりするだろう。その結果深い傷を負ってしまえば、後に逃亡を試みる時に不利益をこうむることになるのだ。そのため、どんなに敵兵を恨んでいようと、それを態度に表してはならない。下手に出て静かにふるまうことが大切である。低く落ち着いた声で、敵の命令に忠実に応じるとよい。急に動いたり、目を合わせたりしてはいけない。また敵兵に懇願したりしてもいけない。懇願しすぎると同情をかうどころか侮辱され、損害をこうむりやすくなるからである。副次的な危険としては、地元市民からの攻撃があげられる。地元市民もこちらの軍の攻撃により被弾したり空爆を受けていたりするためである。その例として、上院議員であるジョン・マケインのケースがある。マケインは1967年の北ベトナムでの攻撃作戦で、スカイホークA-4の若手パイロットとして任務にあたっていた。彼はハノイで撃墜された際に、地元市民からの怒りによる恐怖に晒されることとなった。彼は墜落により重傷を負っており、

手荒い扱い

　多くの争いで戦争捕虜は敵意をもった民衆の前に晒されてきた。こうした状況下では顔を下げ、背を丸めれば、打撃から頭を保護することができる。このとき敵兵から離れてはならない。捕虜を殺されたくはないはずなので、敵兵が捕虜を守ってくれる可能性がもっとも高いのである。

番犬から身を守る

番犬に捕えられた場合には、蹴りをくわえながら距離を保つとよい。距離を縮めてかみついてくる場合には、腕や足を狙ってくるだろう。そうした部位がかまれたら、頭や目に棒などで打撃をくわえるとよい。

湖から引き揚げられた。

北ベトナム人が泳いできて、わたしを湖のほとりへと引き揚げた。するとすぐにわたしの服を引きちぎりはじめた。これは彼らにとって基本的な流れであった。またこれは町の中央で行われたので、当然ながらたくさんの地元民が集まってきた。彼らはわたしに向かってどなったり、悪態をついたり、つばを吐きかけたり、蹴ったりするのであった。

服をほとんど脱がされたころ、わたしは右ひざに痛みを覚えていた。身体を起こしてみると、右足が左ひざの脇で90度に曲がっていた。「ああ、足が！」とわたしは言った。なぜだかわからないが、その言葉は地元民をひどく怒らせたようだった。彼らの１人はわたしの肩をライフルの台尻で殴った。ものすごい力だった。もう１人はわたしの足を銃剣で刺した。聴衆のいらいらは最高潮に高まっていた。

こうした場面で捕虜ができることはほとんどない。運命に身をゆだね、信用のおけない敵兵による保護に期待するしかないのだ。とはいえ、貴重な捕虜が収容する前に死んでしまったら、敵兵にとっても面倒なことになるだろう。

情報を集める

捕虜になった初めの数分か数時間の間でも、まったく何もできないというわけではない。自身の置かれている状況や環境を理解することが先決である。そのため、疑われないようにしながらもできるかぎり情報を集めねばならない。心のなかで以下の事項を確認するとよい。

- 誰がグループのリーダーであるか。そして２番目に偉い人物は誰か。
- 現在いる場所はどこか。周囲にある目立った地名や道の名前を覚えておくとよい。位置情報がわかっていると後々の脱走や救助に役立つ。
- 敵兵の会話からどこにつれていかれるのかにかんする情報をひろうとよい。たとえ敵の言葉がわからなくても、聞いたことのある地名や何度も発せられる単語に聞き耳を立てるとよい。
- 敵の中の誰かが心理的・身体的に弱いところをもってはいないか。たとえば足をけがしている、他のメンバーに虐められているなど、後でこちらが利用できる弱点はないか。こうした特徴は捕虜にとって逆に危険を生む可能性もあるため、気をつけておくとよい。

ヒント――看守との接し方

アメリカ国土安全保障省では看守との接し方にかんして以下の助言を与えている。

- 看守を怒らせてはならない。
- 政治的な話や思想上の話をしてはならない。
- 指示に従いつつも、つねに尊厳は保て。指示や命令に急いで従ったり、快く従ったりする必要はない。看守との関係をバランスよく維持するだけで十分である。
- ふつうの声で会話せよ。他の人質にささやき声で話しかけたり、テロリストに大声で話しかけたりしてはいけない。
- 看守と前向きな関係を築くことを心がけよ。意思疎通のはかれる看守を見つけ、その者と関係を築くようにせよ。
- 自身の身分、祖国、所属する軍に誇りをもて。ただし口は堅くせよ。

要するに、知らない場所につれていかれる前の段階で、できるかぎりさまざまな情報を集めておくとよいのである。どんな情報がどんなときに生きてくるのかはわからないものだ。

他にも捕虜のいる環境で捕えられていて、敵兵に盗み聞きされずに会話ができる場合には、この時間を使ってできるだけ多くの情報を共有するとよい（ここでは注意が必要である。時に抜け目ない敵兵が、実際は自分の仲間である偽の捕虜をしのばせている可能性があるからだ。そうすると捕虜同士がどんな会話をしているのかが筒抜けになっている場合がある）。尋問時や捕虜の扱いにかんする規定には、（極端にたくさんの捕虜が収容されていないかぎり）できるだけすみやかに捕虜同士を引き離すように記されていることが多い。こうすることで捕虜同士が反乱や脱走をくわだてられなくしているのだ。また尋問の際に、示しあわせておいた作り話をされるのを妨げることもできる。そのため、一緒にいる間はその機会を利用し、皆にとってたいへんな場面では相互に助けあうとよい。誰かがパニックにおちいった場合には、落ち着くまで静かに話しかけることで安心させてやるとよい。騒音や動揺は、いかなるものであっても、看守の気に触れて捕虜全員が不利益をこうむることになりかねないので、皆でできるか

収容施設の見きわめ

戦争捕虜収容所に到着したら、その警備システムを見きわめるとよい。絵の施設ではフェンスが二重になっており、塀には輪状の有刺鉄線と電流ケーブルがそなえられている。フェンスの間の土地は監視塔から兵士によって監視され、見張り番は探照灯と銃をそなえている。投光照明は収容施設の周囲の環境を照らすことができる。

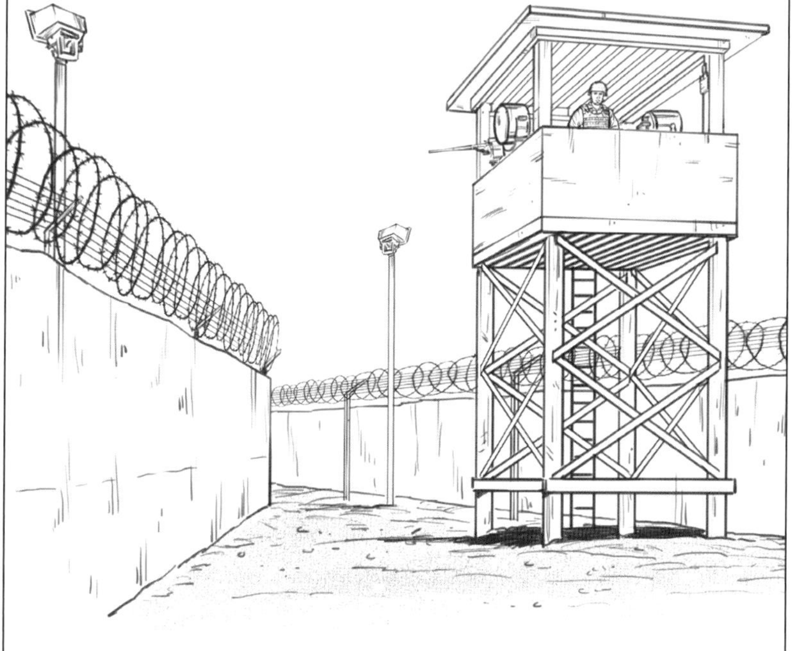

欠乏状態を強いられる剥奪

捕虜に不潔な環境での生活を強いることは、看守と捕虜の支配関係を確立するために有効な手段である。こうした状況下であっても自尊心は保つ必要がある。たとえば心のなかでおどけた声や挑戦的な声を出して、看守に反抗するとよい。

ぎり静かにいようと心がけることが大切である。

政府の捕虜

本章では捕虜となった陸兵、海兵、航空兵が直面する２つのシナリオについて考える。１つは協定の結ばれた政府や軍に囚われた場合。もう１つは反乱分子やテロリスト集団に囚われた場合である。

戦争捕虜施設

まず協定の結ばれた組織に囚われた場合を考えたい。こういった組織の収容施設とテロリストのような組織の監禁部屋の大きな違いはむろん、規模である。協定のある組織のもつ施設は数千の捕虜やさまざまな国籍・部隊の者を収容できる。施設のセキュリティーは厳しく（施設が急いで建設された場合はこのかぎりでないが）、さまざまな機能をそなえている。たとえば何重にもなった壁や、探照灯、武器をそなえた監視塔、番犬をともなったたくさんの見張り、自動警報機システムなどがあげられる。こうした大規模な施設の収容者の場合、独房に割りあてられる可能性は低い。ただし特別重要な人物である場合には、隔離棟に収容されたり故意に離されたりすることはありうる。

大きな収容施設の場合は、ある程度の匿名性を得ることができる（部隊長とその部下が一斉に捕虜となった場合、部隊長は部下に対して敬礼をひかえるように指示しておくべきである。そうすることで看守に警戒されずにすむのだ）。収容所での匿名性が吉と出るか凶と出るかはその施設の運営方針しだいである。待遇のごく公平な施設であれば、扱いが厳しいにしても、捕虜は客のように扱われる。

たとえば、第２次世界大戦の間アメリカやイギリスに捕えられたドイツ人捕虜とイタリア人捕虜の一部は地元の農家や工場で有給の労働をしたり、定期的にバーやレストラン、映画、スポーツイベントに行ったりすることが許された。多くの捕虜は現地民と仲良くなり、戦争が終わってからもその国にとどまりさえした。

一方で、多くの収容施設では驚くべき暴力や捕虜への無関心が横行しうる。これは、運営上の問題から生じる部分もある。大量の捕虜を収容すると食事の供給と管理能力がまにあわなくなるため、栄養失調や飢えが常態化したり、過密状態になってしまったりするのだ。そうした環境では病気の流行が副次的に発生したりもする。こうした劣悪な環境は看守と捕虜の間の民族問題や政治的対立によってさらに悪化することもある。徹底的な暴力、拷問、虐待な

ナイフによる脅威に対応する

別の収容者にナイフで襲われた場合は、ナイフを持った手の手首を両手で強くつかみ、勢いよくふり動かして相手を床に投げつける。とどめをさすには、目や喉など体の急所を攻撃する。

どが常習化してしまうのである。そうした待遇を受けた例は、20世紀にかんしては枚挙に暇がない。また、直近の例でいえば、1990年代の旧ユーゴスラヴィアの収容所でも同様の事実があった。

看守との関係

こうした施設で生き残るためにはまちがいなく一定の運も必要であるが、あわせてより積極的な対策を進めることが大切である。まず看守と良好な関係を築く必要がある。そのために看守に対して敬意を表しつつ、あくまで人間として接し（仮に相手がそれに見あうような者でないとしても）、家族やお金にかんすることなど共通の話題を見つけるとよい。その際に親しくなりすぎてはならないが、やがて特定の看守との間に友好関係が芽生えていることに気づくかもしれない（不愉快かもしれないが）。看守が捕虜に対して慈悲を見せはじめた場合には、こうした友好関係は捕虜にとって有利に働くだろう。

看守が友好的な態度を見せた代表的な例に、第2次世界大戦時の日本人兵士のケースがある。捕虜となったイギ

リス兵士ジョン・バクスターは、東南アジアで熱帯気候のなかマラリアや赤痢の脅威にさらされながら、鉱抗や鉄道で辛い労働を強いられていた。日常的な暴行や急な処刑によって何百人もの労働者が死んでいった。多くの看守が微塵の慈悲も見せないなかで、そのうちの１人であった平野隼人が同情心をいだいていることにバクスターは気づいた。平野はまわりの看守の前では捕虜を見くだしたり暴力をふるったりしていたが、まわりに他の看守がいない時には、自分の身を危険にさらしながらも、担当していた６名の捕虜に対して食事や水を分け与えてくれていた。時には彼の妻の作ったケーキを捕虜にこっそりあげたりもしていた。もし平野のこうした行為が見つかっていたら、平野自身が処刑される危険性もあった。それにもかかわらずバクスターたちを生き残らせようとしていたのだった。

こうした思いやりのある事例は戦争捕虜収容所ではほとんどみられない――収容所には無慈悲な環境があり、皆が共謀するからなのか弱いからなのか、その雰囲気に染まってしまうものである。こうしたなかでは、捕虜は劣悪な待遇を受けないように機会をうかがわなければならない。たとえば特別攻撃的な看守のいない区域に移してもらう努力はしたほうがよい。また収容所にとって利益になるような能力（大工仕事や溶接工）を見せつけることも、看守のちょっとした好意や特別待遇を受けるためにはよい。ただし、仲間について密告したり重大な情報を流したりといったような処世術に走ってはならない。気を抜かず、仲間や祖国への忠誠心を失うことなく、できることのなかで最善の利益を得るのが基本である。さらに、いかなるときも軍人としての姿勢や尊厳を維持しなければならない――周囲にいるレベルの低い者たちと同じ水準におちいってはならないのだ。

他の収容者から身を守る

捕虜収容所におけるもう1つの危険の可能性についても考えなければならない――他の収容者だ。大きな収容所では、さまざまな民族集団に属し、政治観、ふるまい、社会背景などが異なる収容者が集まることがあるが、皆が互いに協和的な関係にあるとはかぎらない。また、厳密にいえば収容所内でも階級にもとづく権限制度を維持するべきだが、時間がたつにつれて軍の秩序がくずれるということはよくある。

取引と武器

戦争捕虜収容所では、必需品の取引が活発に行われていることが多い。とくにチョコレートやタバコ、それに本のような退屈をしのげる物がよく交換される。こうした取引の管理人の役割をつとめることは、収容所で生きのびるのに役立つことがある。また、ごく簡単な材料でも、少し工夫すれば防護するための武器となる場合が多いことも覚えておこう。

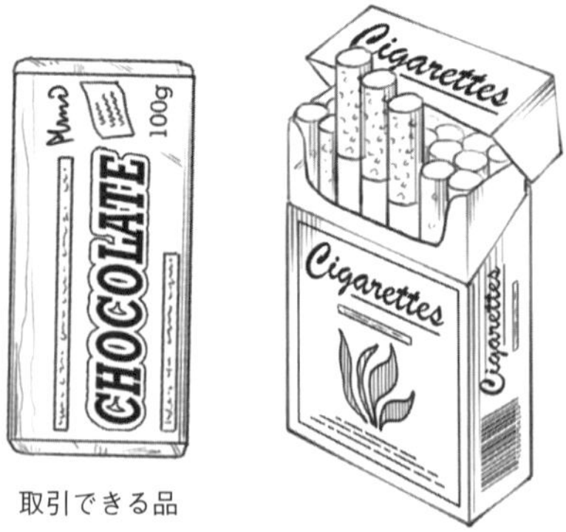

取引できる品

歴史家ディーン・B・シモンズは、1944-45年にアメリカのミネソタ州で収容されていたドイツ人およびイタリア人捕虜の行動にかんする長大な研究を行っている。米兵による収容者の扱いに問題はなかったのだが、ドイツ兵の間では、戦争の初期の頃から戦ってきた古参兵と、より失望感を味わっていた新参者との対立が深まっていた。この2つのグループ間の暴力はすさまじく、時には殺人も起こったため、アメリカ当局は彼らを別々の収容所に送らざる

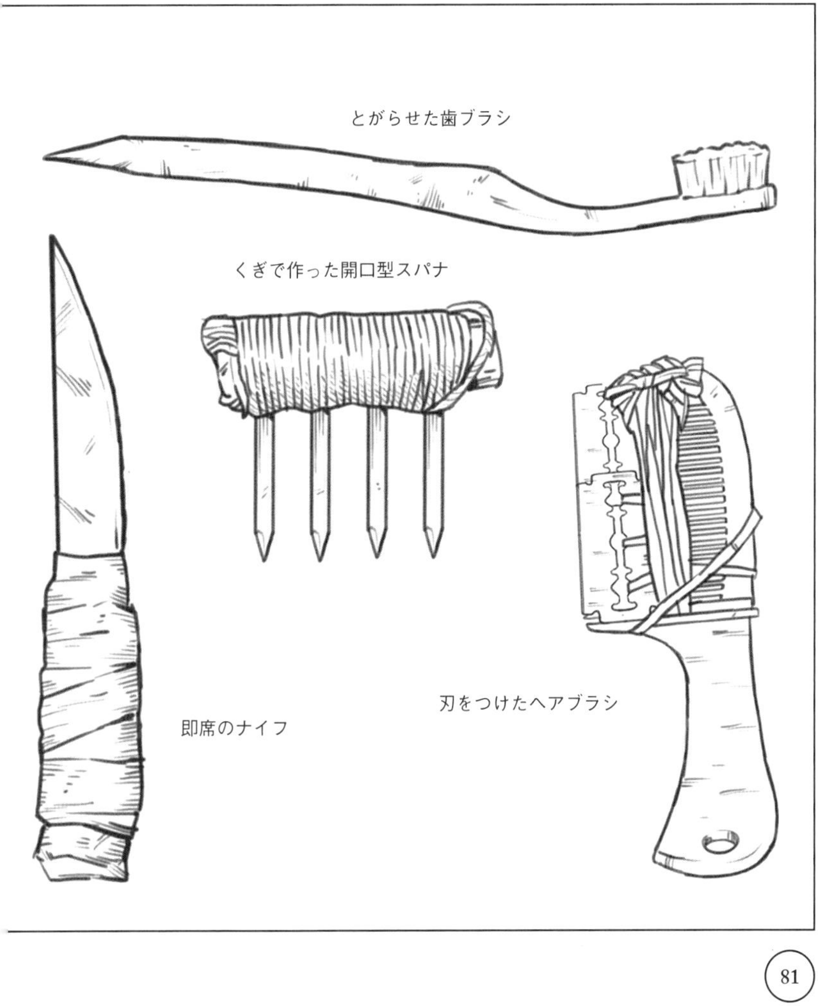

精神にうったえる尋問

尋問はかならずしも残忍なものではない。尋問者は、時には理屈と根拠をあげながら、相手の兵士が自分の軍の大義をあきらめるよう「説得」しにかかることもある。これはしばしば歴史の曲解や偏見に満ちた社会分析を用いて行われる。

をえなくなった。

このような環境においてはまちがいなく、数が多いほど安全、ということになるだろう。まとまった統一のとれたグループの一員であれば、横柄で利己的な一派に狙われにくくなる。また、自分の、あるいは所属するグループ全体の弱みを見せてはならない。搾取の対象となってしまうからだ。体を攻撃されたら、全力で同じように仕返しすべきだ。そこでもし負けたとしても、自分のことを「攻撃しにくい標的」だと相手に思わせることができれば、攻撃者は次からはより狙いやすい他の対象を探すだろう。また収容者のなかには、あらゆる手を駆使して武器として使えそうなものを即席で作る者もいるだろう。武器とはたとえば、研いだプラスティックで作ったナイフ、先をとがらせた歯ブラシ、くしにかみそりの刃をつけたものなどだ。警察官訓練で学ぶように、怪しいと思われる者の手からは目を離さず、つねに安全な距離を保つことが大切だ。

敵対心をあおるようなことは決してしないほうがいい。内部に敵がいなくても捕虜であることには危険がつきまとうのだから、機会があるかぎりグループ同士の仲立ちをするよう努めるべきだ。多くの収容所ではなんらかの内部「経済活動」が発達していく。すなわちタバコ、本、食べ物や石鹸といった品の物々交換である。このような取引自体が緊張を生むこともある。とくにこれが盗みの原因になった場合はそうだ。だが、取引が効率的かつ公正に管理されれば、収容者にとって共通の利益となる。収容者がみな同じ苦境にあることを忘れないようにしながら協力することで、収容所という経験を団結心と自立性をもってのりこえることができるだろう。

尋問

情報というのは敵にとって、捕虜が所有するもっとも貴重な財産である。ふつうの兵士は、自分は貴重な情報などもっていないと感じるかもしれない。だが実際は尋問者にとってみれば、敵にかんする情報なら、どんなにわずかなものでもなんらかの役に立つものである。たとえば、捕虜がもとの部隊で食べていたものについてのちょっとしたコメントであっても、尋問者は敵の兵站業務についてなにか見抜くことができるかもしれない。あるいは休暇の順番にかんする供述が、部隊の動員可能人員の水準を示すものになるかもしれないのだ。

尋問される際のルール

尋問といえば、明かりが煌々と照らされた部屋だとか、いうことをきかな

嘘をついていることがわかる身ぶり

尋問の最中は、身ぶりによって嘘をついていることが知られることのないよう、つねに注意しなければならない。そわそわして顔をこするのは多くの場合嘘を示している。尋問者もこれを見逃さないよう訓練を受けているはずだ。

い捕虜から情報を引き出すための荒っぽい手段、といったイメージが一般的かもしれない。このシナリオも実際にありうるものの、知的な尋問者は知りたいことを引き出すために、これよりもはるかに多様なアプローチをしてくる。イギリス空軍（RAF）は1944年に、欧州戦域で活動する航空機搭乗員向けの冊子のなかで、飛行士が捕まった場合の捕虜としての正しい行動について説明している。この文書では、飛行士が「尋問された際には以下の簡単なルールを」守ることを奨励している。

- *気をつけの姿勢で立つ。*
- *氏名、階級、番号をだけを言って、黙る。*
- *これ以降は厳しく沈黙を守り、「はい」か「いいえ」の質問にも答えない。問いつめられたら「その質問には答えられません」と述べてもよい。*
- *だましたり嘘をついたりしようとしない。*
- *尋問中は完全に形式にのっとった規律のある態度を維持し、自分より上位の士官には「サー」と呼びかける。*
- *親しくせず、親切な行為は断わる。*
- *自分はなんの情報ももらさないタイプだということを、最初から示しておく。*

米陸軍からのヒント——意志の戦い

歴史的には、監禁者は捕虜を、「機転の勝負」とでもいえるようなものにまきこもうとしてきた。これは挑発的な話題だけでなく、ともすれば他愛のないむだと思われる話題にもいえる。話題が危ない内容でなくとも、監禁者にそのようなむだな会話を許せば、監禁者が捕虜とすごす時間を増やしてしまうだけである。捕虜は監禁者とのやりとりを「意志の戦い」と考えるべきである。すなわち、議論の内容を捕虜の扱いと帰還だけに限定しようとする捕虜の意志と、より危険な話題をもちこもうとする監禁者の意志との戦いである。

——米統合参謀本部（CJCS）、『対テロリズム個人防衛ガイド——テロリズムに対する自助ガイド』（2002年）

これは古いルールだが、基本的には現代でも有効である。イギリス陸軍特殊空挺部隊（SAS）が行っている脱走・脱出・戦術的尋問訓練でも、新兵

感覚遮断

人質は、感覚を遮断された状況に置かれることが多い。人質を混乱させ、監禁者にさらに頼らざるをえないようにするためだ。この捕虜は覆面をかぶせられ、耳栓で聴覚を遮断されている。

は多くの情報をしゃべらせるためのさまざまな身体的・精神的圧力に抗して、氏名、階級、認識番号、および誕生日だけを述べるよう指示されている。

拷問を受けた場合には――これについては後ほど述べる――このルールは変わりうるが、名前と階級と番号以外は述べない、という基本の目標は見習うべきものである。しかしながら、現代の軍の指導ではそこから少しだけ行動指針が拡大されている。先に引用したアメリカ国土安全保障省のマニュアルでは、次のように述べられている。「収容者はアメリカ合衆国の代表を出すよう求めるとともに、氏名、階級、認識番号、誕生日、および自分が拘禁されるまでの無実の状況を述べるべきである。それ以上の議論は健康と収容生活の向上、収容者仲間の状況、および帰還にかんする事柄に限定すべきである」

この基準はイギリス空軍のものよりも現実的である。これは現代の戦争捕虜が第２次世界大戦中の捕虜と違って大勢で捕まることが少なく、捕虜１人１人が尋問者に個人的に目を向けられるであろうことを暗に示している。よって捕虜がよりオープンに、かつ注意しながら話すための余地を設けることで、尋問者と腕組みをして真っ向から対立する、という危険な状況におちいらないようにしているのである。

多様なアプローチ

すぐれた尋問者はもっぱら１つの手法にのみ頼るのではなく、さまざまな手法を組みあわせ、そのうちのどれか１つにひっかかってくれればという考えで事を進めてくる。たとえばイギリス空軍の尋問訓練では、新兵は何時間も手厳しい仕打ちに耐えなければならないが、その内容はきつい姿勢でじっと立たせられたり、軍の女性職員に身体的特徴についてからかわれたりと、さまざまである。

その試練が終わると、捕虜はそこで待ち伏せしていたトラックの後ろに放りこまれ、ドライバーとむだ話をすることになるかもしれない。だがもちろん、このドライバーも尋問者なのであって、捕虜が急に警戒を弱めたところを狙って情報を引き出そうとしているのである。

どんな捕虜にとっても重要なのは、自分にもっとも近しい直接の友人以外は信用しないということ、そして自分の出身や従軍経験についてさりげなく探りを入れてくるような人物は警戒する、ということである。捕虜はまた、自由に会話するときは、録音マイクが設置されている可能性のない開かれた場所に行くべきである。

ある人物が信頼できるかどうか、あるいはある場所が安全かどうかを確かめるためには、たとえば収容所につい

イギリス空軍からのヒント——尋問の計略

イギリス空軍の冊子には、尋問者が情報を引き出すために使うさまざまな策略があげられているが、これらは現代の尋問のシナリオとしても完全に通用するものである。

親しくなる

もっとも一般的な策略。捕虜はよい待遇を受け、楽しませられ、酒もたっぷり与えられる。友好的な雰囲気を念入りに作り上げ、それからなにげなく軍務にかんする話題をもちあげる。そこに熟練した尋問者が同席して、会話をねらいどおりの方向へ導こうとする。

マイク

マイクの設置は常套手段であり、これがあれば小さなささやき声でも感知することができる。専門家でさえ見つけられないような場所に、巧みに隠されている場合もある。また英語を完璧にあやつり、収容所の状況について詳しい説明を受けたスパイを、捕虜としてまぎれこませることもある。これに気づくことはむずかしく、またそのスパイ自身が、軍務について話すときは警戒すべきだ、と他の捕虜に忠告する場合すらあるだろう。

捜査員

敵は、捕虜の世話をする看護士、医者、付添人や見張りのなかにも捜査員を送りこむだろう。彼らは捕虜に同情を示すふりをしたり、英語がわからないふりをしたりするかもしれない。捕虜のなかのスパイと同様に彼らも演技がうまいので、見破るのは困難であろう。

「知ったかぶり」

「われわれにはもうすべてわかっ

ている、だからお前が黙っていても意味はないのだ」。別の捕虜がすでに口を割ったことをにおわせてくるかもしれない。あるいはイギリス空軍の部隊、航空機、設備と人員について詳しい情報が記されているかのようにみえる、立派なファイルを見せられるかもしれない。これには数々の写真や新聞記事などが含まれている場合もある。

脅迫

捕虜を脅したり、あるいはいじめたり威嚇したりするような試みがなされることもある。敵は他の捕虜が撃たれたように見せかけるかもしれない。恐喝もありうる。ジュネーヴ条約で禁じられているものの、敵が虐待に訴えることもあるかもしれない。また捕虜の士気をなくしその決意をゆるがせるために、不適当な食生活を強要したり、暑すぎる監房や独房に入れたりすることもある。

賄賂

敵に協力すれば、つまり捕虜自身が口を割るか仲間に口を割るよう説得するかすれば、特権やぜいたくを含む特別待遇を認めてもよい、と言われることもある。楽な生活のために敵に協力する捕虜は、裏切り者である。

体の急所

危険な攻撃に対して身を守らなければならない場合は、ここに示されている人体の急所をつくべきである。大きくて頑丈な筋肉組織を攻撃しても、効果は小さい。

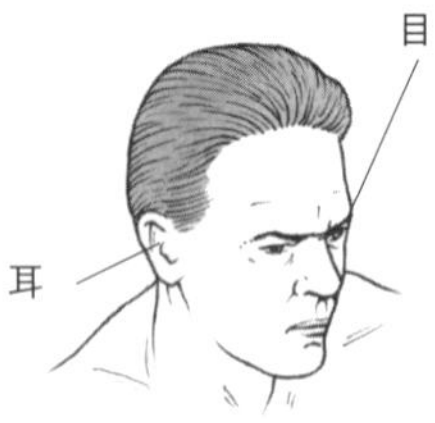

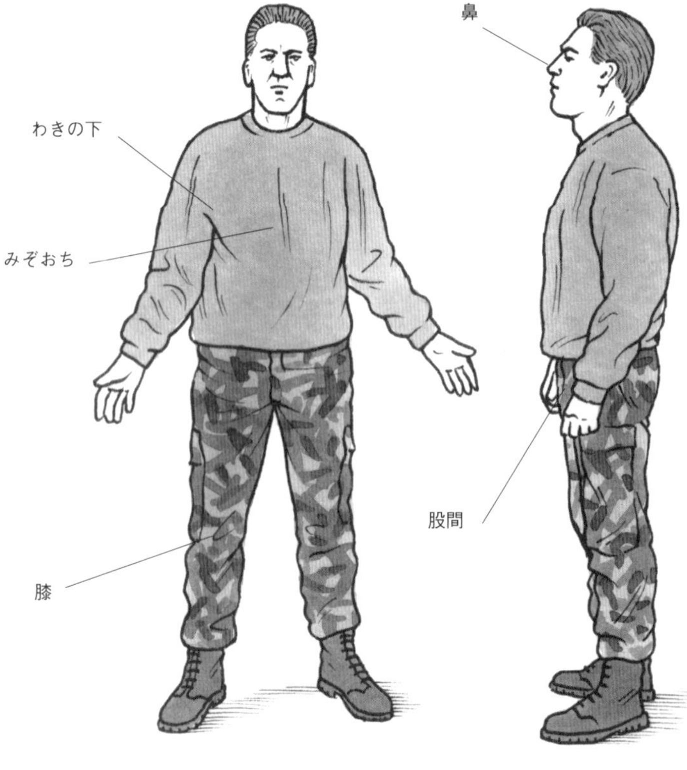

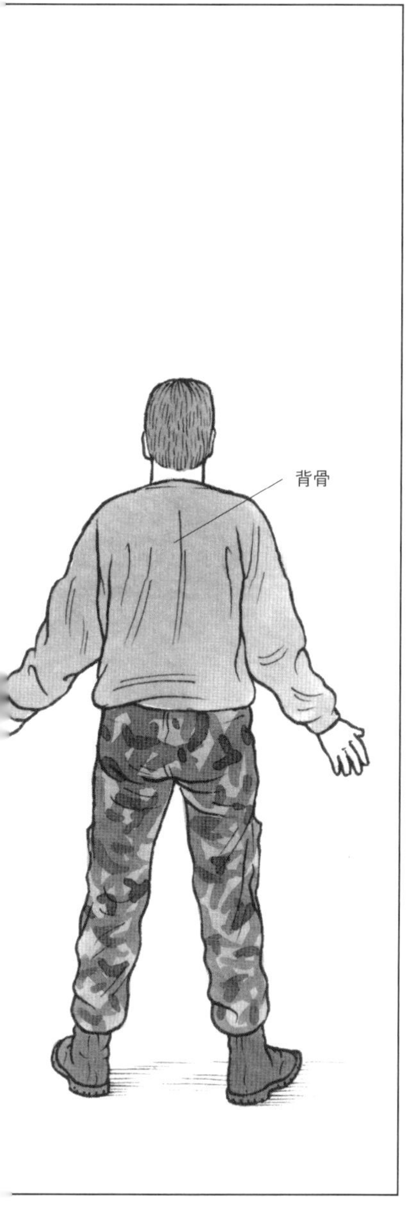

てなんらかのまちがった情報を教える、という方法がある。たとえばアルコール類が置いてある場所を知っている、と誰かに教えたとする。収容所の監視員がその情報にもとづいて行動した場合――この例であれば、その場所の調査を行うかもしれない――、自分が言ったことがもらされたということがわかるだろう。

拷問と身体的威圧

マーク・ベーカーによるベトナム戦争回想録の古典である『NAM ――禁じられた戦場の記憶』には、南ベトナムの僻地で航空機を撃墜され共産党勢力に捕まった米空軍空士の報告が収められている。この空士は、最初は現地のモンタニャード族の村にいたベトコンに拘束されたが、3 個所の脊椎骨の骨折とひどいやけどを負っていたにもかかわらず、医療処置を受けることができなかった。食べ物はほとんど与えられず、あたたかい服もなく、体重は41 キロほどにまで減少した。

彼は民間人やベトナム人民軍の部隊の前を歩かされ、露骨な仕方で見せ物にされたが、彼の前にプロの尋問者が現われたのは何か月も後のことだった。彼らはまずその豊富な知識をひけらかすことから始めた。

拷問

拷問はさまざまな形をとる。言葉による虐待（下）、隔離（右）、極度の騒音に長時間さらす（右下）などである。

彼らは作戦中のわたしの担当部分について、わたしよりもよく知っていた。そしてわたしの口を割らせるために、知っているぞということを誇示してきた。彼らはプロパガンダに使える写真や、録音テープ、放送、署名のある文書、自白を求めていた。…彼らは巧みだった。われわれの側の尋問者が見おとりするほどだ。心理学に通じていて、共産主義イデオロギーに染まっており、英語は完璧だった。3人いたが、実際の尋問者はふたりで、そのふたりを見張る政治将校がいた。

——マーク・ベーカー『NAM』、
125ページ

これらの尋問には「再教育」も含まれていた。これはおもに、ベトナムの歴史、外国の列強からの圧力や資本主義イデオロギーにかんする、長たらしい訓戒であった。帰国という名の飴と、脅しという鞭をちらつかせながら、尋問者たちは「真実を理解できれば、帰国してアメリカの人々に本当の状況を語れるよう、解放してやる」と述べた。空士はこのプロパガンダにはまったく説得されなかったが、故郷に帰れるという約束は抗しがたい誘惑だったことを認めている。

拷問

尋問が進むにつれてしばしば起きることだが、知的な戦略がうまくいかなかった場合は、拷問が用いられた（このころには空士は北ベトナムの収容所に移送されていた）。彼が反抗的な態度をとりつづけたために激怒した尋問者らは、決まって彼を激しく殴ったが、その他もっと旧式の方法も用いた。彼らは捕虜を辛い姿勢にして縛り上げ、何時間も放っておいた。また尋問者に対するお辞儀を拒否したというだけで、152センチ×45センチしかない檻のなかに、3か月間閉じこめられたこともあった。

しまいには空士は精神的にも身体的にも弱り、反米プロパガンダの宣言にサインした。この行為は彼に完全な自己嫌悪をもたらしたが、拷問にいつまでも耐えられる人など、まずいない。元米大統領候補のジョン・マケインも、長期にわたる身体的虐待の末に同様の文書にサインし、後にこうふりかえった。「わたしはあの場で皆と同じように学んだのだ。どんな人にも限界点がある。わたしも自分の限界に達したのだ」

忘れてはならないのは、味方陣営も捕虜となった仲間の兵士がどのような情報をもっているのか、どのような機密がばらされてしまう可能性があるのか、ということを知っており、その情報を敵にとって無意味なものにするた

ウォーターボーディング（水責め）

水責めは、最近いわゆるテロとの戦いで使われたことで知られるようになったが、古くから存在する拷問の手法である。これは、濡れた布が被害者の顔に張りつくことによって、溺れているような感覚を生みだすものである。

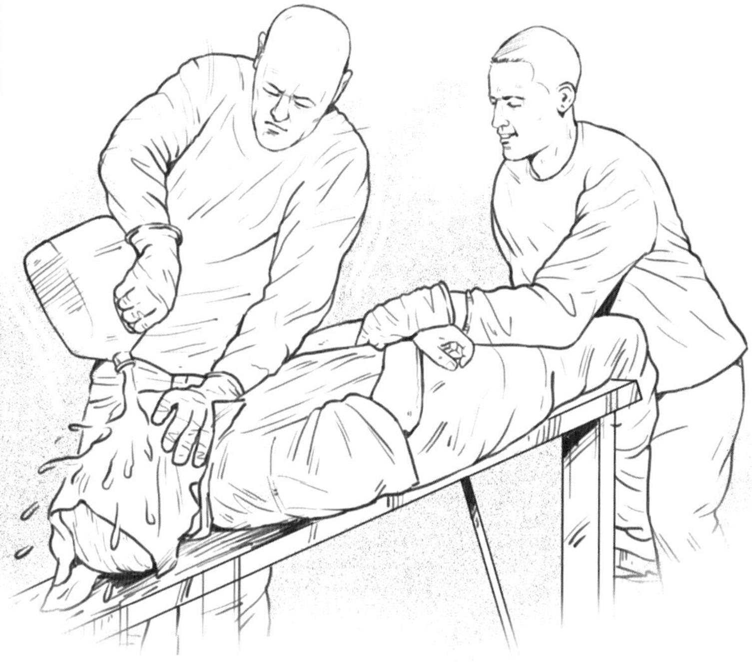

人間という戦利品

人質は、捕まえた側の人間にとって、商業的な目的のためであれプロパガンダのためであれ、なんらかの価値をもっている。捕虜にとってもっとも危険なのは、敵が捕虜のことをイデオロギー的な観点からしか見ていないときである。このような場合、人質は処刑の対象となりやすいからだ。したがって人質は、自分と敵とが共感できる関係を築くために、あらゆるチャンスを逃さないようにしなければならない。

めの対策を立てることができる、ということである。実際、特殊部隊の兵士は任務につく前に、捕われの身になってしまったときに敵に教えてもさしつかえのない、正しい情報のリストを与えられている場合がある。ただしそれを教えてもいいのは、その情報が軍事的に無意味なものとなってからである。だが、拷問を経験したことのない者が、これ以上拷問についてあまり安易に論じるのは避けることにしよう。

テロリストに捕まった場合

近年では、イラクとアフガニスタンの戦闘区域での人質にかんする恐ろしい話がひんぱんに聞かれる。このような紛争における戦術やそれがもたらす結果は目新しいものではないのだが、これらの紛争により、イデオロギー上の違いによる怒りにかられた敵に捕まるのは非常に危険であるという認識が広まった。

本章の始めでも述べたように、テロ組織はさまざまな仕方で軍人の人質を用いることができる。兵器や資金を得るための交渉の切り札とすることもできれば、別の場所で捕虜となっているテロリストの釈放を求めることもできる。人質は自分の国や軍を激しく非難するよう強いられ、その姿をビデオに収められるかもしれない。また占領軍が撤退しなければ人質の命はないと脅迫されることもあるかもしれない。

さらにおぞましいのは、人質がたんに拷問され殺されるためだけに捕まる場合である。2006年6月20日には、2人の階級の低い米兵——第101空挺部隊のクリスチャン・メンチャカ上等兵（23歳）とトーマス・L・タッカー上等兵（25歳）——の遺体が、米軍による3日間の捜索の後、首のない状態で発見された。検問所への攻撃の後にアルカイダのテロリストに捕まった2人は、拷問され、処刑され、遺棄された。これらの残酷な行為の大部分は、アルカイダの慣例どおりに、ビデオに撮影されインターネットで公開された。

信頼関係を築く

このような徹底した野蛮性には愕然とせざるをえないし、そのような恐ろしい状況でも捕虜に何かできることがある、と述べるとすればそれはあまりにも無責任というものだ。しかし、テロリストたちにとって優先すべき目標あるいは直近の目標が処刑ではない場合、捕虜は敵の緊張を和らげるためにも、ある程度の人間関係を築くよう心がけるべきである。

テロリストと信頼関係を築くというのは、かならずしも気分のよいことではない。敵がふつうの軍人である場合に共感によって親しくなるためのテクニックは、先に紹介したとおりであり、ここでそれを応用することもできる。しかし、熱狂的なテロリストとの交流には、はるかに多くの危険がつきまとう。われわれのことを邪悪な政権や異端者の生き方を体現する存在としてみる者も多いだろう。またこちらの軍の行動により親戚を失った者や、人間性を奪われるような環境で育ったために暴力に慣れてしまっている者もいるだろう。1970年代、世界がテロリズムの爆発的な増加を経験した時代にパレスチナの難民キャンプで生まれた子どもたちの世代は、残酷に扱われ育った。その悲惨な環境から、もっとも急進的なテロ組織の多くが生まれたのだ。

次のコラム「信頼関係を築く」（99ページ参照）では、人質にとられた際に敵とどう親しくなるべきかについて、米統合参謀本部からの正式なアドバイスがあげられている。「宗教、経済、政治といった感情的になりやすい話題は避ける」というのは、とくに重要なポイントである。

テロリストの多くは自分の信仰と政治について強い信念をもっているため、これらの点についての議論は争いの発火点となりうる。そのようなことについてテロリストが暴言を吐いた場合、あるいはそのような会話に引きこまれそうになったら、はっきりしたことは言わず、しかし注意深く聞いて、相手が言おうとしていることについてよく考えているように見せるとよい。

また、冗談を飛ばすときには気をつけなければならない。というのも、ユーモアの感覚、とくに性関係についての冗談は、文化が違うと通じないことが多いからだ。

「ストックホルム症候群」

敵と親しくなりすぎるのもよくない。敵と友情を結ぶということは、諸刃の剣である——友情により保護されることもあるが、なんらかの理由で「不和」におちいれば危険のもとにもなる（親友同士のけんかは、そうでない人同士のけんかより激しくなるものである）。さらに、FBI の心理学者らによると、（すくなくとも民間人の場合は）人質になった人の 27% は「ストックホルム症候群」と呼ばれるものの

ヒント——信頼関係を築く

人質は以下のようなあまり本質的でない事柄について話すことで、みずからの人間としての性質を表し信頼関係を築くことができる。

- 家族、衣服、スポーツ、衛生、食べ物など、一般的な話題をもち出す。
- 積極的に相手の話を聞く。敵が自分たちの大義名分を論じたり自慢したりするのは妨げないが、それに対する称賛、迎合、賛成や論争は避ける。
- 相手を名前で呼ぶ。
- 泣きごとをいったり懇願したりすると、虐待がエスカレートするかもしれないため、注意する。
- 危険を感じたとき（会話がいきづまったとき、何か要求されたとき）は、緊張を和らげるために害のない話題をとりあげる。
- 宗教、経済、政治といった感情的になりやすい話題は避ける。
- 理屈っぽい物言いや戦闘的な態度で非難されるのは避ける。
- 「銃、殺す、罰」などの言葉を使うことにより緊張が高まるのを避ける。

——『対テロリズム個人防衛ガイド——テロリズムに対する自助ガイド』（米統合参謀本部、2002 年）

退屈

終わりの見えない完全なる退屈というのは、捕虜生活のもっとも耐えがたい要素となることが多い。そこから深刻な鬱状態へと発展し、さらに無活動・無気力状態につながることもある。

徴候を見せている。この症候群におちいった人質は、理性的とはいえないくらいに敵と親密な関係になってしまうのだ。この症状はおそらく、長期にわたる監禁生活のなかで、敵と捕虜がほぼ同じような環境で隣りあってすごすことから生じるものと思われる。捕虜の考え方は時がたつにつれてゆがめられ、残忍な行為が行われないことが敵の親切心なのだと解釈するようになる。忘れてはならないのは、いつか自分を救うために、味方の軍が激しい救出作戦を展開するかもしれないということだ。そのときが来たら、忠誠を誓うことのできるのはどちらか一方に対してのみなのである。

精神のサバイバル

どのようにして捕われの状態から脱するのかという問題に移る前に、捕虜という状態に耐えるための心理的な戦略について議論しておかなければならない。元戦争捕虜の報告の多くは、捕虜生活が恐怖、緊張、死ぬほどの退屈のくりかえしであることを強調している。何週間も、あるいは何か月間もまったく何も起こらない時期が続いた後で、突如として暴力行為やいつわりの処刑などの精神的な拷問が行われることもある。完全にノイローゼになってしまうことのないようにするには、なんらかの対処法が必要であろう。

捕虜になったらまずはじめに、自分が誰であるのか、この世界に自分がいることの意義は何なのか、といったことについてはっきりと自覚すべきである。自分は捕虜になったとはいえ、家族や友達の人生において、そして味方の部隊の思考や行動において、重要な位置を占めているのだ。このことを折に触れて思い出し、捕虜生活では自分が名前も顔もないシステムのなかの歯車になったように感じられることもあるかもしれないが、そうではないのだということを思い起こさなければならない。また、どんなに小さくてくだらないことでもいいから、なんらかの決まった手順を定めること。そうすれば自分の環境をある程度管理できると思うことができ、無力感を弱められるからだ。他の捕虜と一緒にいる場合は、この先どのようなことがあっても互いに支えあうことを連帯責任とするのがいいだろう。

隔離

とくに残酷な精神的支配の方法は、捕虜を長期にわたって隔離する、というものである。捕虜が自然光のまったく入らない独房に入れられた場合、時間の感覚はまったくなくなるだろうし、人間との接触もなく、することが何もないという状態は、精神に異常をきた

体を鍛える

身体を鍛えるのは、鬱や退屈状態の対策としてだけでなく、自分の運命を管理しているという感覚をもつためにも、非常に有効である。ただし運動は過剰に行うべきではない。とくに健康状態がよくない場合、栄養不足の場合は気をつけるべきである。

すレベルの退屈をまねく。

ベトナムで捕虜になった米空軍の空士たちはしばしば、信じられないほど長いあいだ隔離されることがあった。ジョン・マケインは、5年半にわたる捕虜生活のうち2年間を、4.5メートル四方の独房ですごした。彼はこの隔離について、「他のどんな虐待よりも心を打ちのめし、抵抗力を失わせる」と述べている。

マーク・ベーカーの『NAM』でとりあげられている米軍空士も同様に、「5年間、アメリカ人を見かけたりアメリカ人と話したりすることはなかった。これはもっとも残酷な拷問の1つだ」と述べている。ユーゴスラヴィアでの紛争の際に捕えられた57人の元戦争捕虜に対して1992年に行った医学的検査では、捕虜の多くが、隔離されていたというだけで、外傷性の頭部損傷を受けたときと同じような脳の異常に悩まされていたことがわかった。

ヒント――連絡をとる

収容所の構造によっては、壁やパイプをたたくことによって、他の監房にいる捕虜とコミュニケーションがとれることもある。この対話方法は時間がかかりいらいらするかもしれないが、同じ経験をしているという感覚を回復させることはできるかもしれない。しかしもっとも大切なのは、身体的な日課であったものを精神的な日課に置き換えるということである。ベトナムに送られたある空士が言うには、「わたしたちは皆、なんらかの精神的な活動を日課としていた」ということだ。

わたしは、いつか建てたいと思っていた夢の家を設計してすごした。ようやくデザインが決まると、次にそれを建てることにした。頭のなかでリアルタイムで建てるのだ。一日中目を閉じながら、頭のなかではブルドーザーが家の基礎の部分を掘るのを監督しているのである。基礎を作るのに3日かかると思ったら、実際に3日間、自分の頭のなかで基礎部分の作業をする。そういうふうにして家全体を建てた。全部で3か月ほどかかった。

――マーク・ベーカー『NAM』、125-126ページ

精神生活

捕虜が他の仲間から隔離されてしまった場合、自分の頭のなかに関心事を見つけなければならない。想像の世界を創り上げる、頭のなかで本を書く、論理的な問いや実用的な問題を解く、などはすべて有効な対処方法である。

リアルタイムで考える

頭のなかでリアルタイムで何かを行うのは、隔離によって生じる非現実の感覚に対処するために重要な手法である。その他の精神管理方法としては、幸せな記憶をはっきりと細かい所まで思い出す、美しい場所を思い浮かべてそこに「バカンス」に行く、頭のなかで本を書く、といったものがある。

自分にとってうまくいくテクニックがあれば、それを実践すべきだ。だが現実の感覚がなくなるほど心の創造物にとらわれてしまってはいけない。投獄されて何年もたっていたとしても、解放、脱出や救出のチャンスをつねにうかがっていなければならない――次はこのことについて議論しよう。

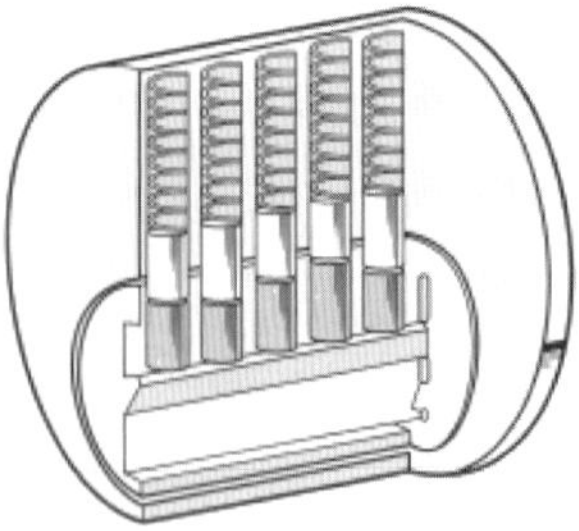

第**3**章

捕虜収容所やテロリストの所有する監房から脱出するには、思いがけない機会をとらえるか、長い時間をかけて綿密な計画を立てなければならない。

脱出

どんな戦争捕虜にとっても、捕われの身から脱するということは最優先課題だ。ハリウッド映画では数多くのドラマティックな脱出劇が演じられてきたものの、現実はもっと厳しいものである。脱出が非常に困難であるという事実に変わりはないのだ。とくに捕虜が敵の収容システムの内部や、テロリストのアジトにつれていかれてしまってからでは、脱出はむずかしい。監禁者たちは捕虜を閉じこめておくために時間と金と知恵を投じているであろうし、警備やシステムもつねに改善させていくであろう。実際、脱獄にかんして1つ頭に入れておくべきことは、脱獄に失敗するたびに警備は強化され、その後の脱獄のチャンスが少なくなるということである。とはいえ、一見堅固な施設の監房、針金のフェンス、監視塔などをすり抜けた人たちの例は、これまでの歴史に数多く存在するのである。

脱出を成功させるには、錠前を開けるといった精密な技術が必要になることもあれば、警備員や逃亡の妨げとなる者を単純に暴力で倒すという方法をとることもある。

早期の脱走

実のところ、捕えられてから最初の数時間がもっとも脱走しやすい。朝鮮戦争の際には、670人もの米軍の捕虜

脱走

兵士が戦場で捕らえられた場合、相手の注意が散漫になったときが脱走の一番のチャンスである。ここでは、捕縛者たちがわずか数メートル先で起こった空爆に気をとられている間に、捕虜が脱走を試みている。

が北朝鮮軍からの脱出に成功しており、これはなんとこの戦争中に捕虜となった米兵の10%にも相当する。これらはすべて、兵士が捕まってからまもないうちに、前線応急手当所や待機場所から実行した脱出であった。実際に捕虜収容所に捕まってからの脱出は50回しか試みられず、すべて失敗に終わった。

米海兵隊（USMC）のマニュアル『テロリズム理解と生還のための個人用ガイド』では、人質の確保の文脈で、早期の脱出の利点がくりかえし述べられている。

> *テロリストたちは、人質をとるために入念に計画を立てる。捕えられる際の主導権、時間、場所、状況はたいてい、人質ではなくテロリストの方に有利になる。しかし、逃げるのに最良のチャンスはたいてい、捕縛時の混乱のなかで、まだ比較的開かれた場所にいる間にあるだろう。テロリストたちはこの間、支配権を確立することに集中しているため、まだ逃げ道が残されているかもしれない。*

このアドバイスはテロ行為について書かれたものだが、いかなる捕われの状況にも応用できるものである。捕虜を捕えるときの最初の数分は、捕まえ

衛兵を攻撃する

見張りの衛兵の武器をとりあげるには、不意をつくすばやい動きで、相手のライフルの銃身を上か下に（自分からそらすように）ひっぱり、手から奪いとる（左図と中央図）。あるいは、銃身を片側に押し離しておいて、鋤などの道具で相手の喉など体の急所を攻撃する（右図）。

る方も捕虜と同様、混乱しているものである。これはとくに、捕虜が計画的に捕まったのではなく、戦闘中に思いがけず捕虜になった場合にあてはまる。突然の空爆や砲撃、乗り物が地雷を踏んだときの爆発、銃撃戦の勃発——このような事態になれば敵の注意は他のことに向けられ、逃走のチャンスが得られるかもしれない。逃走は、ある程度明確な行動プランが頭に浮かんだ場合、つまり、どこか逃げる場所があり、味方の部隊にたどり着ける可能性がある場合にのみ行うべきである。むやみやたらと逃げてはいけない。また考慮すべきは、敵の注意を引く事態（たとえば、敵が奇襲を受けてみずからの生存のために戦わなければならないときなど）が持続しないかぎり、逃げはじ

めてから数分、あるいは数秒のうちに敵に気づかれてしまう可能性が高いということである。敵が一瞬視線をそらしたからといって、急に逃げ出してはいけない。十分な距離を進む前に撃たれてしまうかもしれないからだ。

暴力の危険性

米海兵隊のマニュアルは、初期段階に生じる危険性についても次のように警告している。「誘拐者は緊張していて、アドレナリンで興奮している。テロリスト（や兵士）自身も、人質に対して安定した支配権を確立できたと確信するまでは、無防備だと感じている。そのため少しでも挑発されると、思わず暴力をふるってしまうことがある」。したがって、早期の脱出を試みるため

形勢をうかがって逃げる

ここでは、敵が銃撃戦にまきこまれている間に、捕虜がSUV車の荷台から逃げようとしている。このような逃走を試みる価値があるのは、敵が細心の注意と努力を必要とする危険な状況に対処している場合のみである。

には、成功の公算が大きくなければならない。失敗すれば自動的に処刑されてしまうかもしれないからだ。敵に攻撃することがやむをえない場合もあるが、逃げ道を作るために暴力をふるった場合、処刑はほぼ確実となるだろう。

別の可能性として、捕虜の数が敵よりも圧倒的に多ければ、暴力を使った逃走を試みることもできる。恐ろしいことにこれは、2001 年 11 月、アフガニスタン北部のカライジャンギ要塞にて証明されてしまった。このときアブドゥル＝ラシード・ドスタム将軍と同盟を結んでいたアフガン北部同盟軍は、数百人のタリバンの捕虜を捕えていた。捕虜のボディチェックは十分に行われず、多くのタリバン兵は武器を隠しもっていた。

11 月 25 日日曜日、2 人の CIA 局員――ジョニー・マイケル・スパンとデイヴ・タイソン――は、捕虜のなかにオサマ・ビン・ラディンのテロ組織アルカイダのメンバーがいないか調査するため、要塞に到着した。調査は、捕虜を１人１人別々に調べることによって御しやすくするという方法をとらずに、多くの捕虜を集めた集団の前の開かれた中庭で行われ、CIA 局員の警備にあたったのは数名の北部同盟軍の兵士だけであった。尋問の最中に、捕虜たちは突然スパンと警備兵を襲撃した――スパンはアフガニスタンの戦闘

米海兵隊からのヒント――人質の健康

一般的には、敵は人質をとったら健康な状態で生かしておきたいと考える。体力を維持するため、手に入る食べ物は何でも食べること。薬が必要ならば、何が必要なのかを正確に伝える。誘拐者は人質を生かしておきたければ、まちがった薬を与えてリスクをとるようなことはしたくないはずである。監禁状態に置かれた際の副作用として、体重が減少することもある。かなりの体重減少になるかもしれないが、これは概して健康には影響しないことが多い。また人質は、吐き気、嘔吐、下痢、あるいは便秘など胃腸の不調に悩まされるかもしれない。これらの症状により衰弱することはあるかもしれないが、死にいたることはまずないだろう。

――米海兵隊『テロリズム理解と生還のための個人用ガイド』（2001 年）より

腕立て伏せ

脱走を準備するにあたって、体を鍛えておくというのは非常に重要である。基本の腕立て伏せは、腕、上半身、体幹筋を鍛えるのにには理想的な運動であり、狭い場所でも行うことができる。

で死亡した最初のアメリカ人となった。その後のカライジャンギの反乱では、ドスタム将軍自身の武器庫からとったもので武装した捕虜との間で激化した戦闘が12月1日まで続き、300～400人のタリバン兵と73人の北部同盟兵が死亡した。

カライジャンギの反乱というむごい事例は、いかに捕虜が脱走の機会を作るために警備体制の弱みを利用できるかということを示している。同時に、その代償が非常に重くなりうるということもわかる（スパン自身も殺されるまで少しの間、AK-47とピストルで勇敢に戦い、何人ものタリバン兵を殺した）。

捕虜として捕えられた兵士のほとんどにとって、早期の脱走という選択肢はなく、その場合、捕虜は敵の収容システムの内部につれていかれる。これらの兵士の脱出には、場あたり的な作戦以上のものが必要となる。

脱出の準備

前章では、兵士が監禁状態で生きのびるための方法について考えた。脱出をめざす兵士にとって、そのような自己保存対策は必須である。というのも脱出は万全の体調でなければできないからだ。監房や収容所から抜け出すというのは脱出と逃亡の始まりにすぎないのであって、逃げた兵士が監獄のすぐ近くで疲労や病気のため倒れてしまっては、逃げる意味がない。このため脱出計画には、体調管理も含まなければならない。小さな監房に何日も監禁された場合、体を鍛える機会は自然とかぎられてくる。しかしこのようなあまり見こみのない状況にあっても、次のような狭い場所でもできる運動を行うことで体を鍛えることは可能である。

- 腕立て伏せ——腕と上半身を鍛える。
- 上腕三頭筋のリバース・プッシュアップ——ベッドや椅子を使って行う。上腕三頭筋と背中上部を鍛える。
- スクワットスラスト——心肺のスタミナを高め、脚の筋肉を鍛える。
- ランジ——太ももの力を鍛える。
- クランチ／上体起こし／レッグ・レイズ——腹部の体幹筋肉を鍛える。
- その場でランニング／スタージャンプ——心肺の持久力、スタミナを鍛える。

上記の運動や、これらに似た運動にくわえ、重い物——大きな本、石、砂をつめた袋など——を使って独自の「フリーウェイトトレーニング」をとりいれてもいい。

上体起こしとクランチ

上体起こしとクランチも、脱走にそなえて体を鍛えるのに適したコンパクトな運動である。この斜めクランチのように、上半身を起こすときに角度を変えることで、腹筋のさまざまな部分を鍛えることができる。

屋外運動場での自由時間中の運動も、非常に貴重なものである。サッカーやバスケットボールなど、他の収容者との連帯意識を高めるチームスポーツであればなおさらだ（そのようなぜいたくが許されればの話だが)。このようなスポーツは心理的にいい効果をもたらすだけでなく、目立たないトレーニングにもなる。1人で過剰なトレーニングをすると、監視員の注意を引き、なにかたくらんでいると思われるかもしれないので、自分のトレーニングのメニューは秘密にしておいたほうがいい。

しかし、トレーニングは過度に行ってはいけない。体が弱っているときや病気の場合、過度のトレーニングは様態を悪化させることがある。そのような状況では、実際に必要になるまでエネルギーを維持しておくか、体力がある程度回復するまで脱走は延期したほうがいいだろう。

計画

いかなる脱走計画も、徹底的な観察から始まる。これは兵士が捕虜になった瞬間からすぐに始めるべきものであり、周囲の環境と収容システムのあらゆる側面を、よく見て覚えるという作業である。いちばん重要なのは、セキュリティの弱点と、敷地の外での進路を決めるのに役立つような情報である。この内密の調査は終わりのない作業であり、収容所における兵士が習慣とすべきものである。

情報収集

兵士がつきとめるべき情報には、以下のようなものがある。

- 外側のセキュリティ・フェンスの正確な配置。すべての門とその他の入口を含む。
- 監視塔と監視員の配置、およびそこからの視界。
- 監視員や衛兵の交代の時間。
- サーチライトの照射パターンや動作検知照明の位置。
- 収容所のまわりの電子警備システム。CCTV、熱画像測定センサー、電流柵、動作検知器、警報システムなど。
- 収容所での決められた日課の時間。たとえば食事、洗濯物の到着、点呼の時間や、監視員の勤務時間など。
- 監視員たちの個人としての強みと弱み、とくに彼らの思考力と観察力。
- 収容所周辺の風景の特徴。所内への進入路や目立つ建物、農家や森林地など（このような情報は、監獄への道のりや収容所外での特別

距離と面積

収容所からの距離が離れるたびに、敵が捜索しなければならない面積は指数関数的に増える。1 キロ離れると捜索すべき面積は 3 平方キロメートルだが、2 キロ離れれば面積は 12.5 平方キロメートルになる。

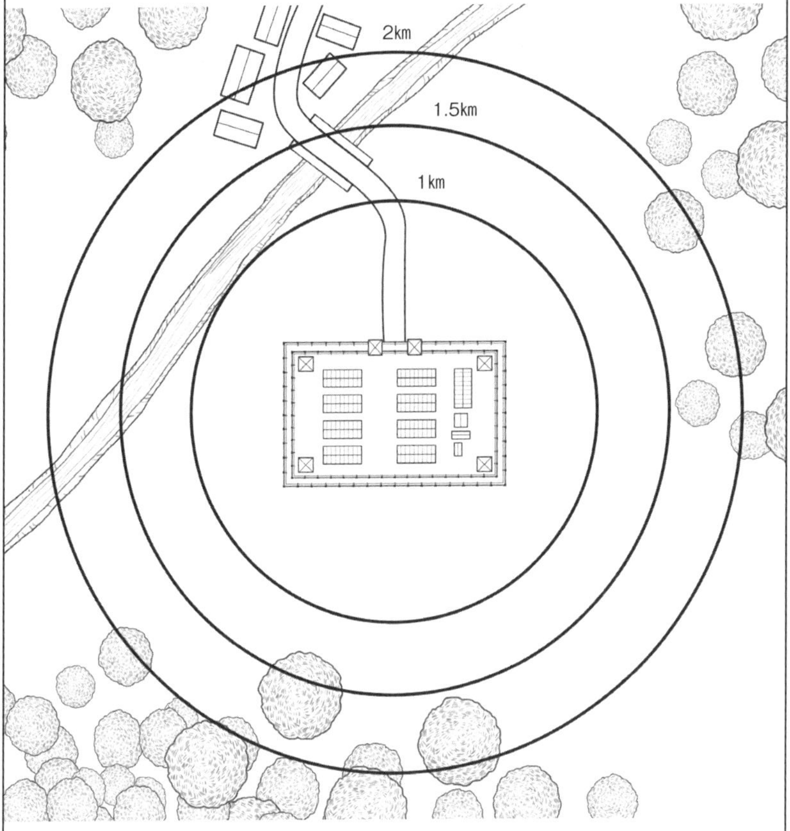

警備体制という難題

このような配置の捕虜収容所では、逃げようとする者にとって難題となる点がいくつもある。収容小屋と外側のフェンスとの間は、監視塔からよく見えるようになっており、収容所に出入りするための門は１つしかない。外側のフェンスはかな

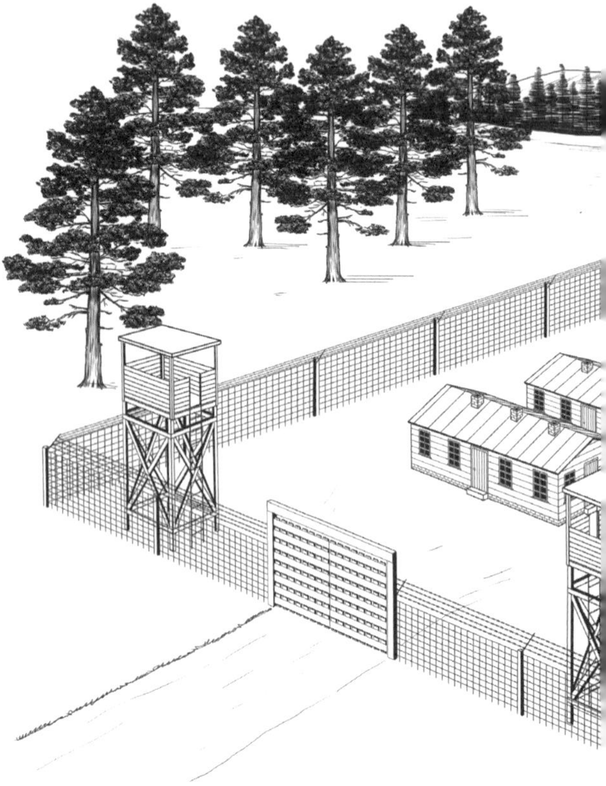

りの高さがあり、上部が張り出した構造をしている。しかし小屋同士は密集しているため、監視塔からの監視をまぬがれて活動することができ、フェンスの下をくぐることができれば、捜索の目から守ってくれるであろう森林までの距離は短い。

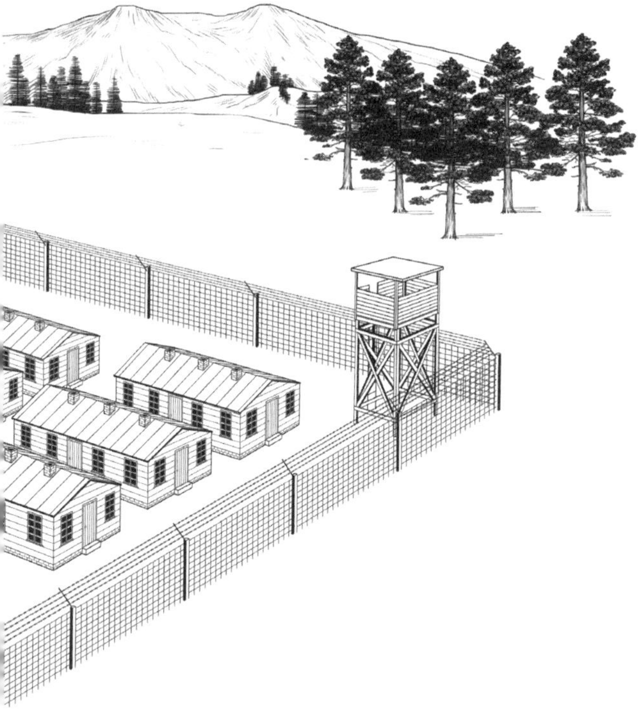

作業の際などに得られることが多い)。
- すべての建物の物理的な構造。窓、ドアの鍵、床、屋根、電源（ケーブルの接続箱の場所)、ごみ処理施設、水の貯蔵場所など。
- 収容所の全主要施設間の距離。頭のなかでその距離を歩いてみる。
- 収容所内で役に立つ道具や備品のありそうな場所の位置。たとえば工作場や兵器庫など。

ヒント——アウシュヴィッツからの脱走

アルフレッド・ウェッツラーは、脱獄のむずかしさについて次のように説明している。

この二重の見張り地帯から抜け出すのは、ほとんど不可能である。夜の間に内側の監視地帯を抜け出て逃げる、というのは論外だ。というのも外側の大監視地帯の監視塔間の距離は短く（150メートルしか離れておらず、それぞれ半径75メートルの区域を監視している)、見られずに大監視地帯に近づくことはできないからだ。近づいた者は警告なしに撃たれる。大監視地帯の見張りの任務は夜、小監視地帯の衛兵の任務当番表が確認されてから終了し、すべての捕虜がその区域内にいることも確認される。点呼で捕虜がいなくなっていることがわかると、警報サイレンが鳴る。捕虜が行方不明の間は、外側の監視地帯の見張りは監視塔にとどまり、内側の監視地帯の見張りも持ち場につく。何百人もの親衛隊員が警察犬をつれて、2つの監視地帯の間の区域を探しまわる。サイレンは地域全体に対する警告なので、逃げた捕虜が奇跡的に2つの監視地帯を抜け出たとしても、パトロール中の数多くのドイツ警察や親衛隊の手にわたってしまう危険性がある。逃げる捕虜には、頭を剃られていて目立つ服（赤く染められたぼろ服）を着ている、という不利な条件もある。その地域の人々もひどく脅かされているので、運がよくても脱走した捕虜に対する態度は消極的だ。脱走捕虜を援助した、あるいはそのような者を見つけたのにすぐに報告しなかったというだけで、その人にはただちに死が言いわたされるのだ。

要するに収容所の物理的構造やそこでの日常生活のすべてに注意を向け、警備の弱点を探し、監視員がどのように収容所を運営しているかを正確に理解することが重要なのだ。

すばらしい観察力を発揮した戦争捕虜の例は、第２次世界大戦中にアウシュヴィッツ・ビルケナウ収容所に監禁されていた２人のスロヴァキア人――アルフレッド・ウェッツラーとルドルフ・ウルバ――の証言にみられる。

この２人の男性のように、アウシュヴィッツの恐怖からのがれて連合国側までたどりつくことのできた収容者はごく少数であり、その証言はこの異様な施設の実体を明らかにするにあたってきわめて重要なものとなった。ウェッツラーは連合国側の調査に対して、次のように述べた。

収容所の居住面積、すなわち実際の強制収容所のサイズは、およそ500メートル四方。この区域は、２列にならんだ高さ３メートルほどのコンクリートの柱に囲われている。柱同士は絶縁器のついた高圧線でつながっている。150メートルほど離れたこの二重のフェンスの間には、高さ５メートルほどの監視塔があり、機関銃や探照灯が配備されている。内側の高圧線の列柱の前には、鉄条網がめぐらされている。収容者がこの鉄条網に触れると、監視塔から発砲される。

収容所から半径約2000メートル以内の区域はすべて、150メートルおきに立つ監視塔に囲まれている。先に説明した監視施設が小警戒線と呼ばれているのに対して、この外側のシステムは大警戒線と呼ばれている。さまざまな工場や店は、これらの二重の監視地帯の間にある。（内側の）小監視地帯には夜間のみ監視員が入る。この時間は二重のフェンスにも電流が走っている。小監視地帯の見張りは朝には任務を終え、交代で大監視地帯の監視塔に見張りが入る。

――アメリカ国立公文書記録管理局

この描写は、模範的な観察の記憶である。この説明では、フェンスの場所や探照灯、監視塔といった収容所の警備のおもな造りだけでなく、監視員の交代パターン、種々の見張りがつく時間帯や、主要な構造物の間の正確な距離がとらえられている。このように障害物が多いため、収容者は逃亡する気をなくす。ナチの指令者や衛兵は、収容者を閉じこめておくための恐るべき物理的構造に頼るだけでなく、定期的な点呼や、捜索部隊を動員する効果的な制度を導入し、綿密な逃亡者対策を作り上げていたのだ。

またこの引用の最後の部分は、いかに恐怖自体が――捕虜に対してだけでなく――逃亡に対する効果的な抑止力になりうるかということも示している。アウシュヴィッツという信じがたく残忍な場において、ナチは当然、暴力的な抑止策に訴えたのだ。

逃亡した捕虜が3日以内に捕まらなければ、外側の監視地帯の見張りは持ち場を離れる。捕虜が両方の監視地帯をうまく抜け出たと推測されるからだ。逃げた捕虜が生きて捕まった場合、収容者全員の前で絞首刑に処される。捕虜が死んで見つかれば、収容所の門の前でさらしものにされる。その手には「わたしはここにいる」と書かれた札が置かれる。

この章では後に、ウェッツラーとウルバがどのようにアウシュヴィッツから逃げることができたのかを検証する。とりあえずは、上記のような収容所の細部にわたる理解が、2人の脱獄にとって重要な要因であったということがわかれば十分だろう。2人は自分たちの知識を整理しまとめるために収容所の平面図を作り、それに従って逃亡を計画することができたのだ。

地図というのはうまく隠しておくことができるのであれば、脱獄するにあたってすばらしい資料になりうる。長いあいだ監禁された捕虜は、とくに外の世界の記憶があいまいになるが、収容所に着いてすぐに収容所の場所を示した地図を作っておけば、後で必要になったときにその記憶を呼び起こすことができる。

役に立つ道具

戦争捕虜が脱走を計画している間は、脱出に使えるかもしれない部品を入手したり作ったりする機会を逃してはならない。ここで重要なのは、どんな物も軽視することなく、幅広い視点をもつことである。たとえば小さな固い針金があれば、錠前のピッキング（あるいは錠前をおろす）道具の一部として使ったり、有刺鉄線を縛るのに使ったりできる。布きれがあれば、即興で変装をするのに役立つかもしれない。車のタイヤのゴムがあれば、電流の走る柵を乗り越えられるかもしれない。したがって、収容所の警備体制下でも可能な範囲内で、収集魔のように小さな物を集め、安全な場所に保管しておくということが肝要である（保管場所は、自分の監房や収容小屋だと定期的に捜索されることが多いので、別の場所でもよい）。のこぎりやペンチといった道具はもちろん、重要度の高い取得物であり、作業場などで手に入る場合が多い。だがこれにかんしては細心の注意が必要だ。たいていの監視員は、収

即席のひっかけ鉤

脱走のための道具は、非常に簡単な材料から製作することもできる。ここでは、古いナイロンのひもを曲がった鉄の破片に結びつけて、簡単なひっかけ鉤を作っている。これは鉄条網を越えたり、窓や屋根から降りたりするのに適している。

容者にとって道具の価値が高いことを十分に認識しており、備品から何がとられ何が戻ったかについて、慎重に目録をつけている。壊れたり使い古したりした道具についてはあまり注意をはらっていないことが多いが、これも再生してなんらかの機能を復活させることができるかもしれない。たとえば金属用弓のこの刃は、木の取っ手を２つ結びつければ即席ののこぎりにすることができる。

脱出用の道具を作る際に、戦争捕虜が見せる創意工夫は、みごとな水準に達することもある。第２次世界大戦中のアメリカでは、ドイツ人戦争捕虜の脱走組織――脱獄の支援を行う特殊な

錠前のピッキング

錠前のピッキングを確実に行えるようになるには、練習といくつかの最低限の道具が必要だが、これは脱出するにあたってあきらかに有用な技術である。「イェール」タイプのシリンダー錠を開けるには、２つのものが必要だ。トーション・レンチとして使うための細い平らなスチールの破片と、ピックとして使うための鉤状の強い針金である。まず、トーション・レンチを錠の下の部分に入れて、錠が開く方向に押さえつける。次にこのレンチの上の部分にピックを差しこむ。イェール錠は、ばねの入った２段のピンが円筒のなかに落ちる構造を利用している。錠をまわすためには、上の段のピンが円筒の上にまっすぐにならんでいなければならない。したがって、ピックを使ってピンを１つ１つ探り、ピンが円筒の上に「セット」されるまで押し上げればいいのだ。これを行うには、トーション・レンチをつねに押さえつけておいて、円筒と上段のピンとの間にわずかなずれを作っておくことで、別のピンに進むうちにそれまでのピンが落ちてこないようにしておかなければならない。すべてのピンが円筒の上にセットされたら、錠がまわってドアが開けられるはずである。

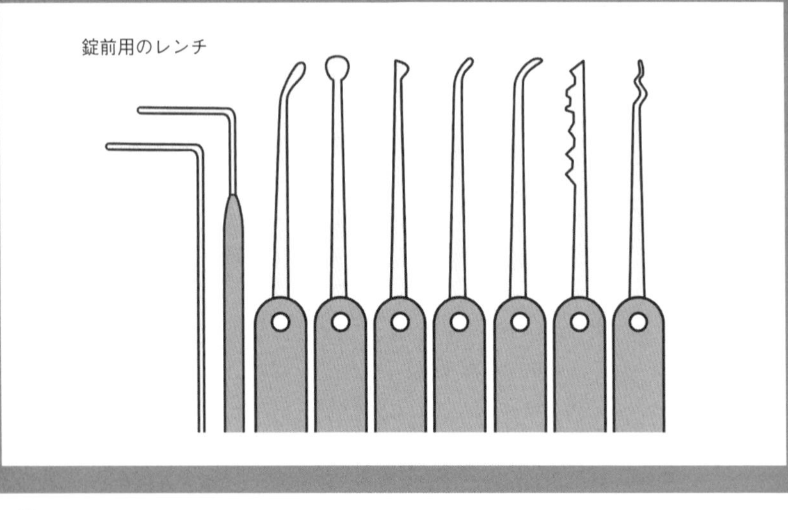

イェール錠の操作

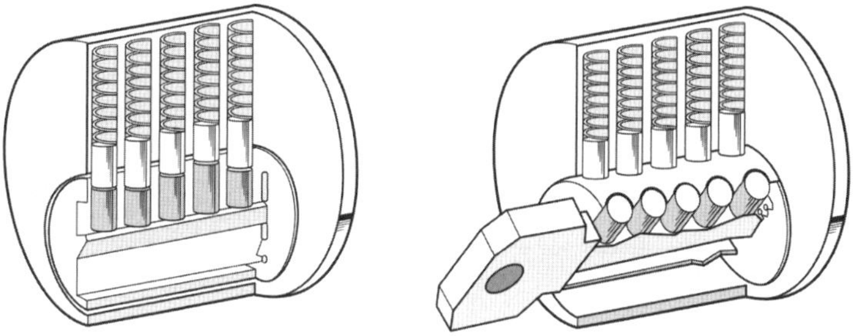

ピッキングのテクニック

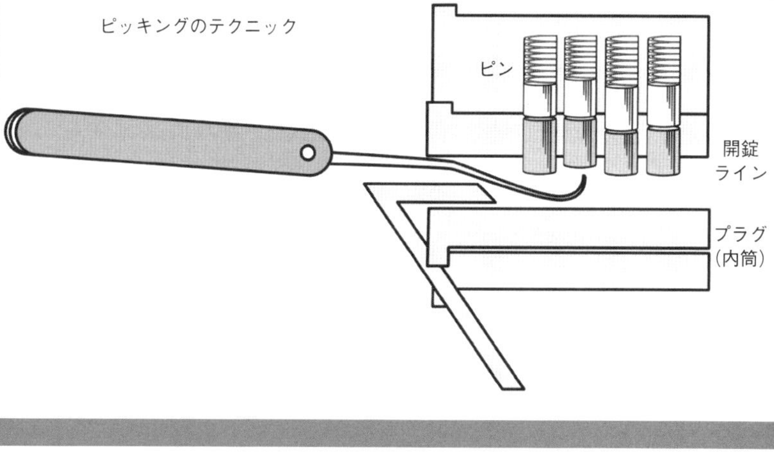

集団——が、ジャガイモを彫って作った印鑑、厚紙の切れ端、墨の壺、リノリウムの破片で作った版以外にほとんど何も使わずに、あらゆる種類の公式文書を偽造していた。作成された書類はアメリカの社会保障カード、運転免許証、軍の書類やその他身分証明書などで、これらは多くの逃亡者によって州境や国境を越えたり（逃亡者はしばしばメキシコを目的地としていた）、仕事を探したり、金を手に入れたりする際に利用された（詳しくは、www.U-boat.net.men/pow/escapes_us.htm）。

さらにめざましい創造力を発揮したのは、テキサス州ハーンの収容所にいた6人のドイツ人戦争捕虜であった。彼らはアメリカの衛兵が見張っていたにもかかわらず、なんと帆船を作り上げたのだ。これは盗んだGIのポンチョを防水の船体にし、傘を帆として使っていた。この驚くべき船は実際の脱走に使われた。6人はブラゾス川の数キロ先の地点でやっと捕まった（メキシコ湾をめざしていた）。

多くの戦争捕虜にはこれほどの工学の才能はないだろうが、脱走のためにしばしば重要なのは、このような「型にはまらない」考え方をして、捕縛者

役立つ道具

ペンチ、弓のこの刃ややすりといった道具は、逃亡者にとってもちろん有用なものだが、監視員による収容小屋の検査があったときのために、細心の注意をはらって隠しておかなければならない。

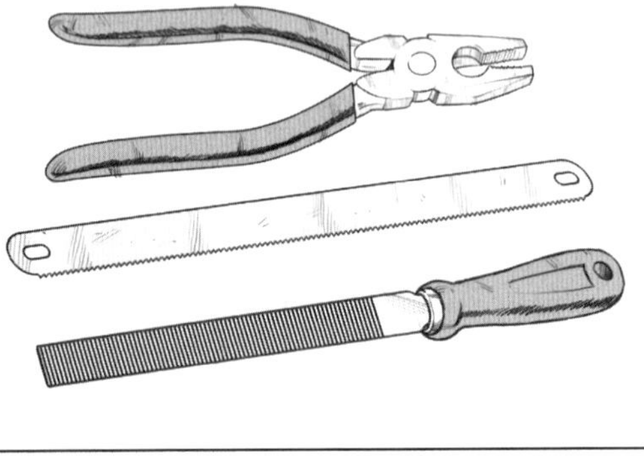

が思いもよらないことをしたり、思いもつかないものを作ったりすることなのである。

複数の知

いかなる脱走計画でも、関与する人の数をよく考えなければならない。この計算は複雑でやっかいだ。計画を知っていてその作業にかかわる人が多ければ多いほど、実施する前に露見してしまう可能性が高くなる。しかしそもそも複雑な脱走計画――たとえばトンネルを掘る作戦など――はふつう、実行するには複数の人を必要とするし、また一時に能力のある多数の人々が作業することで、逃亡計画の効率を向上させることができる。

関与する人の数は、だいたい自然と部隊や分隊の隊員程度の数になることが多い。脱走班の一員として動く際は、その集団が２人であろうと200人であろうと、１人１人が明確な役割をもち、そして計画が発覚したときのために筋の通った作り話を用意しておき、捜査がそれ以上広がらないようにしておかなければいけない。

脱走班を組織するときは、グループ内の人が持ちあわせているすべてのスキルを明らかにしておいたほうがいい。徴兵制や戦時志願兵制が支配的であるような戦争中であれば、捕虜収容所には多くの場合、それまでに多種多様な職業技術を蓄積してきた人がいた。たとえば第２次世界大戦中のイギリス人捕虜なら、１つの収容小屋のなかに鉱山業者、大工、金属細工人、公務員、経営者、科学者、それに（しばしば有能な）元犯罪者がいたとしてもおかしくはない。そのような人々はすべて、適切なトンネルの掘り方にかんする知見や、自然の材料で書類等を「古びさせる」方法についての知識など、なにかしら脱走計画に貢献できるものをもっている。また語学の才能のある人は、その地域の言語を他のメンバーに教えることで、敷地の外の町や村を動きまわる際の安全性を高めることができるだろう。

脱走のくわだて

すべての脱走計画は異なるため、あらゆる事態を想定して絶対的なルールを定めることはできない。脱走がどんな性質のものになるかは、その収容所の環境に左右される。管理がとくに厳しい収容所は、考案するのに時間のかかる詳細な計画を立てるには向かないことが多い――収容者は生きのびることに時間と努力をかけざるをえないので、すぐに頭に浮かぶ簡単な計画にもとづいて行動する。収容者が一定水準の扱いを受けられる収容所では、数週

ヒント——脱走組織

脱走支援組織を作ることの価値は、第2次世界大戦中アメリカに収容されていたドイツ兵捕虜の以下の記述からも明らかである。ドイツアフリカ軍団の少佐であったティルマン・キヴェは、アメリカの捕虜収容所から何度も脱走した。ここでは3度目の脱走について語っている。

逃げるのはむずかしくはなかった。収容所の組織（脱走組織）はまず、わたしのために米兵の制服を入手してきた。衛兵にかけあってわれわれの勲章や美しい木像と交換したのだろう。収容所にいた仕立屋が、しゃれた民間人用のレインコートを作ってくれた。色が灰色がかった緑であることが問題だったが、収容所内には化学者もたくさんいた。ゆでた玉ねぎを使ってそのコートをみごとにオレンジがかった黄色にし、それから紅茶を使って色を濃くすると、ちょうどいい目立たない色になった。

このときは出る前に、英語、とくにアメリカのスラングに習熟するよう努めた。収容所にはアメリカで23年間すごしたことのある人がいた。彼は通訳をしていて、よく教えてくれた。そのうちわたしは完全にアメリカ人として通用するほどになった。…準備は進んでいた。組織は必要なお金——約100ドル——を用意してくれた。…脱走の日が決まった。…わたしは収容小屋の下に入りこんだ。収容小屋はみなブロックの上に作られていたのだ。スペースはあまりなかったが、着替えて、米軍中尉の制服で外に出た。10時30分頃まで待って、衛兵の持ち場まで行った。見張りはわたしが散歩に行くとでも思ったのだろう。手でちょっと合図をして、「ハロー」と言って軽く敬礼をして、ひょいと出れば、もうそこは外だったのだ！

——アーノルド・クラマー『戦争捕虜——参考書』（Westport, CT, Praeger, 2008）より引用

キヴェは２日後に捕まって収容所に戻ったが、その大それた脱走行為は称賛された。変装による脱走はあてにできないものであるし、もっともらしく実行するには多大な自信となみならぬ幸運を必要とする。米軍の人員をよそおうというキヴェの手法はとくにリスクが高い。再逮捕となればスパイとして撃たれてもおかしくないからだ。だが、彼のまわりの人々がもつ多様な技術により、脱走が最初の段階では成功したということに注目したい。現代の一般的な軍隊では、多くの戦争捕虜は軍事技術以外には能力をもたない者が多く、このように多様な才能を見つけるのは簡単ではないだろうが、概して進取の気性に富んだ人なら、目的を達成する方法を探ることができるだろう。

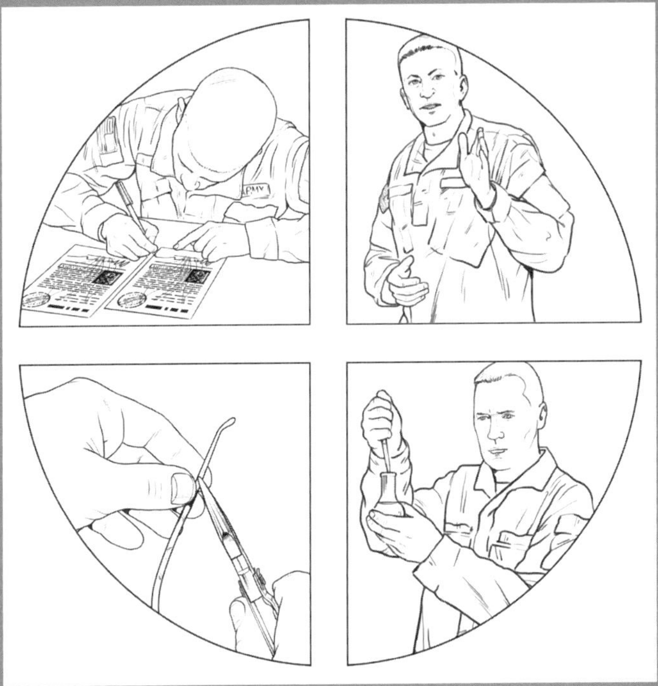

脱出用トンネル

スタラグ・ルフトIII（第3航空兵捕虜収容所）から掘られたトンネルを描写したこの図は、脱走計画がいかに大がかりなものになりうるかということを示している。トンネルの入り口は右側に見える小屋の暖房ストーブの下にあり、下の作業室へと続いている。掘った土をトンネルの入り口に運ぶために、木製の荷車が使われた。

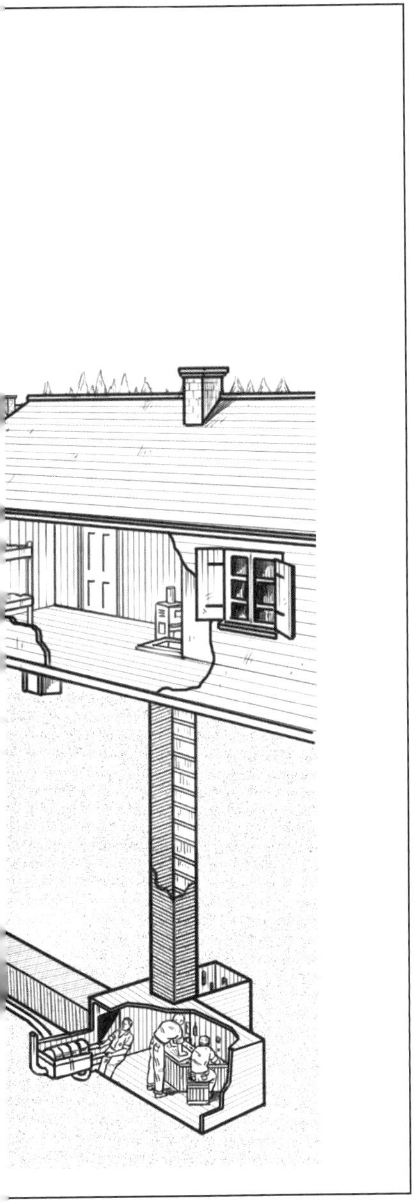

間、数か月間、あるいは数年間もかけて作り上げた、より創造的な計画に従って動く余裕があるかもしれない。

ここでは実在する歴史上の事例を通して、さまざまな脱走のシナリオを検討し、それぞれの手法の長所と短所をひろいあげていく。おそらくもっとも高等と思われる脱走の形態から始めよう――トンネルだ。

脱出用通路を掘る

収容所の外へとトンネルを掘る、という行為にはあきらかに脚本としての価値があるため、これまで映画産業から多大な注目を集めてきた。だが実用的な観点からみると、脱出用トンネルを掘るというのはもっとも困難な選択肢の１つである。ただし、いくつかの有名な歴史的事実が示しているように、まったく不可能というわけではない。

地下からの脱出のなかでも卓越したものの１つは、シレジア［シュレージエン、現ポーランド］南部のスタラグ・ルフトⅢ（第３航空兵捕虜収容所）で連合軍の捕虜が実行した計画であるといえるだろう。収容所の警備は非常に厳しく、地面を掘っている兆候を察知するために、周辺の地面には地震計が埋めこまれていた。それでもイギリス兵を中心とする捕虜らは思いとどまることなく、脱出する方法を探るために脱走組織を結成した。トンネルを掘る

ヒント――トンネルのなかの状況

ウィリアム・アッシュは、1943年にポーランドのシュビンのスタラグXXI-B捕虜収容所から、秘密のトンネルを通って脱走した35人の連合軍兵士の1人であった。ここではトンネルを掘る作業がどのような体験だったかを語っている。

わたしたちは息のつまるような暗闇のなかで働いた。頭の真上にある大量の崩れそうな土のことはなるべく考えないようにしながら。あの閉所恐怖症的な感覚を説明するのはむずかしい。表面を掘るのに、腕が1本しか前に出せないほど狭いこのポーランドの土でできた壁を、1時間もつき刺しつづけるのだ。しかもこの穴は後ろに長く伸びていて、安全できれいなトンネルの入口までもがいてたどり着くには30分もかかる。こうなるとあらゆる感覚がおかしくなってくる。まわりの冷たい粘土が、体に押しつけられて骨までしみてきて、ほとんどトンネルの一部になってしまったような気がする。明かりが消えると、暗闇のなかで視界はまったく効かなくなる。わずかな光でさえも、もう何百万年もあの泥の壁にあたったことがなかったのだ。マーガリンを使ったランプがちらちらとついているときでも、かえって暗闇が強調されるだけだった。

――ウィリアム・アッシュ『鉄条網の下で』(バンタム、2005年)

という方法が選ばれた。

1943年に立てられた計画は、敷地のまわりの鉄条網の外まで、3つのトンネルを掘るというものであった。「トム」、「ディック」、「ハリー」と名づけられたこれらのトンネルは、ドイツ軍の地震探知器を避けられるくらい深く、敷地の鉄条網を越えて周辺の森林まで行けるくらい長くなければならなかった。最終的にはこれらのうち1つ――「ハリー」――だけが完成し、当初の目的のために使われた。これがどのようになされたのか、よく検証しておいたほうがいいだろう(「ディック」はめざしていた出口地点が収容所の拡大によりおおわれてしまい、「トム」はドイツ軍に見つかってしまった)。

1944年3月24日の夕暮れに76人が脱走したときには、「ハリー」は深さ9メートル、長さ106メートルになっていた。トンネルの入口は捕虜の小屋のなかの(動かせるように改造されていた)暖房ストーブの下に隠されており、そこから下に伸びる通路は、頑丈なレンガとコンクリートを掘って作られていた。トンネル部分の砂のようなもろい土は、ベッドボードや手に入る木片を使ってかき出された。このトンネルはおよそ0.6メートル四方の細い脱出通路だったが、じつに精巧にできていた。エンジニアだった捕虜がふいごのような空気ポンプを設計・製作し、これが空になったミルクの缶で作った換気ダクトを通って、トンネル内

1人で掘るトンネル

この収容者は、自分の監房から掘った、何も支えのない粗雑なトンネルを通って脱出している。このようなトンネルは人工的な支えなしでも崩れない、固い粘土のような土でなければできない。またこれはあまり深く掘らないほうがいい——深く掘れば掘るほど、トンネルの上にかかる土の重みが増すからだ。

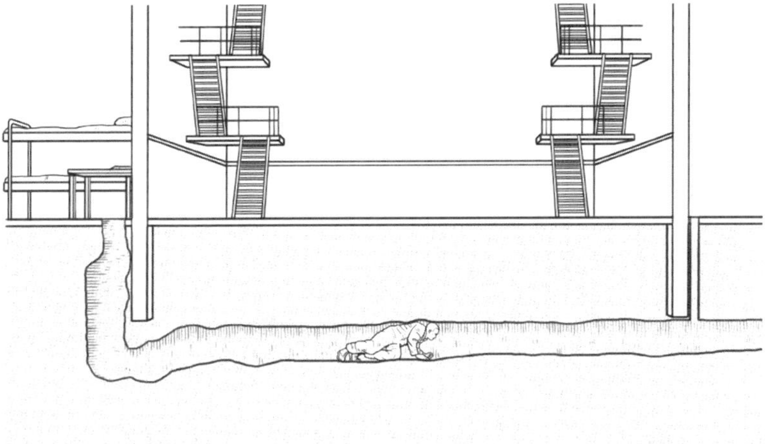

「大脱走」のトンネルを掘るのに使われた器具一覧

• ベッドボード	4000 枚
• マットレス	635 枚
• ベッドカバー	192 枚
• 枕カバー	161 枚
• 20 人用テーブル	52 脚
• 1 人用テーブル	10 脚
• 椅子	34 脚
• ベンチ	76 脚
• 長枕	1212 個
• ベッドの小割り板	1370 枚
• ナイフ	1219 本
• スプーン	478 本
• フォーク	582 本
• ランプ	69 個
• 水の缶	246 個
• シャベル	30 個
• 電線	328 メートル
• ロープ	180 メートル
• タオル	3424 枚
• 毛布	1700 枚
• 粉ミルクの缶	1400 個

に新鮮な空気を送っていた。最終的には（羊の脂でできた手作りのろうそくに替えて）トンネルには電気の照明がとりつけられた。これは盗んだケーブルを、収容所の電源にひそかにつないでできたものだった。

掘られた何トンもの土は、荷車に乗せてロープでトンネル内の木の線路の上をひっぱり、トンネルのなかから運んだ。その土は捕虜たちのズボンの足の部分に隠し、ひそかに処理した——この土を運動場や収容所の庭、劇場など、適当な場所でズボンのなかからふり落とすのだ。トンネルのなかに設置された２個所の「切り替え所」——「ピカデリー」と「レスタースクエア」と名づけられた——では、１つの荷車分の掘削が終わったら次の荷車へと移れるようにしてあった。入口から下にのびる通路の下のスペースには作業部屋が作られ、おもな設計作業が行われた。

「ハリー」は信じがたいほどの成功だった。ましてやこの掘削作業は、盗まれた道具、食べ物の缶やさまざまな切れ端からできた器具を使って行われたのである。トンネル作業者が使ったものの一覧（136ページの枠内を参照）から見ても明らかであるように、この脱走計画は大規模な兵站学の実践であり、長期間にわたって何十もの人が蓄積した知恵と知識を必要とした。

さらに脱走者らは、そのほか外の世界で役立ちそうなたくさんのもの——偽造書類、通貨、電車の時刻表、民間人の服など、ナチに占領されたヨーロッパで動きまわるのに必要なもの——を、作ったり盗んだり探し出したりしていた。最終的な76人のスタラグ・ルフトⅢからの脱走は、残念ながら多くの者にとって幸せな結末とはならなかった。多くの兵士が鉄条網の外に脱出できたものの、実際に「ホームイン」したのは３人だけだった。残りは捕まり、勇敢な脱走者のうち50人はヒトラーの命令で処刑された。

「大脱走」として知られるようになったこの行動の代償は、たしかに非常に高いものとなったわけだが、この脱走行為やそのほかこれに類似した試みは、トンネルが脱走方法として実行可能であることを示している。以下にあげるのはトンネルを掘る際のおもな注意点である。

- トンネルの入口から出口までの距離は正確に計算しなければならない。またトンネルが予定されたコースから脱線していないかつねに確認し、トンネルの角度を調整しなければならない。
- トンネルの入口は、とくに掘削作業が進められるであろう夜間に接近しやすい場所になければならな

ヒント——戦争捕虜収容所の警備の弱点

- 敷地を囲むフェンスの保守点検されていない個所。穴や錆びた部分など。
- 見張りの士気が低く、決まった時間になると警戒が弱まる。
- 賄賂を受けやすい見張り。
- 外部から収容所に定期的に来る民間の労働者（とくにそのメンバー構成がひんぱんに入れ替わる場合）。
- 厳密な点呼が行われない。
- 夜間の照明の質が低い、あるいは敵の航空活動により消灯する。
- 電源のケーブル接続箱が露出していて、都合のいいときに電源を切ることができる。
- 役に立つ道具が入っているかもしれない倉庫の警備が甘い。
- ごみ収集車やその他の乗り物にもぐりこんで外に出る。

い。衛兵が検査を実施したときにそなえて、瞬時にもっともらしく隠す方法も考えておかなければならない。

- たとえ土が固くても、トンネルは崩れやすい。トンネルの側面と上部は、何トンもの圧力に耐えうるような強力な素材を突っ張りにして、強化しなければならない。トンネル工事が長い時間をかけて行われる場合は、この突っ張りが湿気や寒さなどで損傷していないか、定期的に確認しなければならない。
- 土の処理は重大な問題である。土は種類により色と堅さが大きく異なることを忘れてはいけない。たとえば砂状の土を粘土の地面にすててしまえば、掘削作業が発覚してしまうかもしれない。すてる場所はよく吟味しなければならないのだ。この土の処理という問題こそが、トンネルを用いた脱走に大人数が必要になる理由である。トンネルがとくに短いというのでないかぎり、小さな集団で処理するには廃棄物の量が多すぎる（短いトンネルの場合、敷地の外までは行けないかもしれないが、簡単に脱走できそうな敷地内の別の場所までなら行けるかもしれない）。
- 掘削作業をうまく進めたいのなら、道具は必須である。周囲の警戒を喚起せずに本格的な道具を手に入れることはできないかもしれないが、道具を自分で作るという方法もある。細長い布を編めばロープにすることができる。金属の缶を平らにして棒をとりつければ鋤になる。フルーツのかごは土を入れる容器にできる。想像力をうまく使うことだ。ただし、けがをする危険性がないように、作った道具がきちんと目的に合っていることを確認しておくこと。

• 長いトンネルでは、換気が重要だ。メタン（有機物質の分解により産出される）、一酸化炭素や二酸化炭素などの自然のガスは、トンネルのなかに蓄積して健康に害をおよぼすことがある。トンネルのなかに新鮮な空気を送りこむために、なんらかのシステムが必要となるだろう。異常な眠気など、ガスの中毒症状が出ていないか注意しなければならない。ガスが出ている疑いがある場合、トンネルのなかですごす時間を減らすか、完全にやめるかしたほうがよい。

トンネルを掘るというのは大がかりな作業であり、その実現可能性は人員確保など多くの実際的な条件によって異なってくる。だが多くの脱走者にとっては、タイミングをみはからって行う地上からの脱出方法のほうが重要となるだろう。

即席のロープ

細長い布きれを何本もひねって結ぶと、脱出のための簡単な即席ロープができる。このようにして作ったロープは、本格的に使う前に強度を試すのを忘れないようにしなければならない。

衛兵との接近戦

ここでは脱走する捕虜が低くかがみながら、衛兵の後ろに近づいている(A)。捕虜は時をみはからって、衛兵の背中めがけて飛びかかり、その勢いで衛兵を地面に倒す(B)。たいていの場合衛兵は前に倒れる際、地面にたたきつけられるのを防ぐために兵器を手から放すだろう(C)。衛兵が地面に倒れたら、捕虜は締めつけにより相手を気絶させることができる(D)。

B
C
D

地上からの脱走

「地上からの脱走」とは、基本的には地面を掘ることなく収容所の警備システムを出し抜く方法のことをさしている。潜在的には想像しうるかぎりの手法があるため、あらゆる可能性を書き出すのはむりである。だが戦争捕虜の歴史のなかから、よく用いられる脱走パターンを見出すことはできる。

先にあげたティルマン・キヴェの例（130-131ページ）は、自信満々の変装というのが、危険ではあるものの1つの方法でありうることを示している。外国人の民間人や敵の兵士をよそおうには、まず必要な服を入手しなければならない。敵軍の本物の制服はおそらく、収容所の売店や秘密の供給者（買収した衛兵など）がいなければ手に入らないだろうが、自分の制服も記章や肩章などをはずせば、民間服のように

十字絞め

十字絞めは、人をすばやく気絶させたいときに使える絞め技である。手首を交差させ、反対側の襟の折り返しをつかみ、両手を引いて相手の首を絞める。

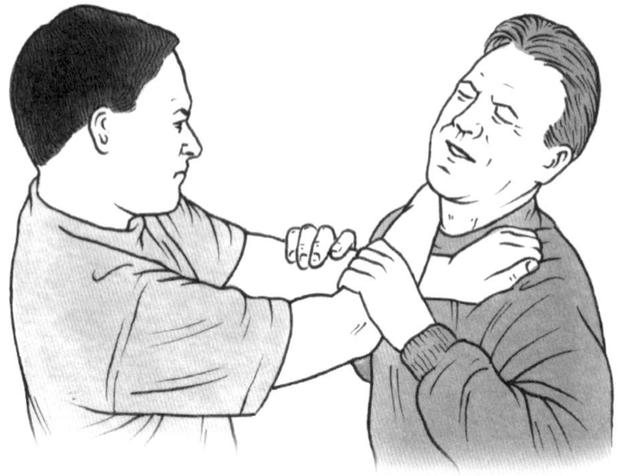

見えるかもしれない。帽子、眼鏡やスカーフなど、他に使えそうな装身具もなるべく手に入れるようにしたい。このような物があれば、収容所の外に出たときに、姿を変えたり顔を隠したりすることができる。

キヴェはまた別の脱走にかんして次のように説明している。「わたしは3か月間髭を生やしつづけ、見た目がまったく変わった。髪はヘアスプレーをかけて真ん中で分けて、眼鏡をかけた。それにこのときは本物の民間人のスーツも手に入れた。そして、同じまちがいを二度くりかえさないように、本物のアメリカのスーツケースを入手して、外国人だと思われないようにした…」

髪型を変えるというのは見た目を変える簡単な方法であり、いつもより長く伸ばせば、日々いろいろなスタイルを作り上げることができる。

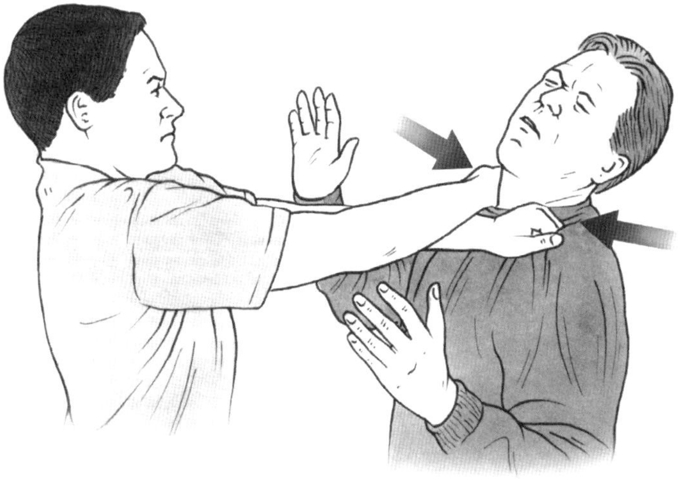

チームワーク

いちばん目立たないのは単独での脱走だが、この高い壁のような障害を乗り越える際には、脱走チームを作ると役に立つ。

オリンピア作戦

1942年8月30日、30人のイギリス軍と連合軍の兵士が、ドイツ北西部の町デセルのオフラグVI-B（将校捕虜収容所）から大胆な脱走作戦を実行した。彼らは事前に、ベッドの小割り板を使って3.6メートルの梯子を4台組み立てていた。この梯子は、敷地のフェンスを乗り越えて安全に反対側に降りることのできるように、伸縮する仕組みになっていた（収容所の兵舎では、疑いの目を向けられないように、組み立てなおして本棚にすることができた）。作戦決行の夜、脱走者らは照明のヒューズを飛ばし、梯子1台に対し10人がかりで急いでフェンスに梯子をとりつけた。4台のうち1台は倒れてしまったものの、30人が外の世界へと脱出することができた。だがその後、再度捕まらずにすんだのは、3人だけであった。

もちろん、はったりを効かせて抜け出るには、度胸、ある程度の演技力、高度な知識が必要となる。敵の言語も、軍事用語を含め会話レベル程度にはわかっていなければならないし、現地の民間人の言葉も（違う言語である場合）理解できなければならない。適切に敬礼するためには、敵軍の階級記章制度も知っておくべきだ（敵軍の兵士をよそおうのならば）。また検問所で採用されている手続きや手順も覚えるようにしたほうがいい。視線は合わせないようにし、権威のある人間が忙しくしているようなそぶりをすれば、リスクは減らせるだろう。

もう1つできるのが、収容所内で働いている外部からの請負業者をよそおうことである。ただし、この嘘になんらかの視覚的な説得力をもたせるには、適当な道具を手に入れなければならないだろう。

この章の始めで述べたように、いかなる脱走も、観察して収容所の警備の弱点を察知することから始まる。アルフレッド・ウェッツラーとルドルフ・ウルバ――先にあげたアウシュヴィッツ・ビルケナウのスロヴァキア人収容者（122-124ページ）――は1944年4月に脱走したとき、まさしくこれを実行したのであった。2人は収容所の敷地の端に、収容所の拡大建設のための大きな材木の山が置いてあるのを見つけた。ある夜2人は収容小屋を抜け出してその丸太の山の下に隠れ、三日三晩身をひそめてドイツ側による必死の捜索をやりすごした。捜索活動の第一波がおさまったとみるや、彼らは夜の間に材木の山から抜け出し、鉄条網の穴からすべり出て、ナチに占領されたポーランドを通る、128キロにおよぶ非常に危険な旅に出た。苦しい旅だったが、見知らぬ人々の厚意にも助けられ、2人はついにぶじに安全地帯にたどり着き、ユダヤ人に対してなされている極悪非道の犯罪の証拠をもってきたのであった。

戦後の研究は、アメリカのドイツ人捕虜にかんする統計を参照しつつ、次のことを示している。

> *脱走の65%は防御柵を抜け出る、あるいはその上や下から脱出するといった方法をとった。これにはトンネルを掘る、ごみ箱のなかに隠れる、トラックやジープの下に入りこむなど想像しうるあらゆる作戦が含まれる。二番目に多い脱走方法は全体の30%を占めており、監視員のすきを狙って作業場を離れ、農産物の間に隠れる、あるいはたんにその場から*

強襲配備

この特殊部隊の兵士は、戦争捕虜救出任務において、ヘリコプターから降りて配置につくためファストロープの技術を用いている。捕虜は、ヘリコプターが接近するのが聞こえたら、すぐに救出の可能性にそなえたほうがよい。

逃げ去る、といった形をとった。陸軍省は残りの5%を「その他」としているが、これは収容所の司令官が気づかないうちに起きた脱走で、逃げた捕虜がふたたび捕まってから明るみに出たものである。

—— www.uboat.net.men/pow/escapes_us_2.htm

この数値によると、たんにチャンスをとらえるというのがもっとも実際的な脱出計画である場合が多いことがわかる。だからこそ収容された当初から、敷地の外に出たらどう逃亡するかについては明確に考えておいたほうがよい。早期にチャンスに恵まれるかもしれないからである。

反乱

もう１つのまったく異なる脱走法は、反乱を起こすというものである。現実には、収容所における大規模な反乱と脱走は、見こみのない状況におちいったときの最終手段である。暴力と暴徒に脅かされた衛兵たちは多くの場合、手に入るすべての武器を使って発砲し、

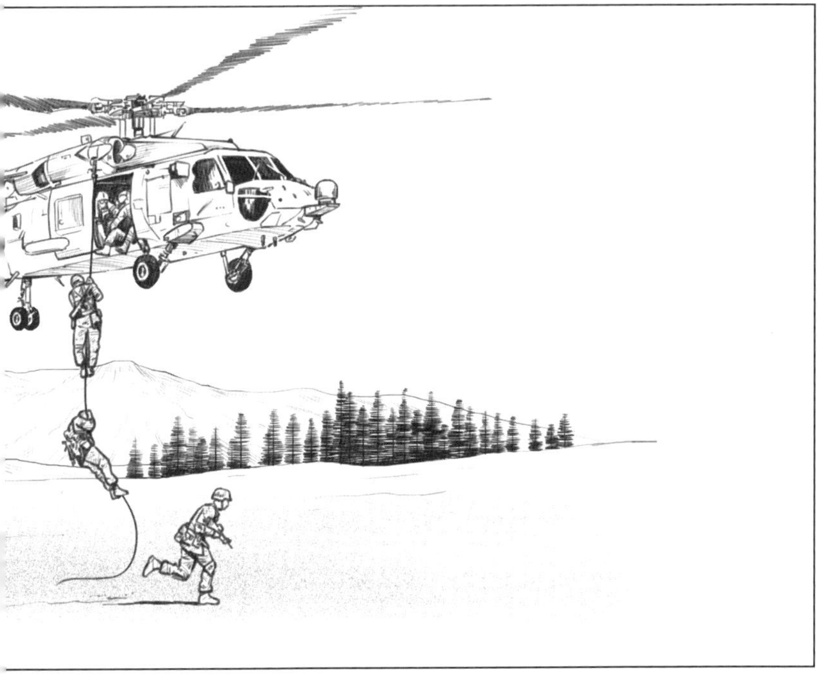

救出のくわだて——建物を攻略する

人質救出作戦の際、特殊部隊は、部屋に入る前に反撃を弱めるためスタングレネードなどを使いながら、組織的に１つ１つの部屋にあたっていく。自分の部屋に近づいてきたら、自分の存在を声で伝える。ただし、１個所にとどまっているのが危険でないかぎり、動かずに彼らが来るまで待つこと。

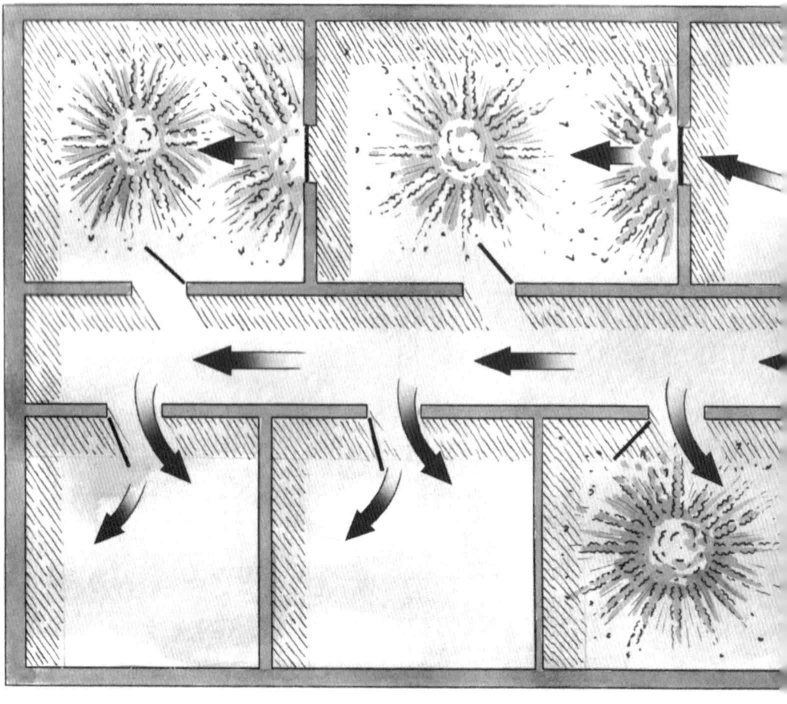

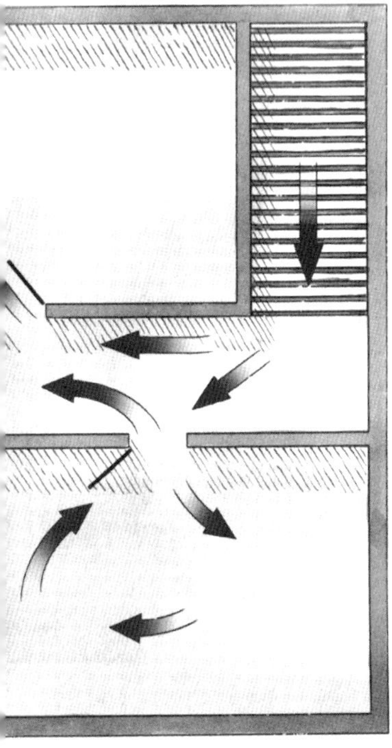

大量の犠牲者を出すだろう。この脱走計画はそのような結果を受け入れ、それでも反乱にかかわった者のうち多くは自由になることができるだろう、という前提のもとで実行される。脱走者側が少しでも武器を手に入れることができれば、脱走者の方にも多少は勝ち目があるだろう。

本章のはじめにあげたカライジャンギの事例（113-115 ページ）が、そのような反乱の一例である。もう 1 つには第 2 次世界大戦中のオーストラリアのカウラ捕虜収容所での例があるが、この事件は反乱という脱走方法がはらむ危険性を示している。この収容所ではイタリア、日本、朝鮮の捕虜が拘束されていたが、1944 年 8 月 4 日、1000 人もの日本兵の軍勢が蜂起した。彼らは即席のナイフや、野球バット、釘をつけたこん棒などで武装しており、敷地の囲いに向かい、さらにその外へと押し寄せた。何十人もがオーストラリアの衛兵らの機関銃ではばまれたものの、359 人の捕虜が脱走した。だが、10 日以内には全員が再逮捕された。反乱中、全体では 339 人の日本人兵士が死亡・負傷し、オーストラリア兵も 4 人が死亡した。

反乱は、関与する者にとってあまり期待ができるものではない。すなわち、反乱を試みるべきなのは、それを試みない場合の結果のほうがはるかに不利なとき、あるいは収容所の警備に致命的な不備があり、捕虜側が簡単に優位に立てそうなときなのである。

救出

戦争捕虜や人質の状況から抜け出すためのもう1つの方法は、捕虜側の努力をまったく必要としないもの——救出である。救出作戦の規模はさまざまである。大規模な救出作戦の例としては、1945年1月30日、フィリピンのカバナトゥアンにあった日本軍の捕虜収容所から552人の連合軍捕虜の解放に成功した米軍の作戦や、1970年12月21日、北ベトナムのソンタイ捕虜収容所に対する米空挺特殊部隊の襲撃がある（後者では何十人もの北ベトナム兵が死亡し、戦術としては成功したものの、すべての米軍捕虜は事前に別の場所に移送されてしまっていた）。

このような大胆な救出作戦は、結果を予測するのが非常にむずかしいため、まれにしか行われない。これに対し人

救出者がもたらす危険

捕虜が特殊部隊の救出の対象であるとしても、部隊が襲撃してきた際には伏せているべきだ——立ち上がって手に入れた武器をふりかざしてはいけない。救出者に撃たれてしまうかもしれないからだ。

救出特殊部隊

人質救出のための特殊部隊は、建物のなかをすばやく動きまわり、とっさに撃つか撃たないかの判断をしなければならない。部隊による救出を待っている間は、スタングレネードや発煙弾の発射、大量の自動火器の使用などを覚悟しておくべきである。

質救出任務は、救出すべき人数がより現実的であり、試みられる頻度が高い。

救出作戦の対象となっている戦争捕虜や人質にとって、作戦の最初の段階は、じつは危険が高まる瞬間である。急に攻撃されたテロリストや衛兵は、復讐行為として捕虜を殺そうとするかもしれないからだ。さらに救出者自身も多くの場合、みずからの生存をかけて戦っており、瞬時に撃つか撃たないかを判断しなければならないため、捕虜に危険をもたらす可能性がある。たとえば2010年10月8日、イギリスの救援隊員だったリンダ・ノーグローヴは、アフガニスタンの山間地帯にあるタリバンのアジトで、彼女を救出しようとしていた米海軍特殊部隊（SEAL）の隊員から手榴弾を受けて死亡した。

人質救出作戦の最初の兆候は、非常に目立つものである場合が多い。特殊部隊は敵を圧倒するために最大限の衝撃を与えようとするからだ。スタングレネードの爆発や、携帯兵器の激しい発射音、あるいは空襲でさえ、救出作戦開始の合図でありうる。もし捕虜として救出作戦が実行されていることに気づいた場合は、次のように行動すべきである。

- 伏せてどこか隠れる場所を見つける——次の数分の間に周囲で銃撃戦が起こるかもしれないからだ。
- むだに動きまわらない——非常に隔離された場所にいるのでないかぎりは、救出部隊に見つけてもらうのが理想である。
- 武器をとって参戦しようとはしないこと——救出者が捕虜を敵と見まちがう可能性が高い。
- 救出部隊に見つかったら、「アメリカ国民だ」などとすばやく簡単に名のる。それから手荒に扱われても驚かないこと——救出者は明確に本人確認できるまでは、捕虜を潜在的な脅威として扱うだろう。
- 救出部隊の指図を厳守すること。

捕虜や人質の状況からの脱走というのは、危険な行為である。フェンスの外に出られたとしても、その後も敵の領土で生きのびていかなければならないが、これについては次章で見ていくことにしよう。

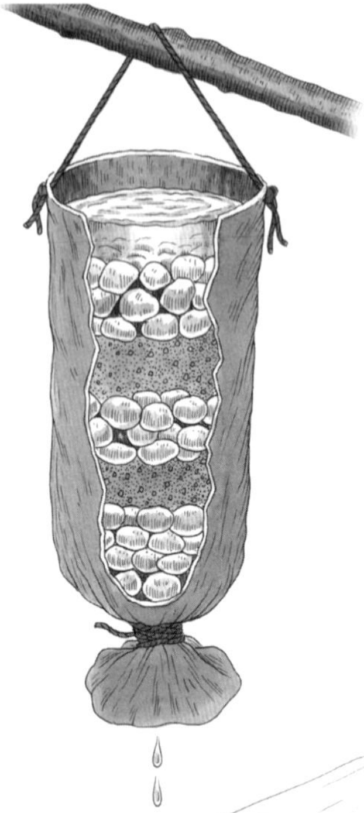

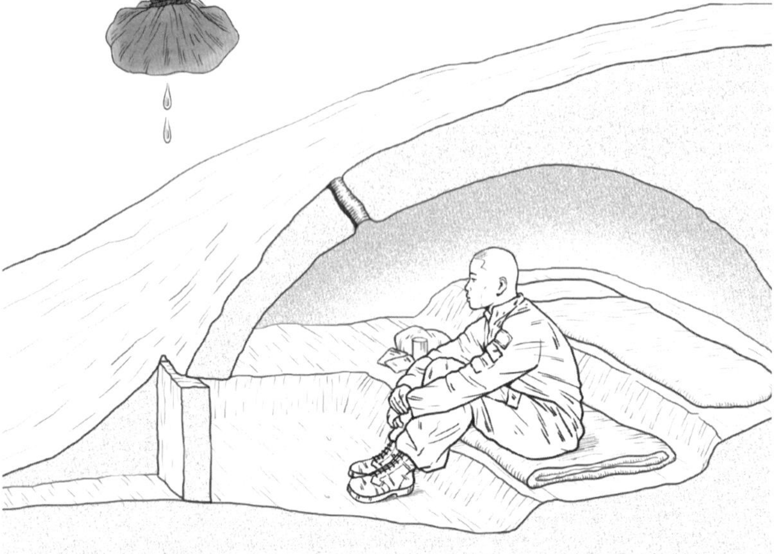

第4章

どれほど巧妙に脱出計画を練っても、捕虜収容所の外で生きのびられなければ意味がない。

逃走中の生存術

大自然のなかで生きのびる方法は、ほとんどの兵士が基礎訓練のなかで学ぶ。会得した技術を生かすには、臨機応変な対応力と生きたいという強い欲求が必要である。

皮肉な話だが、脱出や逃走をはかろうとする者にとって最大の脅威となるのは敵ではなく環境である。事実、逃走中には気候や地形によって生じる危険がかなり大きくなる。平時に一般市民が遭難した場合には、発見されやすいよう自分の姿を目立たせるとともに、できるだけ早く人と接触をはかることがなにより肝要である。接触できれば、自分自身で身の安全を確保する必要はほぼなくなる。それに対して逃亡者は、人との接触を極力（すくなくとも味方側の地点に到達するまでは）避けなければならない。つまり、まったく自分一人ですべての危機をのりきらなくてはならないのだ。

本章では、敵の監視をのがれながら大自然のなかで生きのびる基本的方法を紹介する。敵の監視をのがれるという点はきわめて重要で、それゆえにほかの非常事態とは一線を画する状況となる。たとえば平和な時なら、遭難中に燃えさかるキャンプファイアで暖をとり、調理を行うことが適切な方法だといってさしつかえないかもしれない。だが敵陣で同じことをすれば、炎が敵方の捜索隊の目にとまり、大砲や迫撃砲の標的にされる可能性もある。生き

ヒント――サバイバル・キット（非常用携帯品一式）

サバイバル・キットの中身は配置される戦域によって微妙に異なるが、米軍公式マニュアルにのっている次のリストから大体の内容がわかる。

サバイバル・キットには以下のものが必要である。

- 救急用品
- 浄水剤（錠剤もしくは液剤）
- 焚きつけ用品
- 非常信号器具
- 食料調達用具
- シェルター設置用品

特殊部隊用多目的ナイフ
柄の中身――コンパス、釣針、火打石、釣糸と錘

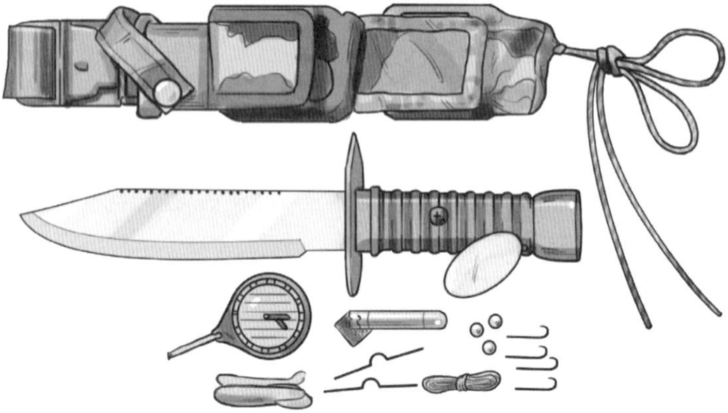

具体例

- ライター、金属マッチ、防水マッチ
- 罠用ワイヤー
- 信号鏡
- 携帯コンパス
- 釣糸およびしかけ用糸
- 釣針
- ロウソク
- 小型拡大鏡
- オキシテトラサイクリン錠（下痢もしくは感染症用）
- 浄水剤
- ソーラーブランケット
- 外科用メス
- チョウ型接着テープ
- 貯水用コンドーム
- リップクリーム
- 縫い針と糸
- ナイフ

応急処置用品一式

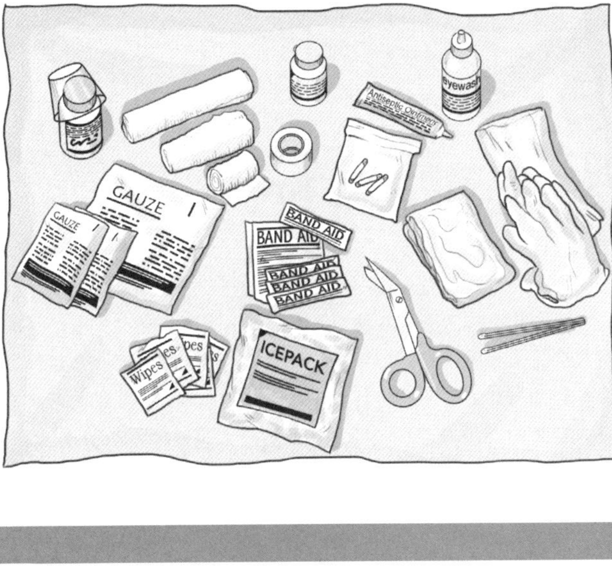

のびる方法は、つねに敵からのがれる方法とセットで考えられなければならないのだ。とはいえ、逃げつづけることで飢餓や体温低下で死んでしまってはもともこもない。究極の場合には、降伏することも必要である。

「棚卸し」

軍人の多くはある程度の生存術訓練を受けている。こうした訓練にくわえて、生まれもった機転と生きようという意志が生きのびるためのカギとなる。さらに、サバイバル・キットをもっていれば心強い。軍から支給されたものであれ、自分で準備したものであれかまわない。そうした用具一式を肌身離さずもち歩くことが、非常事態に対する最大のそなえといえるかもしれない。

サバイバル・キットの中身は、それぞれの明確な使用目的——飲料水を入手する、食料を集める、火をおこす、遭難信号を送る、シェルターを作る、けがをした場合に応急処置をする、といったこと——を考えながら整えるべきである。そうした用具一式をもちあわせていない場合、大自然のなかでの生存はかなり困難なものになる。それでも、もてる知識と意志の力をもってすれば、うまく生き抜くことも可能となる。

大自然のなかでは、いかなる場面においても行動を起こす前に、これから行うすべての動作とそれによって起こりうる結果についてよく考えることが重要だ。即座にリスクアセスメント（危険性事前評価）を行い、身の安全に対する最大の脅威は何かを確認する。生きのびるということのみを考えれば、

水源

乾燥した地域では、干上がった河川の外側に湾曲している部分を掘ると地下水が見つかることが多い。とくにこうした湾曲部分が日中ほとんど日陰になっている場合には、見つかる可能性が高くなる。また、岩壁の付近で、雨水が流れる溝の下に岩などがあれば、その下に水が眠っていることもある。

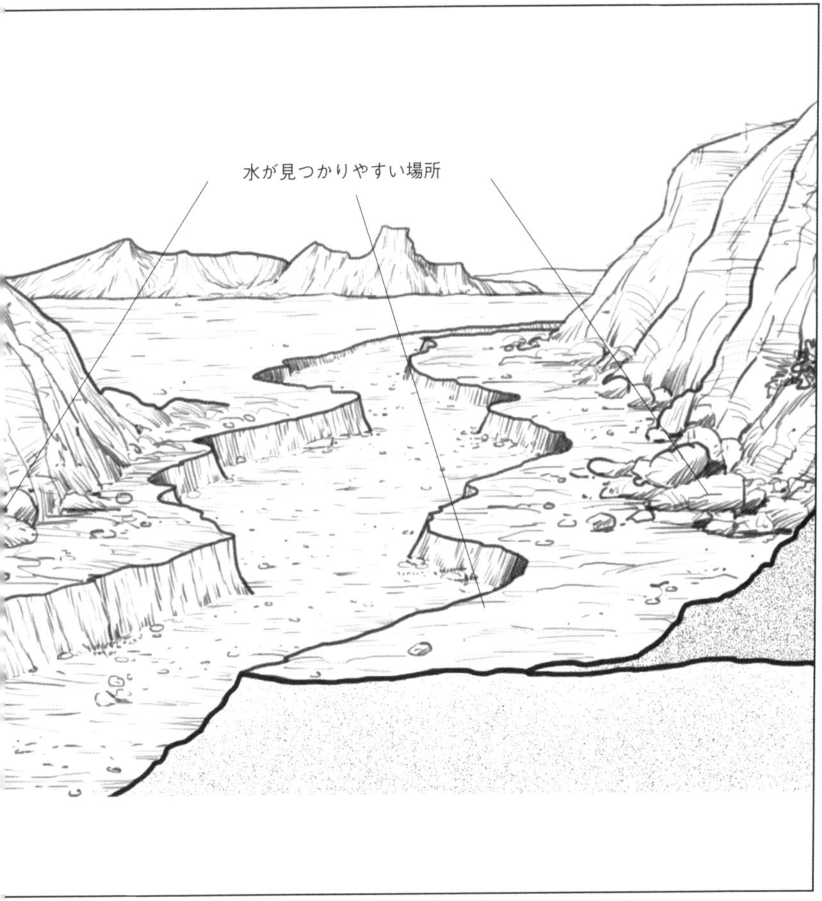

優先事項はしぼれてくる。そして究極に単純化すると、優先事項のリストは次のようになる。⑴水の調達、⑵食料の調達、⑶シェルターの設置、である。これらの事項の優先順位は置かれた状況によって異なるが、どれも特別な理由がないかぎりはぶくことはできない。これからそれぞれを順番に見ていこう。

水

いかなる非常事態においても、安全な飲料水を手に入れることほど重要なことはない。捕虜収容所から脱走した

ヒント——貯水容器

貯水用の容器を入手できるようであれば、米軍の公式マニュアルに掲載されている次のアドバイスが役立つだろう。熱帯気候地域での貯水について書かれたものである。

水は安全できれいな状態に保つことが肝要だ。少量の水（20数リットル）を入れる容器としては、プラスティック製のボトルか冷却器が最適である。プラスティックボトルなら水は72時間もつ。金属製の容器だと24時間しかもたない。（中略）気温が37℃を超える場合には、水温をチェックすること。水温が33℃を超えたら水を替えたほうがよい。細菌が繁殖するからだ。替えないと下痢などの問題をひき起こす原因となる。

——*『米陸軍サバイバルマニュアル』、フィールドマニュアル90-3、砂漠での作戦*

ばかりだとすると、多量の水などもちあわせていないだろうから、困った状態にあるというわけだ。標準的な軍事行動において兵士が必要とする水分摂取量は、寒冷地で1日2リットル、厳しい砂漠気候では1日12リットルと幅がある。水分摂取量が体内から自然と（発汗、排尿、排便、呼吸などによって）失われる水分を補うのに必要な量を下まわると、脱水症状におちいる。脱水症状は、軽い情緒変化に始まり、最悪の場合には死にいたる——まったく水分をとらない状態だと、人はよくても3日から7日しか生きられない。1つ留意すべき点としては、何も飲むものがない場合には何も食べないほうがよいということだ。というのも、消化には体内の水分が多量に使われるからである。とくに脂っこい食べ物の消化にはより多くの水分が消費される。

水を入手できるかどうかはふつう、地理と気候によって決まる。寒冷あるいは温暖な地域にいる場合には、小川や河、水たまり、雪（摂取前にとかすこと）、池、灌漑用の溝などから十分な量の水を手に入れられる可能性が高い。とはいえ、たとえ入手できても飲む前に浄化する必要はある。雨の際には、容器になるものなら何でもよいから使って、できるかぎりたくさんの新鮮な水を集めること。分厚い葉や防水布で容器に水を流しこむ「樋」を作る

地中の水

　地下水を汲み出すときには、土が湿り、穴の底に水がしみ出てくるまで地面を掘りつづけること。出てきた水はいくら汲み出してもよいが、飲む前にろ過して不純物をとりのぞくのを忘れないように。

露を集める

草葉の露をてっとりばやく集めるには、布きれを足首に結びつけて草地を歩きまわり、布きれが十分に湿ったところで足首からはずして容器に水をしぼり出す。そして、しぼった布きれをふたたび足首に結んで同じことをくりかえす。

こともできる。

一方、夏期や乾燥した地域では、自然の水源の多くが干上がっている可能性があるため、もっと工夫をこらさねばならない。以下に有用な方法をいくつかあげよう。

露を集める

草葉に露がおりる日の出の時間帯に吸水性のある布きれで草葉をこすると、布きれが露で湿る。それをしぼって直接口に入れてもよいし、容器に飲み水として入れてもよい。布きれを足首に巻きつけて草地を歩けば、水を集めながら移動を続けることもできる。

隠れた水

乾燥した荒野は不毛の地に見えるかもしれないが、水が蒸発する割合は場所によって異なる。それは直射日光にどれだけさらされたかによって決まるからだ。水がたまったり残っていたりする場所はたくさんあるが、とくによくあるところを以下にあげる。

- 岩の割れ目、なかでもまわりに植生がみられるものや鳥の糞が近くに散見されるもの（鳥が水を飲みに来ていた可能性を示す）。
- 茶碗型、あるいはボウルのような形の構造をもつ植物。ただし、有毒植物の場合や、なかの水が乳白色もしくは変色している場合には決して飲まないこと。
- 木のまた、あるいは木の幹にある穴。水が隠れている場合には、虫の出入りがみられることが多い。
- 干上がった川床や水たまり。いちばん影になっている湾曲部の隅（最後に水が蒸発したであろう部分）を掘り下げる。土が湿ってきているのを確認できたら、穴に水がしみ出してくるまで掘り下げて、たまった水を集める。

太陽蒸留器および蒸散袋

水を入手するにあたって太陽蒸留器を作るという方法は、他のやり方よりも複雑であり、かなり大きいビニールシートをもっているか手に入れられる場合のみ実行可能である。手順としてはまず、日あたりのよい場所を見つけ、直径90センチ、深さ60センチの穴を掘る。穴の側面は中央の水だめに向かって傾斜させる。続いて水だめに貯水容器を置き、ビニールシートを穴の上にかぶせて縁を砂や土や岩で固定する。ここでもっとも重要なのは、シートの縁と地面の間にすき間ができないようにすることだ。さもないと、蒸留器のなかに集められた水がすき間から空気中へ蒸発していってしまう。そして、シートの中央に石を置いて地面から40センチほど窪ませ、下に置いた貯水容器の上にくるようにする。

これで太陽蒸留器は準備万端だ。24時間ほどそのままにしておこう。太陽熱が穴のなかの温度を上昇させるにつれて土壌から水蒸気が放出され、ビニールシートの下側で凝縮する。この水分がシートのいちばん低い部分へと流れ落ち、容器のなかへ滴り落ちる。海水を入手できる場合には、あらかじめ土壌に流しこんでおくと水蒸気量を増加させることができる（蒸発の過程で塩分は土壌に残される）。

蒸散袋は太陽蒸留器のバリエーションで、植物に含まれる水蒸気を抽出するというものだ。まず、青葉や草本植物などを多量に苅り集め、ビニール袋に入れて密閉する。植物の量は袋の4分の3を満たすようにすること。袋の口をきつく結び、底に細かい穴などがないことを確認する。小さくても穴があると、水分が大気中へ出ていってしまうからだ。袋のなかには、水を吸わない小さな石も入れておく。そして、日あたりのよい斜面に袋を置き、いちばん下の角になかの石が転がっていくようにする。太陽熱で袋が温まるとなかの植物が水蒸気を放出し、それが先ほどと同様にビニール上で凝縮して、石のある底辺の角に水が集まる。

以上のような空気中や植物から水分を抽出する方法は、いつも有効というわけでなく、期待どおりにいかないこともある。けれども、理想的な条件のもとで正しく実行されれば、毎日およそ0.5-1リットルの飲料水を産出することができる。

水のろ過と浄化

これまでに示した例外と新鮮な雨水を除き、集めた水の多くはろ過して浄化する必要がある。とくに、河川から調達した水は要注意だ。きれいに見えるかもしれないが、肉眼では見えない細菌や寄生虫、有機物を含んでいることが多々ある。それらが体内に入ると、下痢や吐き気、あるいはなんらかの病気をひき起こす原因となりうる。そして、かえって体の水分を失うはめになりかねない。もし河川の水を直接飲むしかない場合には、小石の山の上を流れる水がもっとも安全だ。小石が不純物の多くをとりのぞいてくれるからである。また、岩場に湧き出た地下水も比較的安全な方である。こちらも非常の場合には水がきれいそうなら飲んでもかまわないが、可能ならばつねにろ過して浄化したほうがよい。

水をろ過するには、綿のTシャツなどのような目の細かい織物に通せばよい。もう少し凝ったやり方としては、ろ過器を作るという方法がある。この装置は簡単にいうと、ろうと状にした生地の片端を結び、なかに砂やさまざまな大きさの石などろ過作用のある自

太陽蒸留器

太陽蒸留器をうまく作る秘訣は、水を逃がさないようビニールシートの端と穴の縁の間をすき間なくふさぐことである。集まった水を簡単に飲むために、管を貯水容器に通しておいてもよい。

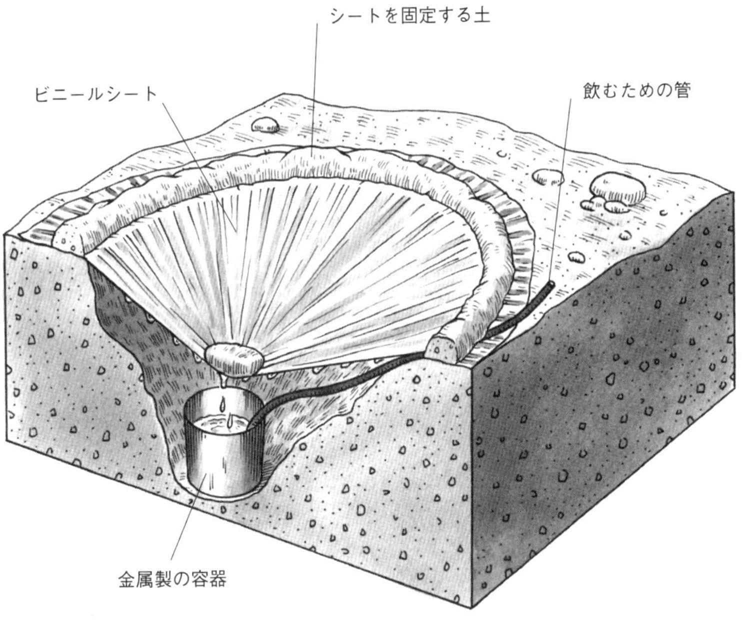

然物を入れたものだ。砂と石は層になるよう交互に入れていく。上から水を注げば、なかの層を通ってろ過された水が下から出てくるという仕組みである。水を浄化するには、サバイバル・キットに入っている浄水剤を用法に従ってくわえるというのがもっとも簡単な方法である。浄水剤がなければ、火

ヒント——ジャングルの水源

　ジャングルに生えているつたの類は、中に水を含んでいる。つたの２個所になたを入れて一部を切りとるが、その際、上にあたる方を先に切ること。すると、下の切り口から水が垂れてくる。出てきた水が完全に透き通っていて、においもなく、肌や舌に触れてもひりひりしない場合には、そのまま飲んでも問題ない。

　青竹は茎の空洞のなかに水を含む。取り出すにはまず、長い茎を折り曲げて、もとに戻らないように結びつけ、それから先端を切りとる。ここでも水

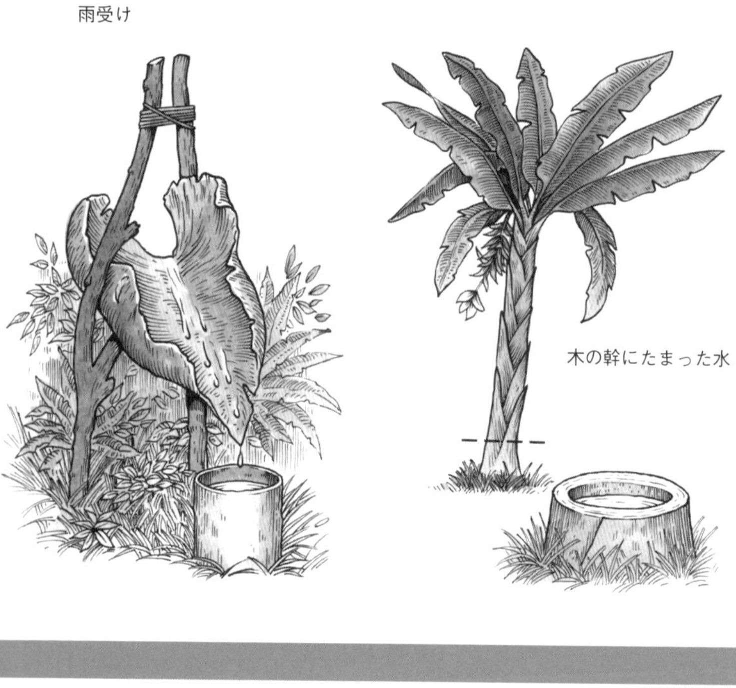

が透明、無臭で非腐食性の場合のみ飲むようにすること。

バナナやプランテーンの木は、幹に水をためる。この水を入手するには、切り株を30センチ残して木を切り倒し、切り株の中央をえぐって鉢状にする。この自然の鉢は、数日間にわたって水で満たされつづける。

雪のとかし方

雪は決してそのままの状態で食べないこと。唇や喉の組織を傷めたり、体温を急速に低下させるおそれがある。図に示した簡易融解装置は、布袋に雪を入れて三脚につるし、袋の真下に貯水容器を置いて近くで火を焚いたものである。

水漉し

　このろ過装置は、透水性の袋に石の層と砂の層を交互に数段つめたもので、なかの層が水中の微粒子をとりのぞく。上から水を注ぎ入れ、下から出てきた水を集める。

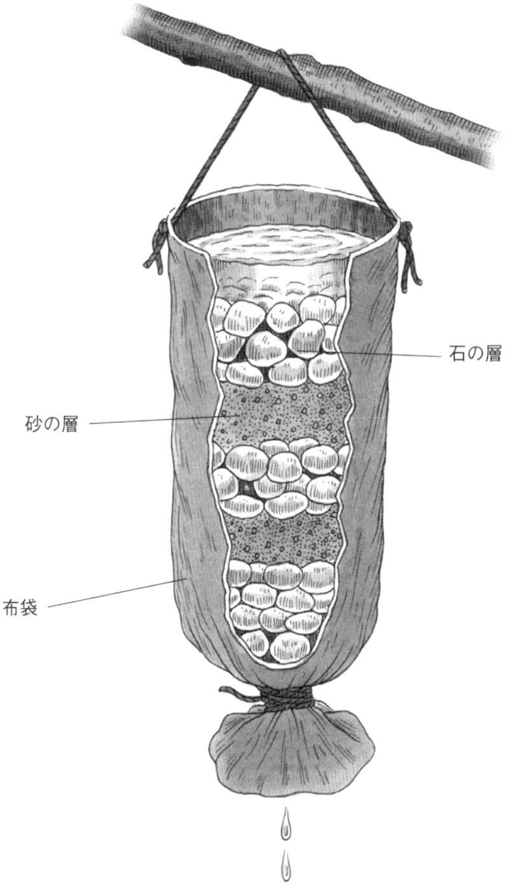

をおこして約5分間沸騰させればよい。

以上のような水の調達法は、逃走中の身であることをつねに意識しながら実行しなければならない。とりわけ熱帯地方や乾燥した地域では、水路の近くが人間の活動場所になりやすい。水を求めて出ていく前に注意深く周囲のようすをうかがい、ぬかるんだ川岸では手がかりとなる足跡を残さないよう気をつけること。夜間に水を調達しなければならない場合には、野生生物に用心する必要がある。肉食動物は夜の間に水たまりの周辺で狩りをすることが多いのだ。

食料の調達

軍人の奇跡的生還として歴史上有名な例があるが、それは実のところほとんど無用の苦難でもあった。第2次世界大戦中、1944年に米軍がグアム島を占領すると、およそ1000人の日本人兵士が島のジャングルに潜伏した。その多くは餓死あるいは病死し、生存者も結局は捕虜となったが、ただ1人、横井庄一だけは1945年に終戦を迎えても降伏に応じなかった。奥地のほら穴を住処にして、横井は1972年まで潜伏生活を続けた。生きのびるために川など自然の水源から水を飲み、果物や木の実、蛙、鼠、カタツムリ、魚、海老といったものを食べて飢えをしのいだ。横井の生存が発覚したのは、釣りの最中に偶然2人のアメリカ人ハンターに発見され、地元の警察署につれていかれたためである。このときにはすでに横井も戦争の終結を知っていたと思われるが、彼は「天皇陛下のために生き、陛下と日本人の精神を信じて」いたかったのである。

横井庄一が大自然のなかでこれほど長期間にわたって生きのびることができたのは、安全な食料を豊富に見つけられたからである。生存のための栄養源というのは重要なトピックである。というのも、環境によって動植物の分布は大きく異なり、それぞれに食べて安全なものとそうでないものが存在するからだ。それゆえに、配置された地域の動植物相について詳細な研究を行うことを勧める。軍から必要な食料を支給されている身では、こうした研究は不必要な座学のように思えるかもしれないが、いつ脱出逃走劇にまきこまれてその知識で命びろいするか知れないのだ。

植物性食物

世界は植物で埋めつくされている。つまり、植物性食物は自然のなかで入手しやすい食料だということである。栄養価も申し分ない。木の実は脂肪、タンパク質が豊富で、高カロリーである。果実や葉からは、体に必要なビタ

木登り

図の木登りの方法には、腕力、脚力、そしてコツが要る。足を左右に開いて木の幹に押しつけ、体を幹から遠ざけながら登る。

食べられる木の実

大自然で生きのびようとするとき、木の実は非常によい食料となる。脂肪とタンパク質が豊富で、カロリーも高いためエネルギーを与えてくれる。また、もち運びやすくて比較的長期間日もちもする。

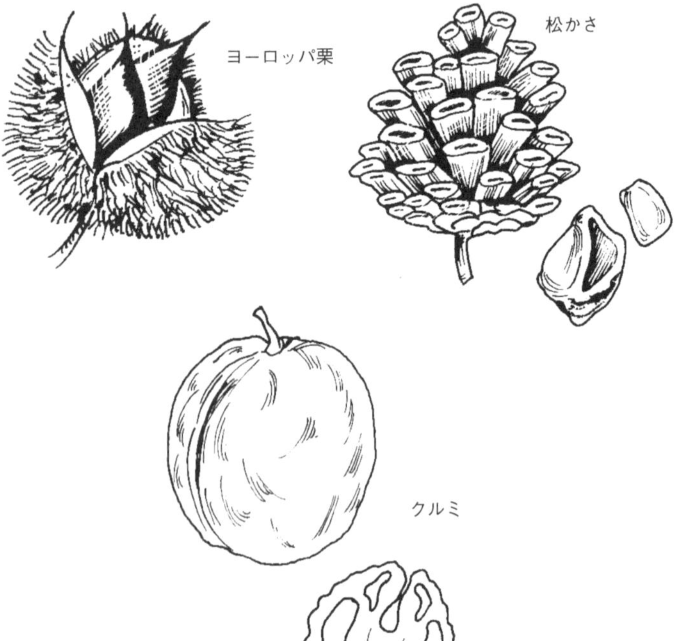

ミン類のほとんどを摂取できる。根は体によい繊維質の食べ物で、腹を満たすのに役立つうえ、水を豊富に含む。

しかしながら、植物が豊富にあることは危険でもある。その多様性ゆえ種を見分けるのが困難だが、貴重な栄養源となるものもある一方で、猛毒で命を奪うものもあるのだ。たとえば、有毒なドクニンジンはアメリカボウフウやニンジンに似ている。実際、それでひどい目にあった人たちがいるのだ。本書では紙面の都合上、ごく一般的な食用植物の名前をいくつかあげるにとどめるが、読者にはぜひ充実したフィールドガイドでそれぞれの外見を確認してほしい。

上記のように非常に危険な例はさておき、避けるべき植物の基本的な見分け方を紹介しておこう。乳白色もしくは有色の液汁をもつ植物は食用に適さない。また、ビターアーモンドのような香りを放つ植物も避けたほうがよい。天然のシアン化物を含んでいるおそれがあるからだ（葉と木の一部を砕いてにおいが出ないか確認する）。

同様に、不快な苦味がある、あるいは石けんのような味がするものも避けるべきである。表面に毛や棘、針のある植物は、口や喉に炎症を起こす原因となりうるので、食べないこと。米軍公式のサバイバルマニュアルでは、「豆類、球根類、さやに入った種子類」も避けるようにとある。キノコ類も食べないことを勧めているが、どちらも同じ理由で、確実に種類を特定できる場合を除いて、有毒なものを食べてしまう危険性があるからである。同様に、「ピンク、紫、あるいは黒い爪のある穀類」と「三つ葉の構造」をもつ植物も食用にしないよう注意している。ほかの動物（霊長類を含む）が食べているものを参考にして、食べられるものを探すのはまちがいである。多くの動物は、人間に病気をひき起こす食べ物を問題なく消化することができるからだ。

以上のような見分け方によって、食用に適さない植物の多くを避けることができるだろうし、本章には温帯地方、熱帯地方、砂漠地方の一般的な食用植物の役立つリストものせてある。リストにのっているものはどれも特定できるようにしておこう。だが、食べ物の必要に迫られた状態で、かつ周囲の植物を見分けるのが困難なときには、世界標準可食性テスト（UET）を行うという手もある。世界標準可食性テストは、植物が食用に適しているかどうかを段階的かつ安全な形で検査する体系的手法である。これは米軍公式のサバイバルマニュアルにのっていて、176-177ページに引用してあるが、かならずすべての過程を指示どおりに行うこと。また、この検査はキノコ類に

ヒント——食用植物

以下のリストは、温帯地方、熱帯地方、砂漠地方における一般的な食用植物の名前を示したものである。充実したフィールドガイドを用いて、これらの植物を正しく見分けられるようにしておくこと。全体の構造、丈、葉、乾果、液果、芽、色あい、花などすべての要素がガイドの記述や図、写真と一致すれば、確実に特定できる。調理法にも注意すること。たとえば、イラクサは食べる前に茹でて、刺激性の化学物質をとりのぞく必要がある。

温帯の食用植物

- アマランサス（ヒユ科ヒユ属）
- クワイ（オモダカ科）
- アスパラガス（ユリ科）
- ブナの実（ブナ科）
- クロイチゴ（バラ科キイチゴ属）
- ブルーベリー（ツツジ科スノキ属）
- ゴボウ（キク科ゴボウ属）
- ガマ（ガマ科）
- 栗（ブナ科クリ属）
- チコリー（キク科）
- ショクヨウカヤツリ（カヤツリグサ科）
- セイヨウタンポポ（キク科タンポポ属）
- キスゲ（ユリ科キスゲ属）
- イラクサ（イラクサ科イラクサ属）
- オーク（ブナ科コナラ属）
- カキ（カキノキ科カキノキ属）
- オオバコ（オオバコ科オオバコ属）

- ヨウシュヤマゴボウ（ヤマゴボウ科ヤマゴボウ属）
- ヒラウチワサボテン（サボテン科オプンティア属）
- スベリヒユ（スベリヒユ科スベリヒユ属）
- ササフラスノキ（クスノキ科）
- ヒメスイバ（タデ科）
- イチゴ（バラ科）
- アザミ（キク科アザミ属）
- スイレンおよびハス（ハス科ハス属）
- 野蒜およびニンニク（ユリ科ネギ属）
- 野バラ（バラ科バラ属）
- カタバミ（カタバミ科カタバミ属）

熱帯の食用植物

- タケ、ササ類（タケ科）
- バナナ（バショウ科バショウ属）
- パンノキ（クワ科）
- カシューナッツ（ウルシ科アナカルディウム属）
- ココヤシの実（ヤシ科ココヤシ属）
- マンゴー（ウルシ科マンゴー属）
- ヤシ、シュロ（ヤシ科）
- パパイア（パパイア科パパイア属）
- サトウキビ（イネ科ワセオバナ属）
- タロイモ（サトイモ科サトイモ属）

砂漠の食用植物

- キンゴウカン（ネムノキ科アカシア属）
- リュウゼツラン（リュウゼツラン科リュウゼツラン属）
- サボテン（サボテン科）
- ナツメヤシ（ヤシ科）
- オオホナガアオゲイトウ（ヒユ科ヒユ属）

ヒント——米陸軍による世界標準可食性テスト

1 検査は被検植物の一部分ずつ行う。
2 被検植物を基礎構造ごとに分割する。すなわち、葉、茎、根、芽、花に分ける。
3 強烈なにおい、あるいは酸性臭がしないか嗅いでみる。ただし、においだけでは食用に適するか適さないか判断できない。
4 検査前8時間は絶食する。
5 絶食中に、接触による中毒を検査する。検査対象部位の一部を肘または手首の内側に置き、反応を見る。通常、15分もあれば反応を確認できる。
6 検査中は、浄水と検査対象部位以外何も口にしない。
7 1つの部位から小さく一部を取り出し、実際食べるときと同じように準備する。
8 準備したものを口のなかへ入れる前に、少量（ひとつまみ）を唇の外側につけ、焼けるような痛みや痒みが生じないか確かめる。
9 3分経過しても唇に反応が現れなければ、舌の上に乗せて、そのまま15分待つ。
10 何も反応がなければ、よく噛み砕き、口に含んだ状態で15分待つ。飲みこまないよう注意する。

は使えない。このことからも、専門的知識がないかぎり、キノコ類には近づかないのが賢明だといえる。世界標準可食性テストは、網羅的な植物学の知識がなくとも野生の食用植物を見分けることができるすぐれた方法である。食べられるものがいくつか見つかったら、それらを組みあわせて料理し、風味をよくして士気を高めよう。

動物性食物

冬の寒さに耐えられる植物も存在するものの、一般的に植物の生長が季節に左右されるということは、生きのびるための食料として動物も不可欠だということだ。肉はタンパク質が豊富で、多大なエネルギーを与えてくれる。だが当然いいことづくめとはいかず、食

11　15分の間に焼けるような痛み、痒み、しびれ、刺すような痛みなどが起こらなければ、飲みこむ。
12　8時間待機する。この間になにか不調が生じた場合は、胃のなかのものを吐き出して水を大量に飲む。
13　不調が生じなければ、同様に準備した同じ部位を4分の1カップ食べる。ふたたび8時間待機する。ここでも不調が生じなければ、準備されたその部位は食べても安全である。

注意
　世界標準可食性テストはすべての部位に対して行うこと。食べられる部位と食べられない部位をあわせもつ植物もあるからだ。調理して食べられた部位にかんして、生でも食べられると決めつけないこと。生で食べる前に、生の状態での検査を行うように。同じ植物、同じ部位でも人によって異なる反応を示すこともある。

べるためにはまず動物を捕獲しなければならない。動物の捕獲は簡単なことではない。動物たちはつねに危険にさらされながら生きているため、脅威を察知する鋭敏な感覚を身につけている。平時の狩猟場面では、銃を使用することで人間がこうした感覚に打ち勝つものだが、逃走中には、荒野の静寂を切り裂く銃声が自分の居場所を知らせる号砲になってしまう。こうしたことをふまえると、太古の狩猟方法に頼らざるをえないだろう。

　当然ながら、狩猟の対象は世界のどこにいるかによって異なるが、一般的に哺乳類、魚類、鳥類は格好の獲物だといえる。狩りについやしたエネルギーに見あう量の肉を得ることができるからだ。野生の食用動物といえば、アナウサギ、ノウサギ、野犬、野生の羊、シカ、アンテロープ、ヤギ、豚、リスなどがあげられるが、生きるか死ぬかの状況では、あまり食欲をそそらない昆虫や幼虫、そして両生類、爬虫類の動物も視野に入れることになる。

ここで1つ重要なのは、確実に自分の手に負える動物のみを狙うということである。文字どおり命懸けで抵抗する相手からけがなどを負わされては困るからだ。したがって、なんらかの武器を作る必要があり、その例を以下にあげる。いずれも簡単な工作が必要なものである。ナイフを持っていない場合には、缶の蓋などの金属片や、鋭くそげた角のある石、柄をつけたじょうぶなガラス片といったものをナイフ代りに使えばよい。何を使うにしても、木を削りとったり、分厚い動物の皮を切り裂いたりできるくらい鋭くなければならない。

投げ槍

図は、ハンターが槍と投槍器を使って獲物をしとめようとしているところである。槍投げの器具は、前方へ鞭のようにすばやく動かすと、てこの作用により槍の速度を上げる。練習すれば、100 メートル先の獲物もしとめられる。

狩猟用の武器

こん棒

大きくて重い木のこん棒は、羊やヤギのような大型の哺乳動物をしとめるのにも使える。直径約5-6センチ（持ち手から先に向かって広がっているとなおよい）、長さ約75センチの枝から作る。

槍

投げ槍は長さ約90センチ、刺突用の槍は180センチまでの長さにする。とがらせた先端部を火にかざして鍛える。穂先をより頑丈で強力にするには、柄の端を裂き、裂け目にとがった金属片や骨片をはさみこんだ後、しっかりと結びつけて固定する。

投げ棒

投げ棒はアナウサギ、リス、鳥などの小動物を射止めるのに役立つ武器である。少し曲がった棒がもっともよい

槍頭の種類

槍の穂先は目的に応じて変えられる。図の左２つは、魚を捕るのに適しており、右２つは、大型の哺乳動物を深くつき刺すのにちょうどよい。

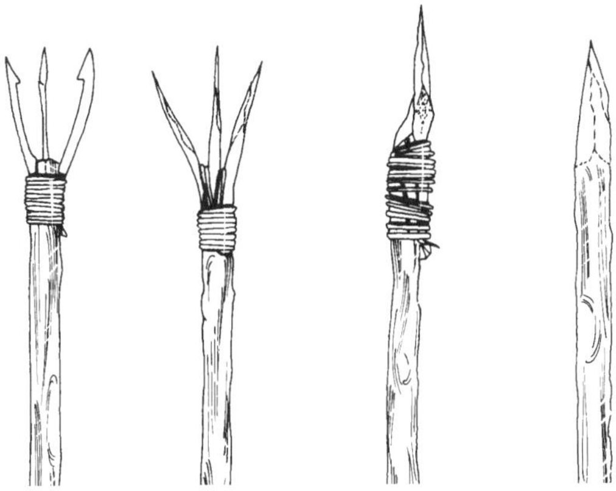

が、まっすぐな棒でも長さ約60センチで端が太くなっているものなら問題なく使える。標的にあたる確率を最大限にするには、水平な地面すれすれに棒を飛ばすのがよい。投げ棒は重くなりすぎないよう注意すること。重いとあまり遠くまで飛ばせないし、相手が倒れるほどの打撃を与えるのに必要なスピードが出ない。

石

石はもっとも手近な武器である。手負いの動物にとどめの一撃を与えるのにぴったりで、重い石を頭にふり下ろすだけでよい。ちょっとした腕があれば、石を投げてさまざまな小動物をしとめることもできる。ただし、石は表面がなめらかで（なめらかな石のほうがよく飛ぶ）、相手に打撃を与える重みがあり、手になじむものでなければならない。鳥類を狙うときは、散弾銃をまねて同時に数個の石を投げるとよい。

パチンコ

パチンコは慣れればかなり正確に獲物を狙うことができ、10メートル以上離れた小型の哺乳動物や鳥類を簡単にしとめることができる。簡単なパチンコなら、ふたまたの小枝にゴムひもをつけ、そこに石などの発射物を入れる袋状の生地をとりつければ完成である。ゴムひもは洋服からとったものでも使えるが、外科治療用の管のような高品質のゴムを使うほうが格段によい。タイヤの内側のチューブを切りとって使うのもよいだろう。パチンコを打つときには、柄を水平に持ち、またの部分が左右どちらか一方を向くようにする。こうすることで、上側の枝を基点に狙いを定めることができる。

投石器

投石器は古代の狩猟用武器だが、使いこなすにはかなりの練習が必要である。長さ約1.4メートルのひももしくはロープの中央に革か布地のあて布をして作る。使い方は、あて布に石を置き、ひもの両端を持って頭の上で円を描くようにすばやくふりまわす。石が標的の方向へ向かう瞬間にひもの片端を手放し、石を飛ばす。

ボーラ（複数の球付きの投げ縄）

ボーラは飛んでいる鳥をしとめたり、逃げる動物を打ち倒したりするのに使う。その攻撃は、2つの方法でなされる。複数の縄が走ったり飛んだりしている動物にからみついてその動きを止め、同時に縄の先端にとりつけられたおもりが相手に打撃を与えて気絶あるいは絶命させるのだ。作り方は、まず直径約5センチの石を3個から6個、それぞれ袋状の生地にくるみ、それぞれの袋を長さ約1メートルのひもに結

投石器

投石器は古代の武器で、狙いが正確で十分な勢いがあれば、小動物を打ち倒すことができる。脱走者にとって１つ不都合な点は、使いこなすためにかなりの練習を要するということだ。逃走中にそのような練習をする余裕はないだろう。

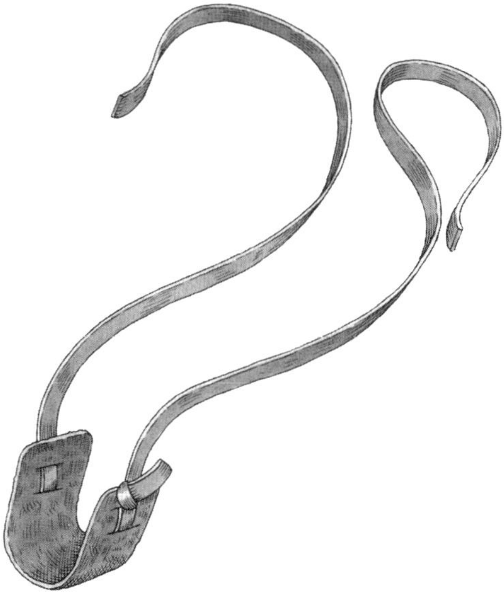

びつける。それからすべてのひもの端を束ねてきつく結ぶ。使い方は、結んだ端を持って自分の頭上で数回ぐるぐるとまわしてから、獲物めがけて投げる。よくできたボーラはかなり大きな動物も殺せる威力があるので、頭上でまわす際には自分にあたらないよう注意すること。

弓矢

できのよい弓矢は、100メートル以内の距離にいれば、鹿やヤギのような大型の獲物を射止めることができる。緊急の場合で時間がなければ、乾燥していない木材から弓を作ってもよい。きちんと乾燥した木材から作ったもののような強度と耐久性はないが、短期間ならば十分に使える。

弓を作るにはまず、イチイ、ヤナギ、ハリエンジュ、ヒマラヤスギ、ヒッコリー、トネリコ、オーク、ニレ、カバ、カエデのような柔軟性があってじょうぶな木を選ぶこと。長さは120センチほどで、両端の重さがつりあい、握りとなる中央部分が幅広になるように(ただし5センチを超えないように)削る。握りの部分には革か布のきれをきつく巻きつける。弓の両端には1センチ少々ほどの切りこみを入れ、生皮などから作ったじょうぶな糸を張る。弦ははずれないようしっかりと張るが、張りが強すぎると引きが小さくなり、

ボーラ

飛び道具のボーラは、2つの方法で相手を攻撃する。獲物にあたると、縄が脚にからみついて相手を転ばせ、同時にそれぞれの縄の先端についたおもりが相手を気絶あるいは絶命させる打撃役をつとめる。

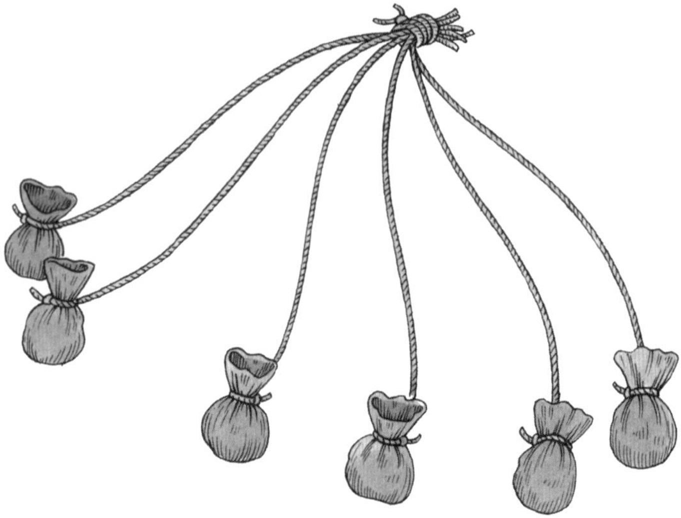

弓作り

弓は狩猟用、戦闘用の武器として非常にすぐれているが、使えるものができるまで何度か作りなおすことになるかもしれない。弦にはじょうぶな糸を使うこと。弓を引くときにかかる極度の力に耐えなければならないからだ。

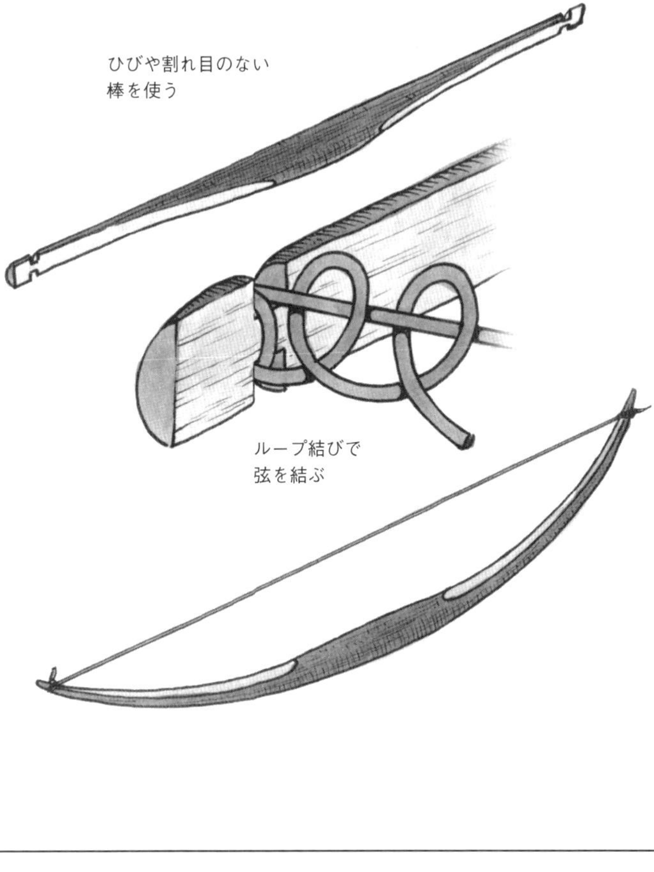
ひびや割れ目のない
棒を使う
ループ結びで
弦を結ぶ

射程距離が短くなるので気をつけること。最後に油脂をすりこんで、木が乾燥するのを防ぐ。

矢は、長さ約60センチ、幅約6ミリの硬材から作る。木の表面の凹凸はとりのぞいてなめらかにしておく。矢柄の湾曲を直すには、熱い岩の上で温めた後、まっすぐにした状態で冷ませばよい。木の先端をとがらせるだけでも矢じりになるが、とがった石片や骨片、金属片、ガラス片をとりつければ貫通力が増す。矢羽根の材料は、羽、紙、布あるいは葉でもよい。3枚の矢羽根を等間隔にとりつけるのがもっとも効果的である。矢筈には切りこみを入れて、弦にはまるようにする。

矢を射るときは、弓を握るほうの腕を固定したままもう一方の手で弦を引く。弦は顔の横まで引くが、その際、耳のうしろに弦をひっかけないよう注

獲物を燻《いぶ》し出す

アナウサギなどの穴に住む動物を巣から追い出す方法を1つ紹介しよう。穴の近くで火を焚き、煙を穴のなかに漂わせて、動物が煙からのがれようと穴から出てきたところをこん棒で打つのだ。

意すること。矢の位置を標的に合わせたら、指を自然に広げて弦を放す。

狩猟実践

上述したような武器を使って実際に動物を捕えるには、技術と忍耐力が要る。逃走中にはさらにむずかしさが増す。獲物を追いながら追手にも注意しなければならないからだ。狩りをするときの第一目標は、標的に対して武器を効果的に使える位置まで近づくことである。手順としてはまず、当然ながら、動物を見つけなければならない。足跡、糞、噛み跡のある植物、食べ残しの死骸（肉食動物の存在を示す）、物音といった動物の存在を示すしるしを探そう。多くの動物は縄張り行動をするため、いつも決まった道や水たまりを使うことが多いので、そうした場所の近くで張りこむとよい。

動物の跡をつけているときには風下にいるようにし、周辺の茂みを最大限に活用して、接近する自分の動きを隠

罠用ワイヤー

罠は単純かつ成功率の高い狩猟道具で、実用性にすぐれている。罠自体の機能よりも、しかける位置が成功のカギとなる。

リス捕り罠

リスは縄張り内で、木々の間の決まったルートを使う傾向がある。ルートの要所となるいくつかの枝に数個所、小さな輪状の罠をしかけておけば、枝を飛びまわるリスを捕えられる可能性が高い。

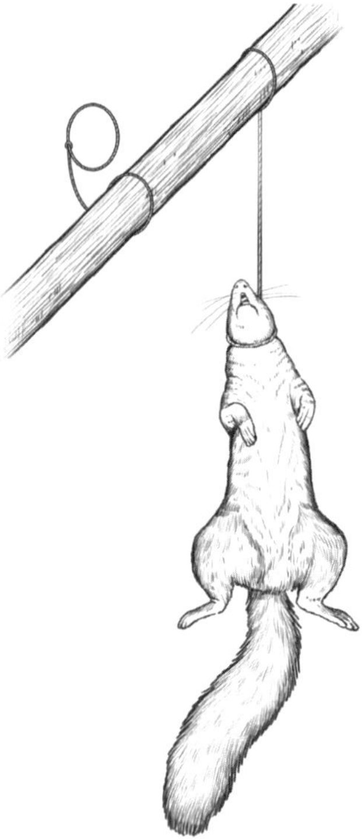

すこと。どんな瞬間も自分の姿を見せてはならない。1章（とくに44-45ページを参照）で概説したカモフラージュの基本をここでも応用できる。射程距離まできたら殺すつもりで攻撃する、ということを胆に銘じておくように。

鹿などの大型動物は、槍や矢などがあたった場合、負傷した状態で逃げることが多い。そうした獲物をただちに追いかけてはならない。追いかけると傷ついた獲物は逃げつづけるうえ、自分が追手に見つかる危険が生じる。代わりに、数分待った後で血の跡を注意深くたどるのだ。するとやがて、息たえるか衰弱して倒れこんだ動物に行きあたるだろう。

罠をしかける

狩りというのはむずかしく、不確実なものである。経験豊富なハンターたちが最新式のライフル銃や散弾銃をたずさえていっても、手ぶらで帰ってくるということがざらにある。そこで、獲物を捕えるチャンスを最大限にするには、罠が有効な手段となる。その場にいなくてもよいという利点があり、複数の罠をしかけることによって、異なる場所で同時に「狩る」ことができるのだ。

３つの基本的な罠の種類といえば、輪状の罠、つき刺し型の罠、しかけ罠があげられる。輪状の罠については以下に詳説するが、しかけ罠（重いものが落下して獲物をしとめる罠）とつき刺し型の罠（張力でくぎが獲物に刺さる仕組みの罠）については、大概のサバイバルマニュアルでとりあげられているものの、ここでは扱わない。この2つはどちらもしかけるのに相当の時間を要する。そして、逃走中にはそのような時間はないのがふつうである。捕虜収容所から脱出してきたばかりの場合、周辺地域をすばやく移動している可能性が高く、また日中は眠りこんでいることも多いはずだからだ。輪状の罠はすぐにしかけることができ、かたづけるのも簡単だが、大型の罠のなかにはとがらせた棒や精巧な仕組みが必要なものもある。そのうえ、茂みのなかに点々と隠した小さな輪状の罠と比べて、追手の目につきやすい。サバイバルスキルの全般的な向上という面

ヒント――「通路つきの」罠

小道やけもの道にしかけた罠には、そこへいたる通路をつけるとよい。通路を作るには、罠に向かって先細りとなるように、小道の両端からろうと型の防壁を築く。通路は標的に警戒されないよう目立たないものにする。これによって、動物が罠にはまると左にも右にも行かれず、罠から抜け出せなくなる。野生動物が後退することはほとんどない。自分が進む方向に顔を向けているのを好むからである。通路は通り抜け不能にする必要はない。ただ通り抜けづらくすればよい。もっとも効果的なのは、小道の幅が標的の体すれすれの広さになるようにすることだ。罠からすくなくとも標的の体長程度の距離はこの幅を保ち、そこからろうとの口に向かって幅を拡げていく。

――フィールドマニュアル21-76、『米陸軍サバイバルマニュアル』

「通路状の」罠

図は、針金でできた輪状の罠を植物でできた通路の奥にしかけたところである。この通路が動物の通るルートとなり、うまくいけばそのまま直進して罠にはまる。

アナウサギの殺し方

　アナウサギを殺す古くからの方法といえば、後脚を持ち、手の側面を使って首の後ろ側を強打するというものだ。この方法は、相手がすでに気絶しているか負傷している場合に用いるのがよい。というのも、完全に覚醒しているとかなり激しく抵抗するからである。

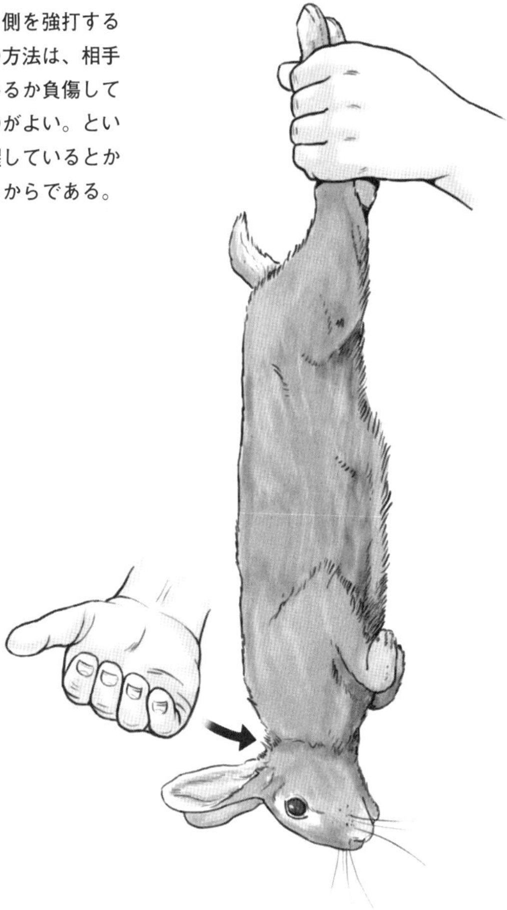

跳ね上がり罠

図の跳ね上がり罠は、木のしなりを利用して張力を生み出し、切りこみのある木で引き金の仕組みを作って輪を地上に固定している。動物が輪にはまるとひっかけられた切りこみがはずれ、木のしなりがもとに戻り、獲物は空中に跳ね上がる。

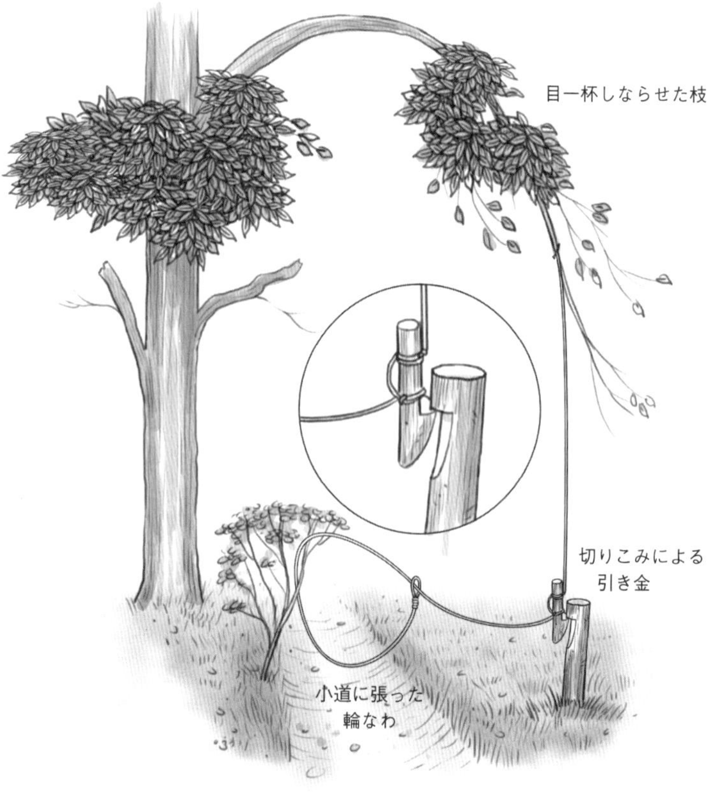

で、こうした罠のしかけ方についても確認しておくことを勧めるが、すばやい動きが求められる逃走の場面では、応用の機会は少ないだろう。

輪状の罠の基本形は、引き結びでなめらかに動く針金の輪である。針金の端は頑丈なもので固定し、動物が通りそうな場所に輪をしかける。動物の脚や頭、体が輪にはまると、動き去ろうとするときに輪がきつく締まって、動物は抜け出そうともがくことになる。罠はそのまま動物を捕えつづけ、仕掛人が戻ったときには、動物は窒息死しているか、すくなくともあとは止めを刺せばよいだけの動けない状態になっている。

基本形の改良型として、「引き上げ」枝を使うというものもある。この場合、針金の端は鉤型のくぎに結びつけ、そのくぎを地面に差しこんだ同じく鉤型の杭に軽くひっかける。くぎは上から下にしならせた若木か枝との間に糸を張って固定しておく。動物が輪にはまって針金がひっぱられると、「引き金」が引かれる。すなわち、くぎがはずれてしならせておいた枝がもとに戻り、それによって動物は宙にもちあげられるのだ。このしかけの利点としては、同じように獲物を狙うほかの捕食動物からしとめた獲物を遠ざけられること、そして、獲物が地面にいるよりも抜け出しにくいことがあげられる。

罠が成功するかどうかは、罠の仕組みそのものだけでなく、いくつかの要因にかかっている。罠に自分のにおいがつかないよう、極力手で触れないようにすることもその１つだ。罠を作る前に泥のなかで手をこすりあわせるのもにおいを抑えるのに役立つ。また、「通路化」の原理を使って動物を輪状の罠、あるいはほかの罠におびき寄せることもできる（188ページのコラム参照）。罠の手前周辺に標的の好む餌（肉片や木の実など）をばらまいておくのも効果的である。

魚釣り

魚釣りは肉を獲得する理想的な方法だが、これまでに述べた理由から、非常時にはリスクもともなう。水路は人間の居住地や交通路になっていることが多いため、逃走中の捕虜が水辺で魚釣りをするのは、当然ながら危険である。釣りをするときには、川岸で身を隠せる場所を選ぼう。たとえば、薄暗い時間帯に川の上に葉を茂らせた木の下などにいれば人に見つかりにくい。小舟が往来する音や川岸を移動する人々の声にはたえず警戒していること。人間は川沿いを通行することが多いのだ。

非常時の簡単な釣りには、釣り針と釣り糸さえあればよい。本格的なサバ

魚釣りに適した場所

魚は流れの遅いところ、あるいは丸木、岩、川の上にかかった植物などの陰にいることが多い。陰は（暑いときには）日よけとなったり、敵から身を守ったりしてくれるからだ。

イバル・キットをもっていて、釣り糸、釣り針、錘が入っているというのが理想的だが、そういったものをもちあわせていなくても、天然の素材から作ることができる。鋭い棘、ピンやくぎを曲げたもの、細い骨片や木片は釣り針にできるし、じょうぶな綿のきれや糸、あるいは細長い草でも釣り糸代りになる。羽は擬似餌として、木片やコルクは浮きとして、小石は錘として使うことができる。釣り竿は基本的に長くてしなやかな棒であればよい。想像力と創造力を働かせよう。だが同時に、釣りの成果をあげるためには、川の読み方を知っていなければならない。

魚は土手の陰など日陰になっている場所を好むことが多く、暑いときにはとくにその傾向が強い。一方、寒いときには日のあたる部分に移動して温まろうとする傾向がある。水面に断続的にあらわれる波紋は、魚がその下にいることを示す。光が水面で屈折する性質により、川岸のようすは魚の視界にしっかり入っている。魚が脅えて逃げてしまわないように、身をかがめていること。

ちなみに、昔ながらの釣り針と釣り糸を使った魚釣りをするにあたり、川岸にいる必要は実のところない。川辺の地面に差しこんだ棒に釣り糸をとりつけ、水中に垂らしておいて、しばらくしてから見に戻ればよい。あるいは、

銛の作り方

銛を作るには、長い木の柄の先端に切りこみをいくつか入れ、そこに鋭くてじょうぶな針を差しこんでひもで縛りつける。針の間に小さな木片を差しこんで針先を外に広げ、つき刺す面を大きくすることもできる。

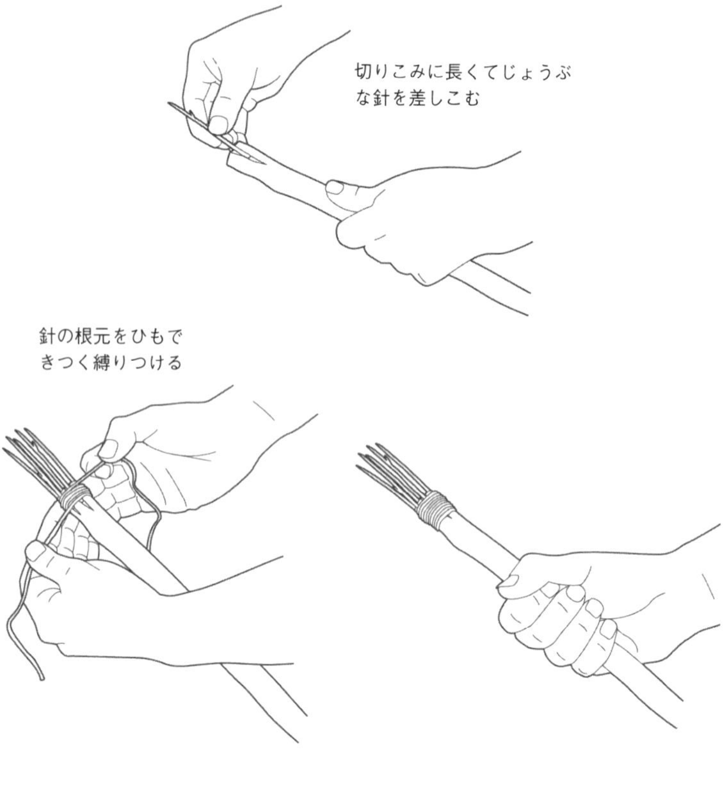
切りこみに長くてじょうぶ
な針を差しこむ
針の根元をひもで
きつく縛りつける

魚を柵で囲う

図の簡単な魚捕り罠では、棒を使って柵への小さな入口を作っている。魚を入口へと導くために、水は罠のなかへまっすぐに流れこんでいなくてはならない。

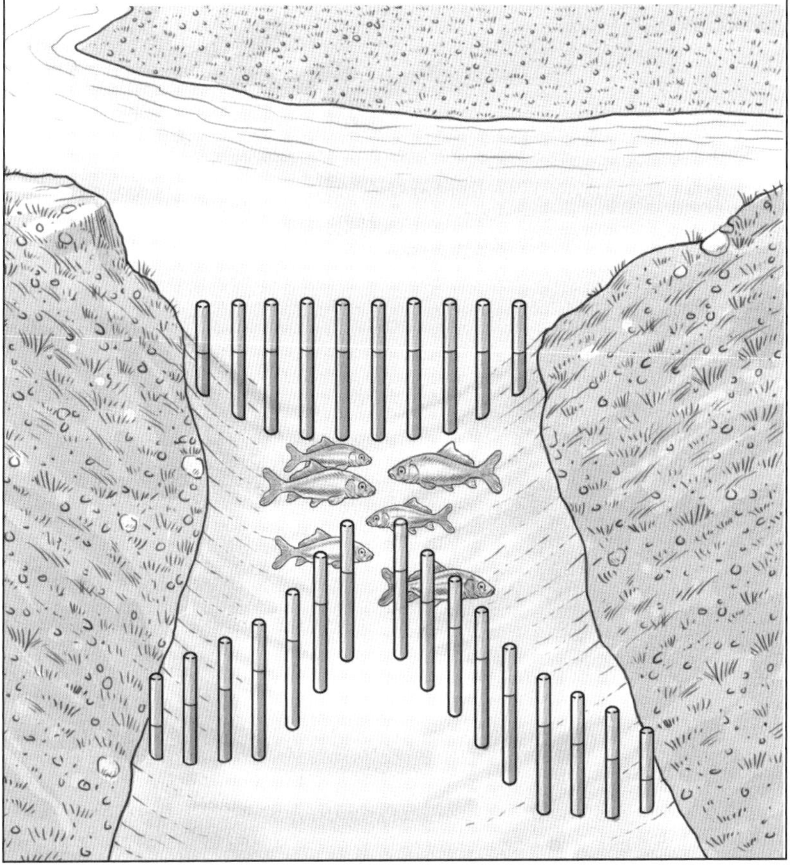

ヒント——沿岸地帯の食料

沿岸地帯は野生の食料の宝庫である。以下にその例をあげる。

- 海藻——ビタミンCとミネラルが豊富な海藻は、海岸線で簡単に集めることができる。硬いものは干してから火であぶってかみ砕けるようにするか、茹でるかするとよいが、軟らかいものは生のまま食べられる。
- ムール貝——砂や砂利、それから足糸をとりのぞく。貝が開いていて、たたいても閉じないものはすてる。加熱調理して食べること。調理しても貝が開かないものはすてる（ノーザンブラックマッスル［northern black mussel］には猛毒が含まれているおそれがあるので、区別できるようにしておくこと。また、熱帯地方では、夏の間は食べないこと）。
- カニなどの甲殻類および貝類——干潮時には、さまざまな種類の貝や甲殻類が岩場の潮だまりでよくみられる。また、嵐のあとには海岸にたくさん打ち上げられる。ただし、満潮時に水中にいないものは決して食べないこと。

川幅の狭い個所の両岸に1本ずつ棒を立て、2本の棒の間に糸を張って、そこから複数の糸を水中に垂らすという方法もある。こうしたしかけによって釣れる確率は大幅に上がるが、定期的に釣り糸を確認しないと捕食性の魚にごちそうを奪われてしまうので注意すること。ごみも魚を捕るのに使える。空のペットボトルを見つけたら、上から3分の1を切りとり、逆向きにしてもとのボトルに差しこむ。ボトルの底には虫などの餌を入れる。これを水中に沈めれば、簡単な魚捕り罠の完成だ。ボトルのくびが逆さまになっているため魚は簡単になかへ入ることができるが、逆に出てくるのはむずかしい。

魚捕りの罠

これと同じ原理で、岩や木の棒からも魚捕りの罠を作ることができる。たとえば沿岸地域では、満潮時に海岸線に沿って半円形の魚柵をしかけるという方法がある。潮が引いて水位が下がると、柵にはまった魚が取り残される。しかし逃走中には、こうした大がかりな罠をしかける時間も材料もエネルギーもないかもしれない。そこで、もっと原始的ですぐにできる方法を紹介しよう。やす突き漁である。長い木の柄の先に、長い針や、木もしくは骨をとがらせて作ったくぎをいくつもくくりつければ、簡単なやすができ上がる(針やくぎは外側に広げてとりつけ、つき刺す面を大きくする)。柄の先にサバイバルナイフをつけるという手もあるが、はずれないようきつくくくりつけること。大切なナイフを川のなかで失くしては困るからだ。

やすで魚を捕らえるには、川縁でしゃがむか浅瀬に立ち、じっと静止して自分のまわりを魚に泳がせる。そして、やすの先端を静かに水中に入れ、魚が射程距離に入るのを待つ。射程距離に入ったらすぐに、すばやくやすを下につき、魚を串刺しにしてやすを川底につき刺す。その状態のまま、やすを持っていない方の手で魚をしっかりとつかみ、もちあげて獲物を川岸にあげる。

虫

不快に思うかもしれないが、虫は非常時には貴重な栄養源である。脂肪、炭水化物、タンパク質を含み、生で食べられるものが多いので、火をおこす手間もいらない。ただし、糞や腐肉、廃物にたかっている虫は、病気をもっている可能性が高いので、決して食べないこと。つまり、ハエ、蚊、ダニは避けるべきである。同様に、派手な色や模様の虫も避けたほうがよい。そうした外見は、毒性を示すサインであることが多いからだ。また、毛におおわれたものも毛のなかに刺激物を含んでいることが多いので、近づかないのが賢明である。

食べられる虫の数は膨大だが、確実に見分けなければならないものが多い。「無難な」ものとしては、蠕虫《ぜんちゅう》（ミミズ類)、甲虫の幼虫、バッタ、キリギリス、コオロギ、甲虫があげられる。

- 蠕虫――捕らえたら24時間絶食させ、その後親指と人差し指で内臓を押し出す。
- 甲虫の幼虫――朽ちた丸木のなかを探す。生でも食べられるが、加熱調理したほうが格段に食べやすい。
- バッタ、キリギリス、コオロギ、甲虫――枝で一打ちして捕まえる。食べる前に脚、頭、羽をとりのぞく。できれば火であぶる。

人里の食料

人との接触は避けるよう注意してきたが、上記以外の食料調達の方法として、単純に現地の人々から盗むという手がある。農地の作物を奪うこともその１つだが、もっと危険な窃盗行為におよばなければならないこともある。

食料としてのシロアリ

　シロアリは脂肪とタンパク質が豊富で、比較的捕獲しやすいため、非常時にはよい食料となる。捕まえるには、巣のなかに長い棒を差しこむ。すると棒を攻撃してきて、巣から棒を引き出すときにくっついて出てくる。

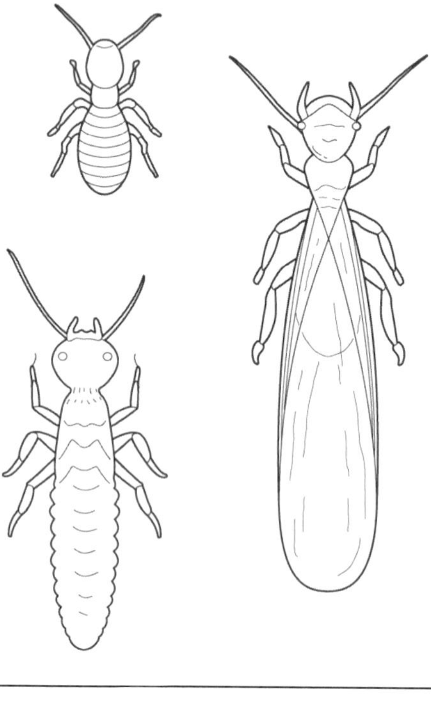

ほかから孤立した建物を監視し、誰が住んでいて、いつ出入りするのかをよく見ておこう。留守を確信したら、なかに入って飲食料品を物色してよいが、四つ足の家族構成員、すなわち番犬が残っていないか目を光らせておくのも忘れずに。飲料水の供給源として、外に井戸や用水おけがないかも確認すること。

　地元住民から食料を盗むことの危険

さは、米海軍のスカイレイダー操縦士ディーター・デングラーの伝説的な脱出劇がよく示している。デングラーはベトナム戦争中の1966年２月１日にラオス上空で撃墜され、苛酷なラオスの捕虜収容所に収監された。収容所にはほかにアメリカ人２人（デュアン・W・マーティンとユージーン・デブルーイン）を含む６人の捕虜がいた。環境は劣悪で、捕虜たちは虐待され、食事もほとんど与えられなかった。収監当初からデングラーは脱出を決意しており、監視の食事中に捕虜全員で収容小屋を脱出し、監視の武器を奪って収容所をのっとるという計画をくわだてる。1966年６月29日に計画は実行され、成功したが、デングラーはAK-47で３人の監視を殺すはめになった。その後、敵国ラオスのジャングルで逃走中に脱走捕虜たちはちりぢりになり、

農地の食料

いうまでもなく、農地は果物と野菜を簡単に得られる場所である。とはいえ、畑の真ん中で自分の姿をさらすようなことは避けよう。つねに身をかがめ、敷地の端から作物をとること。

草地での焚き火と反射器

図は、地表の最上部を切って折り返しただけの窪みに火を焚いているところである。後ろにあるのは、丸太と岩で作った簡単な反射器だ。火と反射器の間に座れば、腹側も背中側も両方温まる。

デングラーはもう１人のアメリカ人パイロット、デュアン・マーティンと行動をともにする。少しは食料があったものの（収容所からコメをいくらかもち出していた)、２人とも飢えに苦しんだ。マーティンはマラリアにもかかっていた。ついに２人は、デングラーの賢明な判断に反して、現地の辺鄙な村から食料を盗むことにするが、村の近くでなたを身につけた敵国の民間人に遭遇してしまう。２人が恐怖に身を凍らせた瞬間に、相手はマーティンの首めがけてなたをふり下ろし、即死させた。デングラーはなんとか攻撃を受けずにすんだものの、逃走中には誰もが脅威となりうることをよく示す恐ろしい出来事である。

デングラーの経験には、本章および

この後の章でふたたび触れる。もちろん、現地住民が兵士の逃走を積極的に援助した例も過去に数多く存在する。一時的な宿泊場所を提供した例などもあるが、そうした場合でもあまり長く居座るのは避けなければならない。長期の滞在は発見される危険性を高める。とくに、ほかのあまり協力的でない現地住民が、隣人の行動の変化を怪しみだすおそれがある。逃走中とはいえ、援助者を不必要な危険にさらすようなことは決してしないよう肝に銘じておくこと。

火

　非常時、火をおこす技術ははかりしれないほど重要である。キャンプファ

ティピー（テント）型の焚き火

　ティピー型の焚き火は、点火がはやく、大きく燃えさかり、煙が少ない（正しい木を使えばの話だが）。火が弱まってきたら、さらに燃料をくわえて炎の大きさを調節できる。

イアは体を温めてくれる——冬場にはこれが生死を分かつこともある——うえに、料理や湯沸しにも役立つ。逃走中の場合、問題となるのは当然ながら、火をおこすとその灯りと煙によって追手に自分の居場所を知らせてしまうということだ。最終的には、2つのリスクを天秤にかけて決めるしかない。火を焚かなければ凍死するという状況ならば、迷わず火を焚こう。枝葉の生い茂る樹冠の下で火をおこせば、枝葉が煙を分散し、炎を隠してくれるので、見つかりにくい。また、夕暮れ時や夜明けの時間帯のほうが真っ暗闇のなかで火を焚くより人目につきにくい。米軍のマニュアルでは、現地住民が料理で火を使う時間帯に合わせて火をおこすよう勧めている。

いかなる火にも、火口、焚きつけ、燃料、酸素の4つが必要である。火口は火花や熱で簡単に火がつく非常に軽くて乾燥したもので、点火に使う。よい火口の例としては、乾燥した草（両手でこすって繊維をほぐす）や、リント布もしくは脱脂綿の切れ端、乾燥したコケ、木屑、鳥の巣の内側があげられる。火口に火がついたら、焚きつけをくわえて火を大きくする。焚きつけは軽くて乾燥した棒きれなど、火口の小さな火がたやすく燃えつくものである。こうして焚き火ができ上がったら、次に燃料となる薪をくわえて、火をさらに大きく燃え上がらせる。どの段階においても、火は空気に触れていなければならない。燃焼には酸素が必要だからだ。

火の大きさは、触れる空気の量を増減することで後から調節できる。

火をおこす

マッチやライターがなくても火をおこす方法はたくさんあるが、非常に手間のかかるものとそれほどでもないものがある。なかでも高度な方法として知られているのは、錐《きり》火きりや犂《すき》火きりを使うものだ。どちらも摩擦熱によって炎を生み出す。錐火きりは、基本的に2つの部分からなる。硬材でできた平らな板の台と軟材でできた軸だ。軸は長さ約30-40センチ、直径約2センチで、片端は丸めにとがらせる。板の端にはV型の切りこみを入れ、Vの頂点に円形の刻み目をつける。使い方は、まず板の切りこみの下にひとにぎりの火口を置き、軸のとがった端を板の刻み目に差しこむ。そして、両手で軸をはさみ、（手を温めようとしてこすりあわせるように）何度も円を描くように軸をこすりながら手を下に動かし、軸が板の穴で回るようにする。やがて軸と板の間の摩擦によって熱い木片が生じ、それが火口の上に押し出されて火口に火をつける（火口に軽く息を吹きかけて燃焼をうながすとよい)。しかし、この手でこする方法は時間と体力を激しく消耗する。弓を作って錐の回転速度を上げるのに使うことで、よりはやく火をおこすことができる。詳しいやり方は204-205ページの図を参照のこと。

犂火きりも錐火きりと同様の仕組みで火をおこす。おもな違いは、台となる板に細長い窪みがあることだ。この窪みに沿って棒を前後に強くこすり、熾火《おきび》を生じさせて、窪みの先にある火口の上に押し出すのだ。

熱帯地方では、犂火きりのバリエーションとして竹でできたのこぎり火きりを使う。まず、長さ約50センチの竹の節を縦に割る（竹のこぎりを作るにはよく切れるナイフが必要である）。そして、片方の竹（これを切片１と呼ぶ）の外側にナイフをあて、こするように削る。削りくずは火口にちょうど

犂火きり

犂火きりで火をおこすのは骨の折れる作業だが、適切な材料を用いて忍耐強く行えば成功率は高い。棒をたえず力強く窪みに押しつけながら、一度に10-20センチ前後させる。

弓錐

弓錐は非常時における火おこしの方法のなかでかなり高度なものである。それぞれのパーツを正しく作ることが成功の秘訣だが、湿度が高い環境だと結果は保証できない。

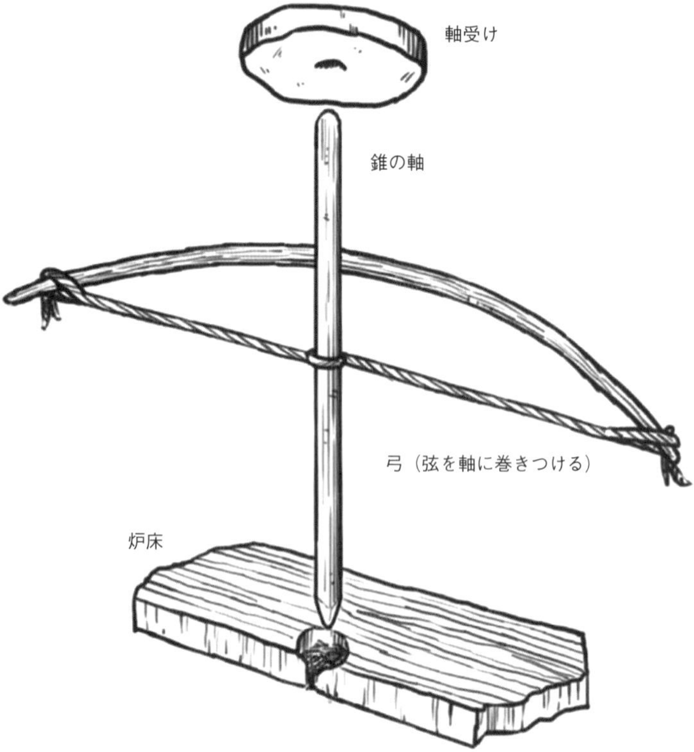

手で軸受けを押しつけながら、弓錐をすばやくなめらかに動かす。

火口がくすぶりはじめたら、そっと息を吹きかける。

よい。次にもう片方の竹（切片2）の中間に、内側まで貫通する少し手前まで切りこみを入れる。それから、切りこみのちょうど裏側にあたる部分に火口を入れ、両手で持った二本の添え木で固定する。続いて地面にひざまずき、切片1を内側が上を向くようにして地面と自分の腹に押しこむ。この状態で、切片2を切片1に直角にあてる。この際、切片2の切りこみが切片1の縁に沿って動くようにする。ここまできたら、切片2を前後に力強くこすりつける。やがて、切りこみに生じた熱が火口の真下に熾火をおこし、軽く息を吹きかければ炎が生じる。

こうした高度な火おこしの方法は、慣れていないとむずかしい。じめじめした場所だったり、自分が弱っていたりするとさらにやっかいである。たとえばディーター・デングラーは、ラオスでの逃走中、竹のこぎりで火をおこそうとしたが、餓死寸前の状態だったため試みは失敗に終わった。しかし彼は、カービン銃の弾薬筒の中味を出し、入っていた発射火薬で火をおこして困難をのりこえた。火をおこすほかの有用な方法は、左のコラムで紹介している。

ヒント――火おこしの方法

レンズ――晴れた日に日光を火口の1点に集め、そっと息を吹きかけて燃焼をうながす。
火打石と鋼鉄――鉄片を火打石に打ちあわせると火花を発し、火口に点火することができる。だが、売り物の火打道具を使えば断然簡単だ。たとえばマグネシウムの固まりを使ったものでは、火口にマグネシウムを数片削り落とすだけですぐに点火できる。
電池――電池の両極に針金を1本ずつつける。火口の山のなかで2本の針金の端を合わせ、火花を出して火口に火をつける。

料理用の火

高温の火は、どのようなものでも大概は料理に使うことができる（低温の燻り燃焼は保存食作りに役立つ）。たとえば窪みで焚いた火は、金網や若木で作った網を窪みの上に置いて食べ物をのせれば、網焼きができる（網を作る際にはかならず若木を使うこと。成熟した木だと燃えてしまう）。どのような場合でも、料理を始める前に火が高温に達していることを確認するように。ふつう、火がもっとも熱くなるの

ユーコンレンジ

まず、直径約24センチ、深さ約30センチの丸い穴を掘る。続いて、穴に通じる溝を掘る。この溝を通して点火したり、燃料をくべたりする。次に、穴の周囲に岩を積み上げ、ろうと型にする。溝はふさがないように。可能であれば、ろうとの中間点に向かって幅を狭め、てっぺんはわずかに広げるとよい。最後に、粘土や土で岩をおおって目塗りし、ろうとを固定する。

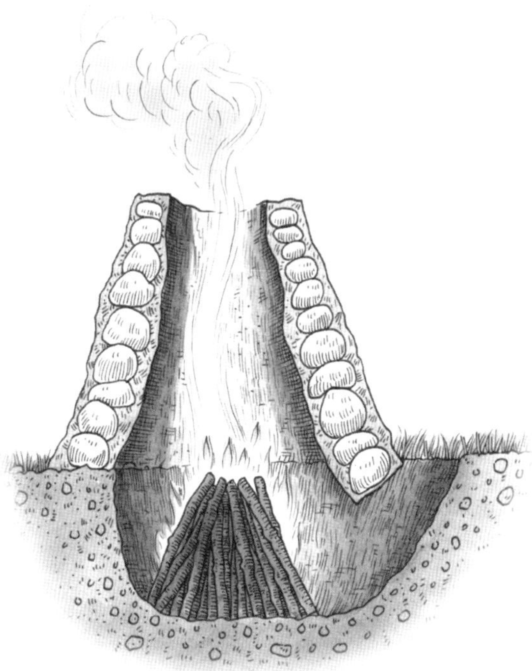

は、大きな炎がおさまって炭火になる頃である。

食べ物は火に近づけすぎないよう注意すること。さもないと、まわりだけ黒焦げになり、なかは生焼けということになりかねない。肉にきちんと火が通っているかを確かめるには、ナイフか木串を肉の中心に差しこみ、引き出せばよい。赤い肉汁が出るようなら、まだ火は通っていない。汁が透明ならば食べてだいじょうぶである。いちおう、串の端にも触れてみて、熱ければ肉の中心部まで火が通っているということだ。

ユーコンレンジ

ユーコンレンジの火は料理に使いやすい（前ページの作り方を参照）。ユーコンレンジで火を焚くと、かなりの高温になる。燃料を足すには、棒きれ

土製オーブン作り

土製オーブンは、大型の缶の上に土の山を作り、棒を使って煙突を作ればでき上がりである。缶の下に火を焚くための隙間を空けておくのを忘れずに。このオーブンは、大きな骨つき肉をじっくり焼くのにぴったりである。

を脇に掘った溝から入れるか、たんに上から投げこめばよい。

温度は、てっぺんの通気孔を一部閉じて酸素の流入を制限することによって調節できる。食べ物は串に刺すか焼き網に乗せて、通気孔の上に置く。あるいは、一つかみの葉で食べ物を包み、溝の入口からすぐのところに入れておいてもよい。

土製オーブン

まず、ドラム缶など耐火性の容器を用意する。細い溝を掘り、容器を横倒しにして溝にはめる。その際、容器の下に火を焚くスペースを空けておく。次に、長くて太い棒を容器の底面に沿わせながらまっすぐ地面に差しこむ。そして、長い棒は上につき出したまま、容器の口以外の部分を土や粘土でぶ厚くおおう。最後に棒を引き抜いて、煙

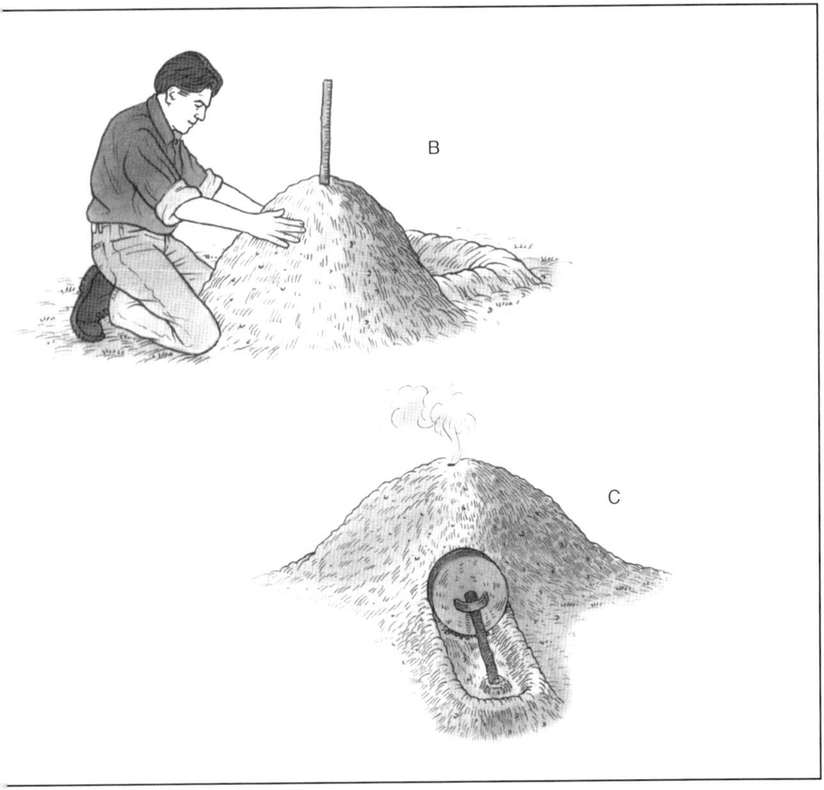

突を作る。容器の下で火を焚けば、容器のなかが熱されてオーブンのように食べ物を焼くことができる。容器の蓋はふたまたの小枝を使って持てばよい。

焼け石での調理

炎が消えた後しばらくは、焼けた石の上で調理ができる。石の上に直接肉をのせる前に、若木で作った「ブラシ」で灰や焦げた木片をはらい落とすこと。小さな魚や薄切り肉は焼け石で

即席シェルター

ときには都合よくシェルターに出くわすこともある。図の撃墜された航空機のなかはシェルターとして十分に使える。ただし、敵が遠くにいて航空機の位置を発見する可能性が低い場合にかぎる。航空機には毛布や食料、燃料（火を焚くのに使える）など非常時に有用な物資が積まれていることもある。

の調理に向いている。

食料の保存

一度に食べきれる量よりも多くの食料を獲得できた場合には、残りを後で食べられるよう保存しておくとよい。食料を保存加工することには、さまざまな効用がある。それによって腐敗を遅らせ、細菌や微生物の発生を抑制することができる。また、保存食があれば食料獲得についやす時間が減り、貴重な体力を温存することができる。

差掛け小屋

倒木は非常用シェルターの礎として役立つことが多い。太い枝を数本幹にもたせかけ、さらに地面を植物でぶ厚くおおえば、幹の下が快適な居場所になる。枝と枝の隙間を泥で埋めると風が入りにくくなる。

調理と保存のコツ

- 調理中に落ちる肉の脂肪を逃さず集める。
- 乾燥食品は水をくわえて戻すよりも、ひいて粉末状にし、スープなどにくわえて栄養と風味を足すのに使う。
- 果物を煮つめて冷まし固め、ジャムにする。こうしておけば数週間もつ。
- 魚をペミカンにして保存する。作り方は、干した魚をフレーク状にし、同量の動物性脂肪と混ぜたものを袋に入れて密閉する。ペミカンは栄養価が高く(ビタミンC以外のすべてのビタミンとミネラルを含む)、寒冷地では1年以上もつ。
- 魚や肉を塩漬けにして保存する。魚や肉に塩をこすりつけるか、もっとよいのは、塩の層の間に魚や肉をはさんでおく。塩によって水分が出るため、腐敗の原因となる細菌が住みにくくなる。

シェルター

追手からのがれようとする兵士にとって、シェルターは風雨を防ぐと同時に、敵の目をあざむくものでなくてはならない。この2つのバランスをとるのは、いうほど簡単なことではない。シェルターを作るということは、その場の環境に変化をくわえるということだから、たえず警戒している追手の目につきやすくなる。とはいえ、生きのびるためには雨風から身を守る必要があるし、居心地のよいシェルターは、精神的にも肉体的にも回復できる場所となりうる。

敵の目をあざむき、のがれる工夫はとりわけ重要である。シェルターはまわりから見えにくい場所——木の生い茂る谷間や森、険しい岩だらけの場所など——に作ること。ただし、逃げ道のない場所に自分を追いこまないよう注意しなければならない。

たとえば、洞窟は雨風をしのぐのに最適かもしれないが、出入口が1つしかない可能性が高いうえに、敵の捜索隊がいかにも目をつけそうな場所である。人が近づいてくる音を聞いたり、姿を見たりしたときのために、逃げ道をいくつか確保しておかなければならない。逃げ道には、第1章で説明した「死角」の利点を活用するとよい(43-47ページ参照)。

シェルターにはさまざまな種類があるが、まずは基本的な、それゆえもっとも役立つタイプのものを見ていこう。これらはとくに温暖な地域に適している。ポンチョやパラシュート、ビニールシートあるいは防水シートとロープを1本もちあわせている場合には、ロープを2本の木に結び、シートをロー

米陸軍からのヒント——シェルター設置場所の選び方

米陸軍の『サバイバル、逃走、救出』マニュアルでは、シェルター設置場所の選び方について、以下の原則をあげている。

非常時にシェルターの必要性が高いと判断された場合には、可能なかぎり迅速にシェルター設置場所を探しはじめること。その際、以下の２つの必要条件を満たす場所を選ぶこと。

- 必要なシェルターを作る材料がある。
- 十分な広さがあり、傾斜が少なく、楽に体を横たえられる。

こうした条件にくわえて、戦術上の要件あるいは安全確保にも気を配らねばならない。そのため、設置場所を決める際には以下の点にも留意する必要がある。

- 敵の監視をのがれられるか。
- 目につかない脱出経路があるか。
- 必要に応じて信号を送ることができるか。
- 野生動物や落石、倒木から身を守れるか。
- 虫、爬虫類、有毒植物の危険がないか。

プにかけて、テントのように四隅を木の杭で地面にとめれば、初歩的なシェルターの完成だ。棒とロープと防水の布があれば、簡単な差掛け小屋から、ティピー（テント小屋）のようなものまで、あらゆる種類のシェルターを作ることができる。

こうした材料がない場合の定番は、A型枠のシェルターだ。作り方はまず、自分の背丈よりも長いまっすぐな枝を切りとり、先端を地面から１メートル弱の位置にある木のまたにもたせかける。その枝を中心的な支えとし、そこにほかの枝を45度の角度で何本も交わらせていく。その際、枝を自然に重ねあわせて強固で厚みのある外壁を形作る。防水のため、葉の茂った枝を多く入れるとよい。

植物でおおわれた外枠をさらに芝生でおおい、外壁の機能を高めることもできる。どのシェルターにもいえることだが、床に柔らかい葉を敷きつめてその上で眠ること（地面に直接横になるのは絶対に避けること）。

シェルターを作る際には、自然の産物を活用することもできる。たとえば、倒れた木の幹は差掛け小屋の「壁」になるし、低く垂れ下がった松の木の枝は雪除けの屋根になる。

地面にあいた穴は枝で入口をおおえばよい。しかしながら、ある特定の気候や環境においては、それぞれ必要に応じてシェルターにも工夫をこらさなければならない。

砂漠のシェルター

砂漠のシェルターの役割としてなにより重要なのは、いうまでもなく日中の焼けつくような暑さを防ぐことだ。岩層の露出部分のような日陰に恵まれた場所を探そう。布地が1枚あれば、それを岩や小さな砂丘の頂点と頂点の間に広げ、まわりの岩や砂で動かないように固定して、簡単なシェルターを作ることができる。布地に余裕がある場合には、折りたたんで二層構造の屋根を作るとよい。上下の層の間には、岩をはさんで30-45センチの空間を空ける。この空間が断熱材の働きをして、太陽の熱を遮断する。

さらに涼しさを求めるならば、地表から45センチほどの深さで、体を横たえられる長さの溝を掘り、それからその上をおおう布地の屋根を作ればよい。この組合せによって、シェルター内の温度は最大で外の気温の半分にまで下げられる。しかも、このシェルターは目立たないため、追手に見つかりにくいという利点がある。

小型ボートと防水シートのシェルター

シェルターを作るときには、大胆に機転をきかせよう。図は小型ボートと防水シートを組みあわせて作った小粋なシェルターだ。ロープと重石でうまく全体を支えている。

熱帯のシェルター

ジャングルの地面は、かみつく野生生物が無数にいるので、概して人には適さない。そのため、熱帯地方ではシェルターを地面から離して作るほうがよく、木で台を組むか、あるいはすくなくとも木の間にハンモックをつるすくらいの工夫が必要である。基本的な台付きシェルターの作り方は、まず、長い竹竿かじょうぶな木の棒を隣接した木々の間に渡してくくりつけ、外枠を形成する。それから、外枠と交差するようにほかの棒をならべてくくりつけ、寝台を作る。台の上に防水のシートを張りわたせば、木から落ちてくる虫や熱帯特有の雨から身を守ることができる。

熱帯地域にはシェルターやテントを

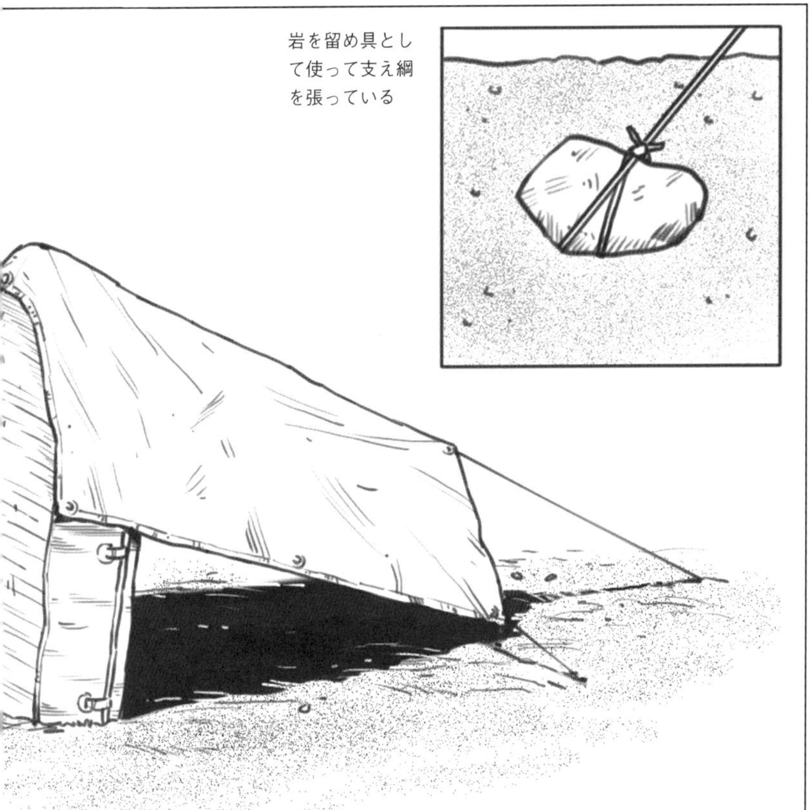

岩を留め具として使って支え綱を張っている

A型枠シェルターのバリエーション

A型枠のシェルターは、植物から雪までさまざまな素材でおおうことができる。骨組みを作る前に風向きを確認して、シェルターの入口が風を正面から受けないよう注意すること。また、天井をあまり高くしすぎないように。シェルターが大きくなるとその分なかの空間が広くなって、全体を温めるのがたいへんになる。

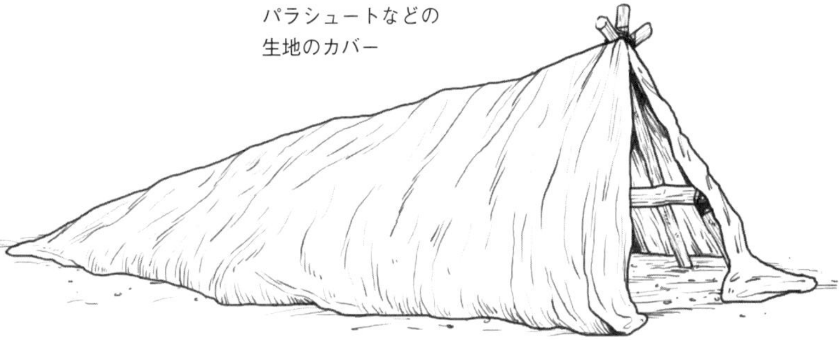
パラシュートなどの
生地のカバー

雪のカバー

砂漠のシェルター

砂漠のシェルターには、二層構造の屋根が必要だ。二層にすることでシートとシートの間に空気の層ができ、それによって太陽の熱がシェルターの内部に入りにくくなる。

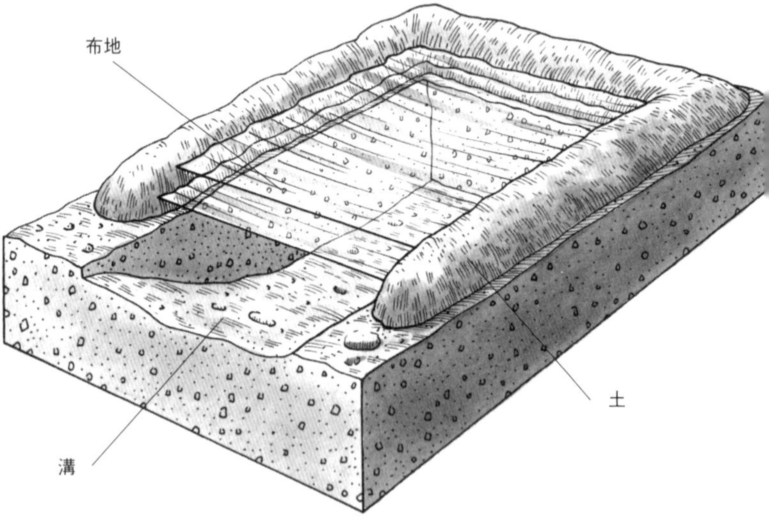

作る素材が豊富にあり、創意工夫をこらせばさまざまに活用できる。半割りにした竹竿を連結させれば、樋付きの頑丈な屋根ができる。エレファントグラスなどの大きな葉を木の枠組みに編みこめば、防水のシェルターになる。つた類はそのままじょうぶなロープとして使える。

極寒地のシェルター

氷点下の環境では、シェルターが必要不可欠である。風雨と凍てつくような寒さを防ぐシェルターがなければ、すぐに低体温症を発症してしまう。

極寒地のシェルターといえば、雪洞である。その名からもわかるように、雪洞とは深い雪の吹きだまりを掘って

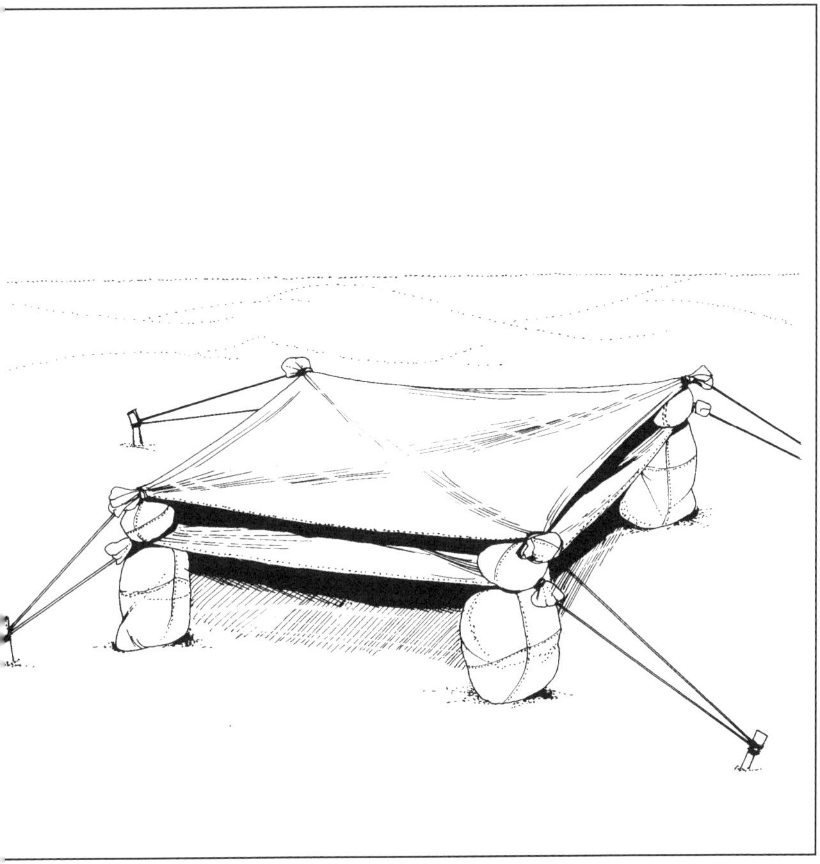

作った横穴のことだ。雪は、小さめの入口を掘れる程度の固さがなければならない。ただし、穴は奥の空間へ向かって広げ、自由に座ったり横になったりできるくらいの広さにする。穴のいちばん奥は一段高くして、そこを寝台とする。

一段高くすることによって、眠っている間（すなわち体温が自然と下がるとき）、穴のなかの冷たい空気が寝台から穴のいちばん低い位置へと流れこむのである（寝台には断熱材として松の枝を敷きつめる。決して雪の上に直接寝ないこと）。

穴のなかに入ったら、小さな雪の玉など手近なもので入口をふさいでよい。

熱帯のシェルター

熱帯地方でシェルターを作るにあたりもっとも重要なのは、地面から離れた台を組むということだ。ジャングルの地面には攻撃的な虫や動物がたくさんいるが、地面から離れた台の上にいれば眠っている間も安全である。シェルター作りの資材としては、竹が非常に有用だが、切るのに鋭いなたが必要になる。

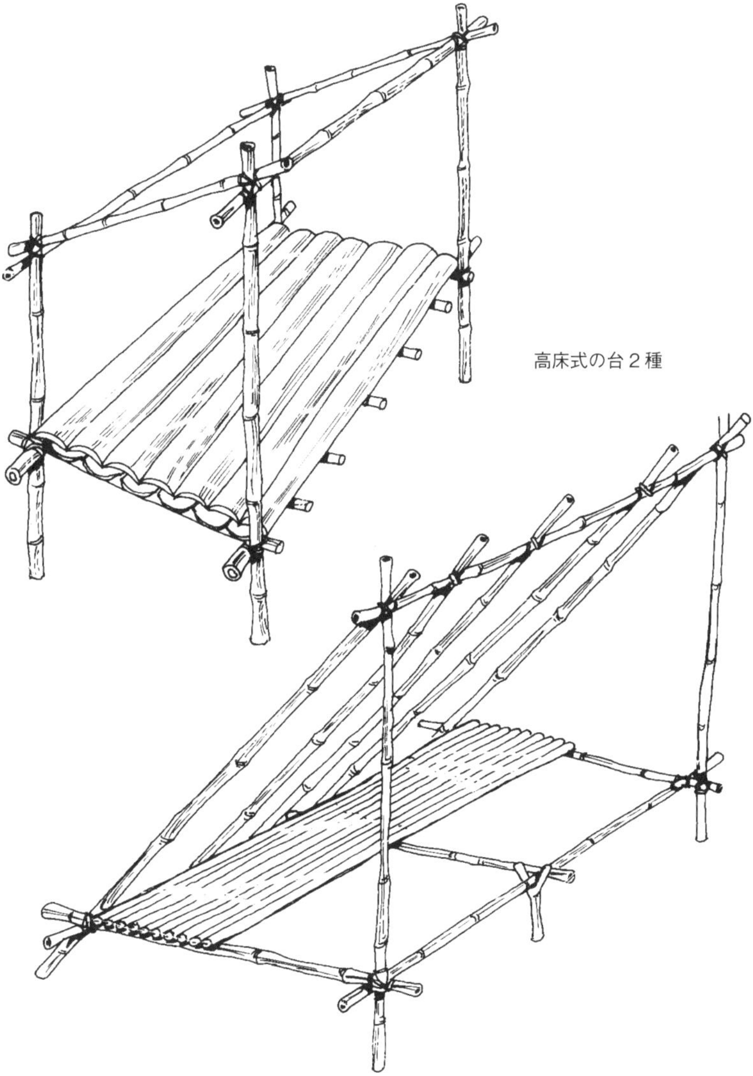

高床式の台２種

海岸のシェルター

砂と木を組みあわせて作ることによって、非常に頑丈なシェルターができ上がる。どのようなものを作るにしても、満潮時の水位より十分に高い位置に設置し、不慮の浸水を避けること。

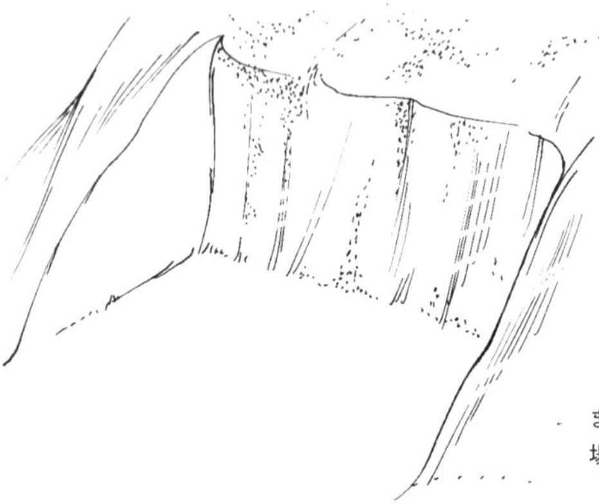

まずシェルター設置の場所を作る

じょうぶな流木などの木材を使って骨組みを作る

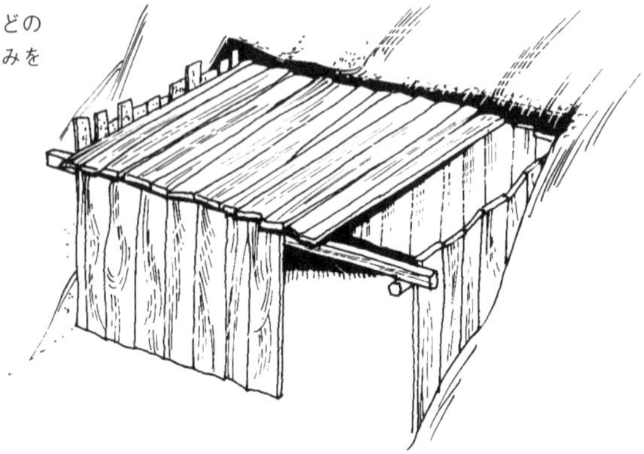

砂の付着しない生地で
屋根をおおう

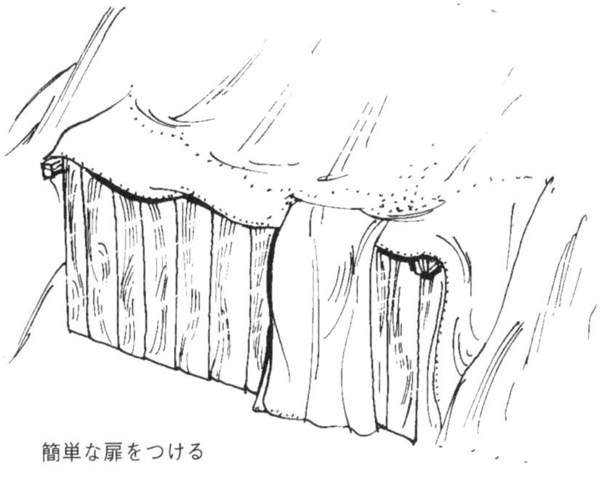

簡単な扉をつける

雪洞

雪洞のなかでとくに重要なのは、壁を外までつらぬく換気口と寝台の２つである。寝台はシェルター内のほかの部分よりも高い位置に設ける。それによって、眠っている間、あたたかい空気が寝台の上へあがり、冷たい空気は下がって入口付近にたまるのだ。

通気口
寝台

ただし、すくなくとも１つは壁をつらぬく換気口を掘っておくこと。さもないと、有毒なガスが蓄積して人体に悪影響をおよぼし、最悪の場合には死にいたるおそれがある。

極寒地のシェルターには、雪洞以外のものもある。モミの木の根元に雪が深く積もっていたら、幹のまわりの雪を下まで掘ってほら穴を作ろう。すると、上にかかるモミの枝が寒さを防ぐぶ厚い屋根になってくれる。また、雪で塹壕を作ることもできる。雪を掘って壕を作り、モミの枝を断熱材として敷きつめた後、固い雪のブロックで壕のまわりに壁と屋根を作れば完成だ。どのようなシェルターを作れるかは、生存のための必要条件と逃走の目的しだいである場合が多い。上記のシェルターのなかでは、雪洞と木の下のシェルターが身を隠すにはおそらく最適だろう。まわりの景色になじみやすいからだ。

逃走しながら生きのびようとするのは、肉体的にも精神的にも苛酷をきわめる経験となるだろう。気候や野生生物、周囲の環境、そして脱水と飢餓の脅威と闘いながら、片時も追手への警戒を怠らないよう強い精神力を保たなければならないのだ。どこかで不運にみまわれる可能性は大いにある。そこで次章では、最悪の事態におちいったときの対処法を見ていこう。

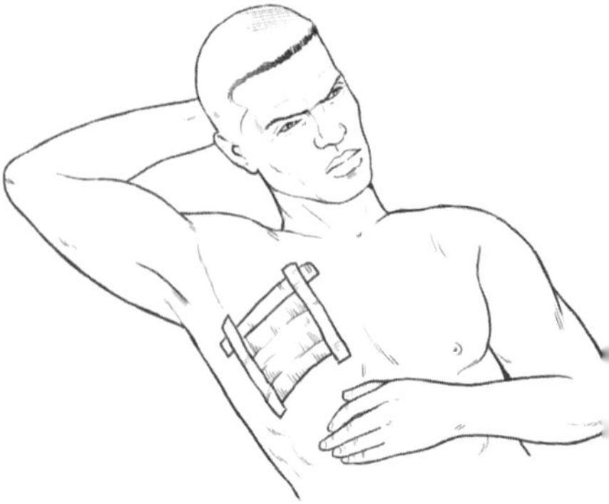

第**5**章

脱走後の捕虜は安全な地帯にたどり着くか、または救助されるまで、先の見えない状況にある。危機に遭遇した場合に対応できるよう、つねに冷静さを保つ必要がある。

緊急事態

脱出および逃走中には、予想のつかないことが起こるものだ。これまで見てきたように、監禁状態からの脱出そのものは、危険な道のりの始まりにすぎない。その道のりには、病気やけがから、復讐心に燃えて追いかけてくる敵にいたるまで、さまざまな脅威が待ち受けている。このことをふまえて、自由を勝ちとるために戦う準備をしなくてはならない。

逃亡中の兵士が直面する危険とは、けがや病気、捜索中の追っ手に居場所を特定されること、敵側の人間と遭遇することなどをさしている。逃亡者はあらゆる事態にそなえる必要がある。

捕捉された場合

はじめに、敵からのがれようとする兵士がもっともおちいりやすい緊急事態の１つをとりあげよう。それは、追っ手もしくは他の人間に発見されてしまうという事態である。敵に「尻尾をつかまれ」れば、多くの場合、結果的にはふたたび捕らえられて拘束されることになる。もしも再度拘束されてしまったら、本書ですでに説明した、捕虜となった直後にふむべきすべての手順を遵守すること。おそらく、この時追っ手は逃走者に対して新たな敵対心をいだいているだろう。彼の脱出のくわだてにより不都合を強いられ、警戒心をつのらせているからだ。したがって、過酷な扱いを受けたり、突然処刑されるのを回避するために、従順な態度を保つべきである。

逃走

しかしながら、逃走時に敵に発見されてしまった場合でも、かならずしも降伏する必要はない。選択肢は2つ残されている——さらなる逃走か、あるいは戦闘である。逃走または戦闘を選択できるかどうかは、どのような危機に直面しているかで決まる。遠方にいる敵に発見された場合は、逃走が最良の選択である。敵と離れていれば、さらなる逃走行動のための時間がとれるし、荒野のなかに姿をくらますことができるかもしれないからだ。逃走は、発見者が地元住民または単独行動中の人物であった場合も、賢明な行動である。第一に、発見者がはるか遠くにいる場合はとくに、逃走者の正体に気づいてさえいない可能性がある。したがって、見通しのよい場所で発見された場合は、すぐに走り出したり、緊張したふるまいをするのではなく、なにげないそぶりで発見者の視界からのがれられるところまで移動する。実際、これは人目にさらされながら地上を横切る以外の選択肢がない場合には、使えるテクニックだ。農業用の鋤や、買い物袋といった怪しまれないための小道具をたずさえていれば、どこかへ向かう途中のただの地元住民にしか見えないだろう。当然、この方法をとるには、軍服一式を身につけていないことが条件となる。地元住民の衣服を逃走中にできるだけ手に入れておけば、このようなときにも非常に役立つのだ。

じつにうまく変装できたという感触が得られたとしても、人込みをのがれた時点で、敵や住民の視界に入ることはある意味で敵に発見されたも同然であるととらえて、それ以降は十分に警戒する。目撃者がどれほど無害に見えたとしてもだ。たとえば、1991年1月に行われたあの悪名高いブラヴォー・ツー・ゼロ作戦の際、イラクでスカッドミサイルの発射台を捜索していたSASパトロール隊がベドウィン一族のなかの注意深い数人に目撃された。遊牧民たちはイラク軍に目撃情報を報告し、その後イラク軍が大挙して現れ、結果として大規模な銃撃戦となったのである。

潜伏

したがって、敵に発見された場合、逃げ出すかあるいは隠れるかという重要な決断をしなくてはならない。この決断は次のような要因を考慮して行わなくてはならない。すなわち、敵が反撃するまでの予想時間、付近の敵対勢力の規模、そして潜伏中の地帯に遮蔽

外国の町に溶けこむ

脱走計画によっては、外国の地元社会のなかにしばらく身を置くことになるだろう。服装、仕草、職業など、周囲にいる人々のありとあらゆる特徴を観察すること。そして、溶けこみ目立たないですむように、自分の行動や言動を周囲に合わせる。

SASによる急襲

SASの兵士だったクリス・ライアンは1991年当時、イラクで実行され失敗したあのブラヴォー・ツー・ゼロの作戦部隊に所属していた。ライアンは収容所から脱出し、対シリア国境をめざして長い逃走の旅をしたのだが、その途中でナイフと腕力だけで敵の兵士を2人打ち負かしている。「わたしの生存本能が——長年の訓練で鍛え上げられた生存本能が——やってのけたことだ。相手がどんな人間だったとしても、やるかやられるかだった。あの状況で銃声を立てるのは自殺行為だったので、わたしは音を立てないようにツー・オー・スリー（擲弾筒《てきだんとう》）を地面に置いて、ナイフの柄を開いて右手で握りしめた。1人めが襲いかかってきたので、わたしは相手の胸ぐらをつかんで、首をひと突きして喉もとを切り裂いた。相手は物音ひとつ立てずに倒れこんだ。2人めはそれを見て、おびえて逃げ出そうとした。こちらは頭に血が上っていたので、追いかけて飛びかかり、相手の腰に脚を巻きつけてうつ伏せに倒した。わたしは柔道の技のように片腕で首を締め上げて、顎を上に引き上げた。鈍い音がした。即死だった」

——*クリス・ライアン『ブラヴォー・ツー・ゼロ 孤独の脱出行』*

物や避難場所が豊富にあるかどうかなどである。場合によっては、その場に止まって身を隠すだけで効果的なこともある。これを実行し成功させた1人が、シャンドス・ブレアである。彼はイギリス人兵士で、第2次世界大戦の際にはサフォース・ハイランダーズ（スコットランド歩兵部隊）で任務についていた。戦争開始からほどなくして、ブレアはドイツ軍に捕らえられ、スイスとの国境から121キロほどのビブラッハ戦時捕虜キャンプに収容された。1941年に彼は脱出を決心し、多彩な道具をそなえた脱出キットを計画的に準備した。キットには、手製のコンパス、ポケットナイフ、周辺の簡単な地図、腕時計、マッチ4箱、ハンカチ3枚、髭剃りと洗面用品、パン半斤、チョコレート少々、チーズ、デーツの実、ホーリックス・タブレット1缶が入れられていた。ブレアは脱出キットとともに、使われていないベッドの枠とマットレスの山のなかに隠れた。枠とマットレスはその後連合国の作業班が室外にもち出し、収容所の外にあるガレージにかたづけた。夜になると、ブレアは脱出をはかった。険しい森林地帯を夜間だけ進んで、スイス国境をめざしたのである。ところが数日後、ブレアは森のなかを移動している時に、地元の少年に目撃されてしまう。少年は逃げ去ったが、ブレアはじきに大勢

首絞め

敵の脅威を音を立てずに取り去るもっとも効果的な方法の１つが、首絞めである。下の図では、前腕を使って敵の喉を締めつけ、もう一方の腕を敵の後頭部に押しあて、てこの原理で首を絞めている。

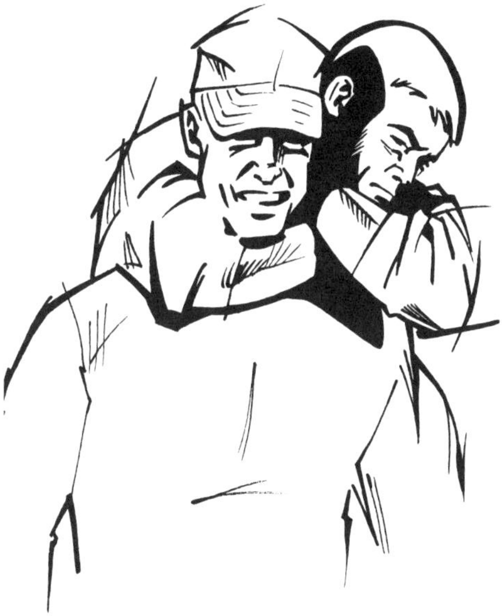

をひきつれて戻ってくることを確信していた。機転をきかせて、彼は高い木に登り、茂った枝の間にさっと身を隠した。思ったとおり、捜索隊がやってきて森を捜しまわった。しかし、彼らはブレアが走って逃げたものと思いこんで、自分たちの頭上に隠れていることには気づかなかった。彼らが立ち去ると、ブレアは木から降りて旅を続け、8日後にスイス国境を越えて自由の身になった。

戦闘

むろん、敵に発見されてしまったら、かならずしも逃走が可能だとはかぎらない。そのようなとき、対処法は戦闘

背後から襲ってライフルを手に入れる

武装した見張り兵をかたづける際は、迅速かつ冷酷に行う必要がある。下の図で逃走者は、背後から見張りにつかみかかり、地面に押し倒して敵ののど笛めがけて首に強烈な一撃をくわえている。

A

B

C
D
E

ヒント―― AK-47 突撃銃《アサルトライフル》の装填および発射方法

AK-47 とその派生形は、歴史上もっとも普及した武器である。ふだん AK を使用していない場合でも、その仕組みをきちんと学んでおいたほうがよい。AK であれば、逃走時に入手できる可能性があるからだ。以下は米陸軍による AK-47 の正式な使用方法である。

装填する

弾薬を装弾口の間に置く(A)。弾薬が弾倉のなかに固定されるまで押しこむ。弾倉が満杯になるまでくりかえす。

弾倉をレシーバーに挿入する

弾倉を前方に傾けて、正面の出っぱりをマガジン・ウェルのすき間にピタリと合わせる。次に弾倉を後方へ引くと、カチャンと音がして、正しい位置にはまる(B)。

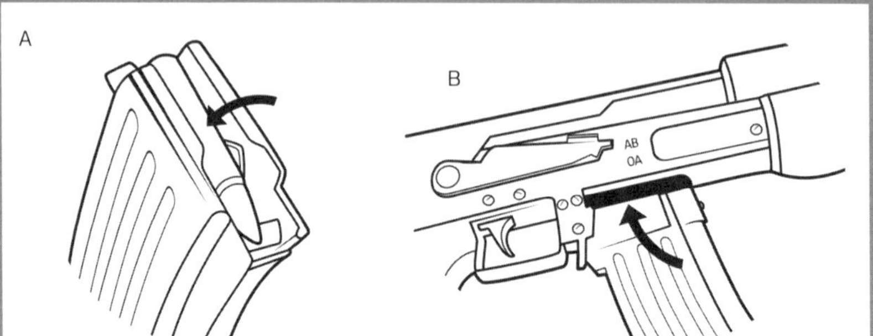

発射する

　セレクター(C)を望みの位置に合わせる（設定がフルオート式なら中央位置、セミオート式なら下方位置)。目視で照準を合わせ、引き金を引く。金属製の銃床がついたAK-47は、銃床を折りたたんだままでも発射できる。そのときは、レシーバーの後方左側にある銃床の掛け金を押しながら銃床を下方に降ろす(D)。空挺部隊と装甲部隊はおもにこの設定で使用する。

解除する

　弾倉を固定しているボタンを弾倉のほうへ押す。それから弾倉を前にゆらして、レシーバーからとりはずす。操作ハンドルを完全に後ろまでひっぱって、薬室とレシーバーをよく確認する。薬莢が残っていなければ、操作ハンドルを離して引き金を引く。

――『陸軍省／第203軍事情報大隊 AK-47アサルトライフル取扱説明書』

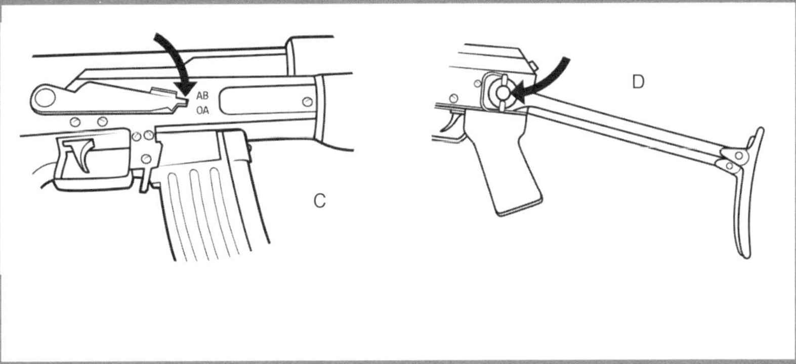

しかないかもしれない。ただし、交戦に勝つ見こみが十分になければ、試みてはならない。なぜなら、ふたたび捕らえられた場合、払うことになる代償は最悪のものとなるからである。戦えるかどうかは所持する武器しだいである。素手とか、岩やこん棒やナイフといった基本的な武器しかもっていない場合、戦いを選択するのは困難である。そのような状況では、部隊を離れて単独行動中の兵士を不意打ちにしてみるとよい。できるだけ音の立たない手段で敵を倒すこと。たとえば、大きな岩で頭を一撃して瞬時に意識を失わせる、ナイフでのど笛をかききる、首を絞める、などである。

銃などの武器が手に入れば、交戦で生きのびられる可能性は飛躍的に上がる。その武器を用いて交戦する以外の攻撃方法は、あらかじめ選択肢から除外しておくこと。自動火器の爆音や、手榴弾の爆発は、何キロも離れている敵からも聞かれてしまうため、さらに多くの敵を呼び寄せてしまう危険性が高い。戦わざるをえない状況のときは、敵が武器を下ろし休憩をとるか、その土地の狭い「致死地帯」に追いこまれたチャンスをうかがって襲うとよい。覚えておくべきなのは、敵は逃走者を発見した場所をめざしてやってくるものだということだ。つまりこちらには、急襲に向けて準備する猶予がある。

身を隠す

逃走者が自軍の前線に近づくと、「味方の」大砲や空爆もまた脅威となる。基礎的な訓練の際に教わることだが、こういった状況では、安全な隠れ場所で身をひそめることが生還への重要なポイントとなる。爆弾の破片は爆破地点から数百メートル離れていても殺傷能力をもっているので、用心しなくてはならない。

米陸軍からのヒント——閃光弾への対策

夜になると、敵は逃走者の位置を確認するために閃光弾を使用するかもしれない。以下は、閃光弾の光によって自分の身体が照らし出されてしまった場合の、米陸軍が公式に推奨する対処法である。

- 移動中に閃光弾の発射音が聞こえた場合、光が空を上っていく間に、そして閃光弾が爆発して周囲を照らし出す前に、地面に体を伏せる（物陰ならなおよい）。
- 周囲に溶けこみやすい場所（森のなかなど）を移動している最中に閃光弾に照らされてしまったら、光がやむまで静止する。
- 見通しのよい場所を移動中に閃光弾に照らされてしまったら、すぐに低くかがむか、身を伏せる。
- 鉄条網の柵や壁などの障害物を乗り越えようとしている最中の場合は、光が消えるまで身を低くかがめる。
- 閃光弾の突然の強い光で、逃走者と敵の双方が一時的に視力を失うかもしれない。逃走者を見つけようとして閃光弾を使用すれば、敵は夜間視力が使えなくなる。逃走者は、閃光弾が光っている間、片方の目を閉じておくことで自分の夜間視力を保つことができる。光が消えた後も、閉じていた方の目は暗闇でものを見ることができる。

逃亡を続行するために、暴力を使わなくてはならない状況は他にもある。たとえば、検問所を通過するには、衛兵を殺さなくてはならないかもしれない。それでも、殺人はできるかぎり避ける必要がある。敵の死体は強烈な「痕跡」となるだけでなく、復讐心を刺激して、敵の追跡を激化させることになる。

はさみ打ちになる

脱走兵にとっては、味方も非常に危険である。激しい戦闘地帯を横切るとき、逃走者は味方と敵の戦いの「付帯的損害（巻き添え）」になりかねない。

こんにちの戦争では、大方の攻撃が大砲、ミサイル装置、空軍力（無人航空機—— UAV を含む）を駆使して遠隔操作で行われる。このような戦闘方法では、さまざまな監視システムが送り返してくるコンピューターのデータに依存しているため、敵のなかにいる味方を見分けるのはたやすいことではない。担当者がコンピューターの粗いモニター画面や、赤外線機器を通してこちらの存在に気づいた場合はなおさらだ。もしも脱走者が敵側の兵士に変装して外国製の武器を所持していれば、「敵」として攻撃の対象になる危険はさらに高まる。したがって、戦いの前線付近では「中立的な」格好をするとよい。そうすれば、仲間から敵だとかんちがいされるのを防ぐことができるかもしれない。

当然のことだが、激戦地帯はできるだけ避けなくてはならない。また、仲間の空爆機が付近の敵を攻撃している最中に自分の姿を見せるのは要注意である。たとえばアパッチ・ヘリの乗員が付近の隊列を攻撃する場合は、瞬時に標的を定めて攻撃の判断をくだすため、突然誰かが現れて空に向かって手をふっても、それが収容所から脱走してきた仲間だとは気づかないかもしれない。着陸して救助に来てくれるどころか、チェーンガンで一撃をくわえられることもありうる。こうした状況では、仲間の空爆機に自分の姿をさらす前に、まずは戦いの前線から離れた安全な場所に身を落ち着けるとよい。比較的安全な地帯なら、空爆機からこちらの姿をじっくり確認できるし、場合によってはただちに救助作戦を開始することもできるからだ。

砲撃や銃撃や空爆に出くわしてしまったら、それまで自分が兵士として受けてきた基礎訓練の成果を発揮し行動することも必要かもしれない。その際、攻撃がどちら側によるものなのかは関係ない。このような状況では、避難場所確保の原則を適用する。こういった原則は訓練や、場合によっては実戦経験によって身につくものである。攻撃が味方によるものであれば、「味方の」武器についての知識を利用して、次の行動の参考にするとよい。たとえば、味方が付近の敵陣を空爆した場合、（時計をもっていれば）爆撃の時刻と、爆撃の対象が何であるか、そして、視認可能であれば空爆機の機種を正確に記録する。後で味方側との通信に成功したときに空爆の詳細を報告すれば、同僚の情報将校がその内容と攻撃履歴を照らしあわせてこちらの位置を把握できる。もしも空爆機が統合直接攻撃弾（JDAM）、GPS 誘導弾、または同様の誘導弾を投下していた場合は、潜伏場所の非常に正確な位置を割り出すことも可能だ。

銃創

銃によって負傷すると、治療は時として非常にやっかいなものとなる。銃弾が体を貫通するときは、骨や軟骨にぶつかることで不規則な経路をたどることが多い。さらに負傷者は、銃弾が体から出ていく時に、体内に進入したときよりもずっと大きな傷を負うことがある。すべての外傷に応急処置をしたうえで、負傷者にショック症状が現れないかどうか監視する。

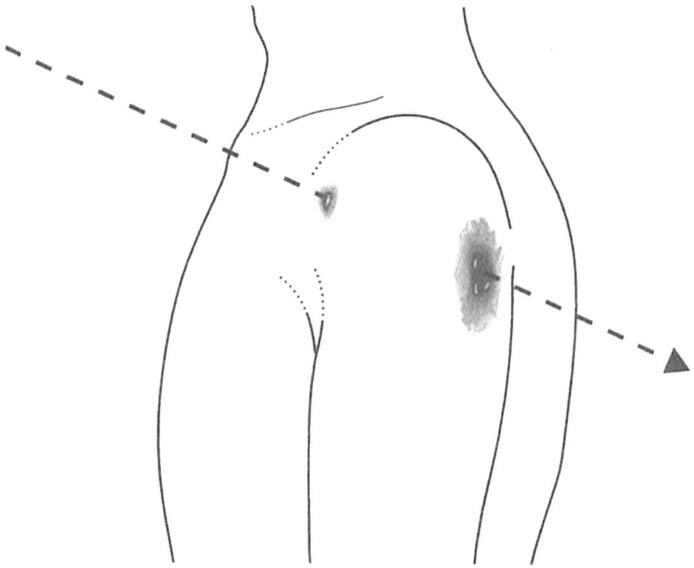

止血点

止血点とは、人体に点在していて、指で押さえることで太い動脈からの出血を抑制することができる個所のことである。下の図では黒丸で示した。応急処置で止血点を利用する場合は、短時間で切り上げなくてはならない。血液供給を完全に止めてしまう場合もあるので、2、3分よりもわずかに長引いただけで、体の組織が損傷を受ける危険があるのだ。

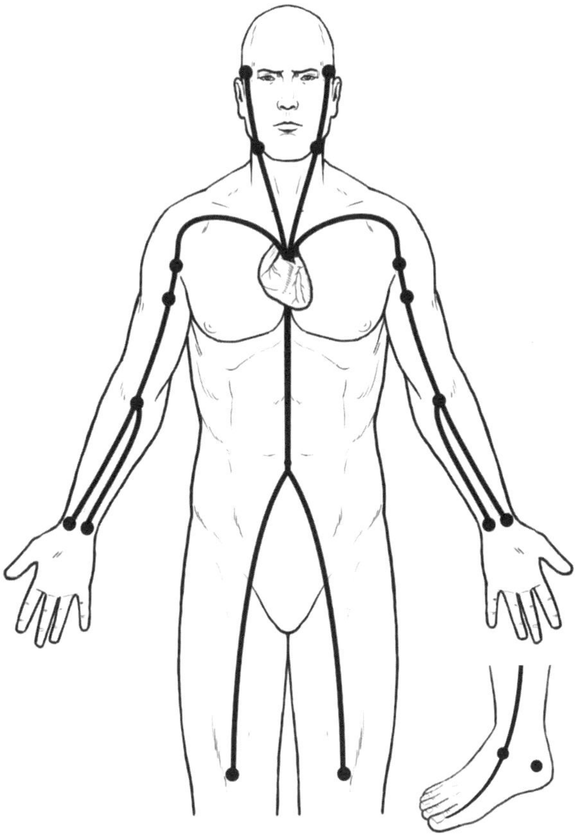

医学的緊急事態

医学的な緊急事態は、脱出および逃走をはかる誰もが直面しうるもっとも深刻な問題であるため、本章で大きくとりあげる必要がある。残念ながら、収容所から脱走してきたり、乗り組んでいた航空機が撃墜された場合、その兵士が身体的に最良の状態にあるとは考えにくい。体力が落ちている状態で、環境の影響にさらされたり食物や水分の摂取量が大幅に低下したりすれば、さらなるけがや病気をしやすい。さらに深刻なことに、逃走者自身が、弾丸、爆弾、砲弾といった敵のもたらす脅威の標的なのである。しかも、負傷しても仲間の医師の治療を受けられないというリスクまで負っている。戦闘での応急処置について、ここで包括的に説明することはむずかしい。兵士は基礎訓練の際に実用的な応急処置講座を受けることが多いし、そのような講座が設けられていない場合は、自力で学びとらなくてはならない。本章では、そのような応急処置講座の代わりとして、頻発するタイプの負傷に対する最低限の治療法を見ていくことにしよう。ここでは、おもに自分自身の負傷に対する治療法を扱うことにする。

脱出と逃走は、少人数のグループや2人組で行うこともできるし、過去にそのような例もあるのだが、多くの場合、個人が単独で実行するものである。そのような場合、逃走者は自分の心身の状態を観察し、病気やけがに気づいたら自己治療を行わなくてはならない。これは容易なことではなく、非常に正確な自己判断を必要とする。どれだけ

胸部の包帯

胸部を負傷すると、吸いこんだ空気が肺と肋骨の隙間に侵入することがある。ここに空気が溜まると肺がつぶされるので、胸部のけがは危険である。右図で示したように、胸部に包帯をあてるとき、3辺だけテープでとめるようにすると、簡単な一方向弁（逆止弁）として機能する。この包帯をすることで、外側からの空気の侵入を防ぎつつ、負傷者の呼吸に合わせて空気を体外へ排出させることができる。

タフな人間も、物理学や生物学の法則に逆らうことはできない。たとえば、大量出血によって体内の血液量が極端に不足すれば、その人はショック状態におちいり、意識を消失し、場合によっては死にいたる。同じように、極寒の地で適切な服装をしていなければ、なにか大胆な対策をしなくてはならない。そうしなければ低体温症にやられてしまうだろう。自分の忍耐力を過信してはならない。

状況がよくなければ、ただちに対策を立て、それ以上悪化させないこと。この原則に従って、場合によっては敵に降伏することも考えなくてはならない。きちんとした医学的治療を受けられないともかぎらないからである。

出血をともなう傷

ひどい出血をともなう負傷で恐ろしいのは、(心理性ではなく)循環性のショックである。ショックには出血のほかにもいくつかの原因が考えられるが、いずれも身体組織への酸素供給の深刻な低下をもたらし、命を脅かす場合もあるのだ。出血をともなう傷を負うと、血液を大量に失うことで時としてショック状態におちいり、血圧が急降下することがある。全身の血液量の15パーセントを失うと、脱力感や吐き気、方向感覚の喪失、めまい、失神、身体の冷えや心拍数の増加といった症状が現れる。この時点で出血が止まり、負傷者が合併症を発症しておらず、しばらく休息をとれるようであれば、十分に完治を望むことができる。しかし、血液損失が30パーセントを超えると、状況は一気に深刻になる。人体の失われた機能を補うシステム自体が崩壊しはじめ、負傷者の意識レベルはしだい

傷の縫合

緊急用の救命セットには、傷の縫合に用いる種々の糸やワイヤーがそなえられていることがあるだろう。左の図は、従来どおりの縫い目状の縫合を示したものだが、右の図では、シール状の素材で縫合を行っている。どのように縫いあわせた場合でも、傷口が細菌感染を起こしていないかどうか、こまめに観察する。

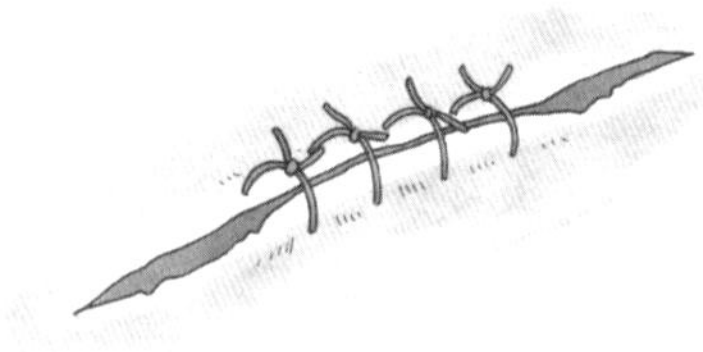

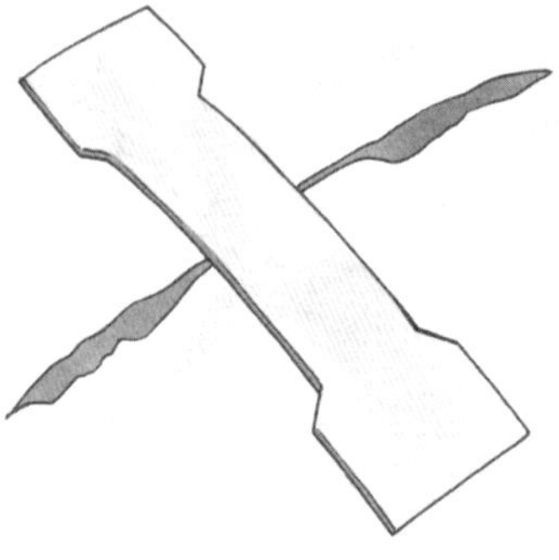

米陸軍からのサバイバル・ヒント
――健康維持と衛生

a　清潔さに配慮する（毎日の摂生）。

（1）　身体を洗って感染症を予防する（石けんがなければ、色の白い灰や砂、または壌土［砂を多く含む土］などを用いる）。

（2）　髪の毛をとかして、異物をとりのぞく。

（3）　口をすすいで、歯を磨く。

（a）　硬い木の小枝を歯ブラシ代わりに利用する（一方の端をかんでほつれさせ、ブラシ状にして使う）。

（b）　パラシュートのひもの芯から糸を１本とって、歯間フロスとして用いる。

（c）　清潔な指で歯茎をマッサージして、刺激を与える。

（d）　塩水でうがいして、のどの痛みを予防し、また、歯や歯茎を清潔に保つ。

（4）　足もとを保護し清潔に保つ。

（a）　靴下は取り替えて洗濯する。

（b）　足は洗って乾かし、マッサージする。

（c）　足にマメや発疹がないかどうか、ひんぱんに確認する。

（d）　粘着テープやモールスキン（包帯用の柔らかな布地）を使って足のトラブルを予防する。

b　毎日欠かさず運動する。

c　寄生虫を忌避し、駆除する。

（1）　自分の身体に虱、ノミ、ダニなどがいないかどうか確認する。

（a）　定期的に確認する。

（b）　寄生虫や卵は指でつまんでとる（つぶさない）。

（2）　洗濯して、防虫剤を使用する。

（3）　衣服や装備を燻蒸する。

――*『サバイバル、脱出、逃走』（1999年）*

に低下し、全身の臓器がダメージを受けはじめ、(全身の血液の50パーセントを失ったころ) 死にいたる。

出血をともなうけがを負ったら、まず簡単な処置として、傷口に清潔な(もしくは、できるだけ清潔な) 生地をあてがい、直接しっかりと押さえる。そのような生地が手に入らない場合は、手のひらを利用して同じことをする。出血が止まるまで圧迫を続ける。かなりひどいけがを負った場合、止血できるまで何分もかかるかもしれない。血液が生地からにじみ出してきても、とりはずさず新しい生地を重ねて、その上から押さえつづける。傷口に異物が刺さっていても、ひっぱり出そうとせず、刺さっている個所を避けて圧迫するようにして、血が止まるのを待つ。四肢を負傷して出血が続いたら、けがした手や脚を心臓よりも高い位置までもちあげるようにする。出血している手や脚の血圧を下げると、止血しやすくなる。

出血が止まったら、傷口をできるだけ清潔にする。泥や埃を慎重にとりのぞいて、清潔な布地を巻きつける(異物を引き抜くことで出血が再開しそうなら、むりに引き抜かない)。包帯を結ぶときは、きつくなりすぎないよう気をつける。きつすぎると血液循環の妨げになるからだ。負傷した腕や脚の血のめぐりがうまくいっているか確認するために、手や足の爪が白い色になるまでつまんでみる。つまむのを止めると、通常なら血流が再開して爪はもとのピンク色に戻る。白いままであれば、包帯をゆるめる必要がある。

身体組織を損傷した場合、もっとも用心すべきなのは傷ついた部位の細菌感染である。感染の症状には、損傷部位の拍動痛、血液や膿の漏出、傷口の発する悪臭、そして全般的な体調不良などがある。細菌感染を放置すると、その部位が壊死したり、敗血症になって、死にいたるおそれもある。

細菌感染を防ぐために、傷口はできるだけ清潔に保つようにする。石鹸水を使って傷口の周囲を慎重に洗い(傷そのものをごしごし洗ったり、石けんが入りこんだりしないようにする)、大量の真水で傷口を洗い流す。汚れた包帯は清潔なものと取り替える。壊死していることが見てわかるような皮膚片や脂肪片は切りとる。皮膚や脂肪は、壊死するとやがて黒や青へ変色するものだ。傷口に感染の症状が現れたら、熱した湿布を押しあてて、悪いものを排出させる。イモ類やコメ、樹皮などを茹でてつぶした物質を布で包んで、傷口にあてがう。湿布は耐えられる範囲でできるだけ熱くする。温めた塩水で膿を洗い流す。それでも細菌感染が手に負えなくなって、症状が深刻になってきたら、敵に降伏するよりほかな

熱疲労／熱射病

熱疲労の患者（左側）は、発汗し、肌が赤くなり、瞳孔が拡張する。症状が悪化して熱射病になった場合（右側）、汗は止まり、肌は青白くなり、瞳孔は収縮する。

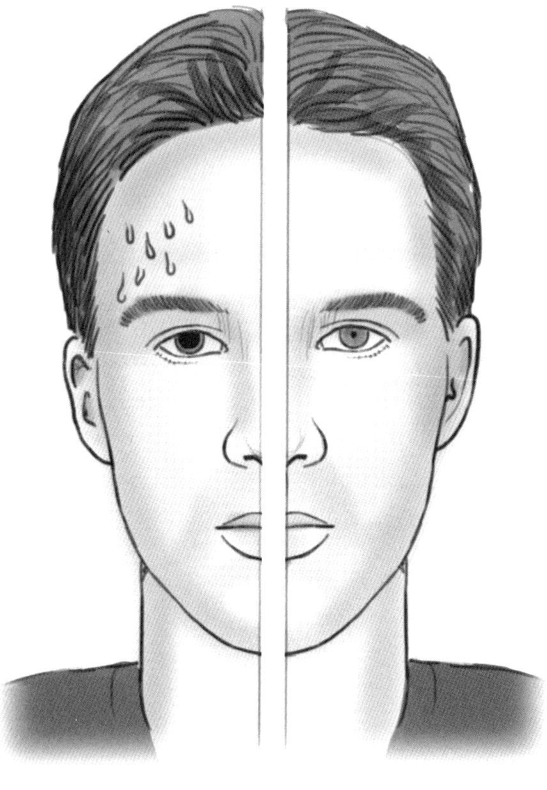

患者の体温を下げる

熱射病患者の体温を下げるには、冷水（氷水ではない）に浸したシーツで患者の体を包み、体温で水が温まるたびに水を注ぎ足す。

いかもしれない。

暑さと寒さ

刃物や弾丸による負傷は、生命にとっては脅威だが、容易に気づくことのできる類いのものだ（とはいっても、激しい戦闘の後は、自分の身体を念入りに確認することを決して怠ってはならない。負傷したことに気づいていないこともありうるからだ）。一方、傷を負い出血するのと同じように深刻ながら、気づかぬ間に進行してしまうのが、極端な暑さや寒さにさらされたとき人体に生じる損傷である。

熱疲労／熱射病

人体が高温の環境にさらされることで受ける損傷のうち、もっとも危険なものは熱疲労と熱射病である。熱疲労は脱水症状から始まる。脱水症状は、摂取量を上まわる水分がとくに発汗などによって患者の体内から失われることで起こる。熱疲労には次のような症状がみられる。

- 過度の発汗
- 青白い、湿った、冷たい肌
- 脱力感
- 手足の刺すような痛み
- めまい
- 混乱状態
- 便意

避難する

暑くても寒くても、極端な天候のときは、生き残るためにシェルターが不可欠である。シェルターといっても、簡単なものでかまわない。下の図では逃走者は土手の土壌に横穴を掘っているだけだが、これで十分風雨を避けられる。

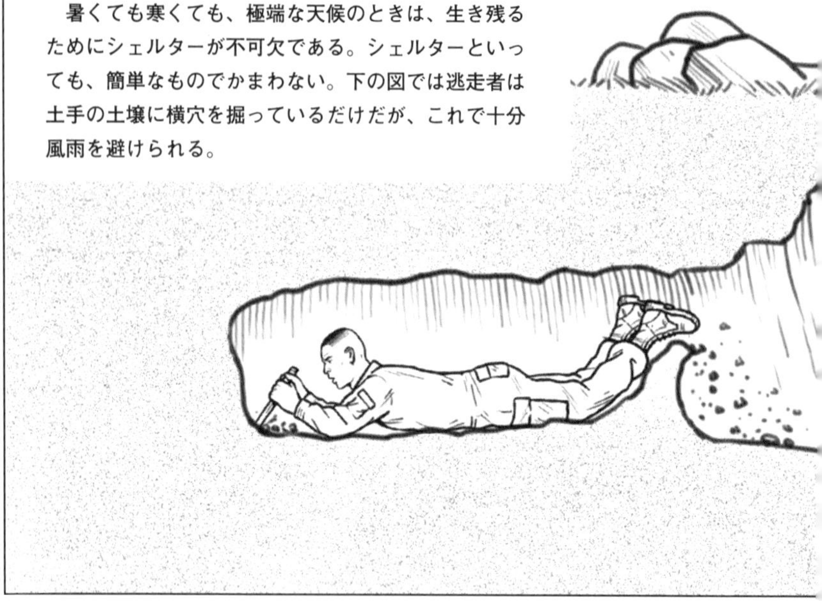

- 食欲不振
- 頭痛
- 痙攣
- 吐き気
- 寒気
- 呼吸量の増加

熱射病は熱疲労と似た症状を呈するが、さらに深刻な状態である。人体の深部体温は通常37.0℃前後だが、これが許容範囲を超えて上昇し、さらに体温調節の機能が失われることで歯止めの効かない状態におちいると、熱射病を発症する。体温上昇にともなって脈拍は速く、そして弱くなり、突然倒れて意識を失い、死亡することもありうる。

高温状態に起因する病気は、本人よりも周囲の人間のほうが気づきやすいものである。しかし、重要なのは、上にあげたような症状が1つでも現れたら、たいしたことがないと感じたとしてもすぐに対策を始めることである。予防はつねに治療にまさるものだ。す

ぐに日光を避けて日陰に入り、横になって衣服をゆるめる。水を少しずつ、くりかえし何度も飲んで、体のシステムに水分を戻してやる。

熱射病になったときは、付近に小川などがあって十分に水が手に入るようなら、衣服や肌をこまめに水に浸す。肌の表面から水が蒸発するとき、一緒に体温も奪ってくれるからだ。かならず身体を休めること。身体はまちがいなく弱っており、少しむりをしただけで心臓発作などの深刻な結果をまねきかねない。

低体温症と凍傷

高温による人体の損傷と同じように、低温による障害も人体を徐々にむしばむ。患者は精神的に混乱するため、実際に起こっていることを把握しにくくなる。気温が氷点下に下がるだけでも十分危険なのだが、その寒さのなか、雪や雨が降ったり強い風が吹いたりすると、体温はさらに急速に奪われることになる。

米陸軍からのヒント──ざんごう足・その予防法

「ざんごう足」は「浸水足」とも呼ばれる深刻な状態である。足もとが長時間、冷たく湿って不潔な環境にさらされることで発症する。ざんごう足にかかると、皮膚の壊死や水ぶくれ、ただれ、真菌感染、さらには壊疽《えそ》などが生じ、足を切断せざるをえない場合もある。米陸軍が公に推奨しているのは以下のような予防策である。この対策は、足の皮膚にシワが寄ってロウのようになってきたらすぐに実施しなくてはならない。

(a)　発症した足で歩かないようにする。

なんらかの理由でブーツを失ってしまったら、布地を三角に折りたたんで即席の履き物を作ることができる。外側のカバーには防水の素材を使うことが望ましい。

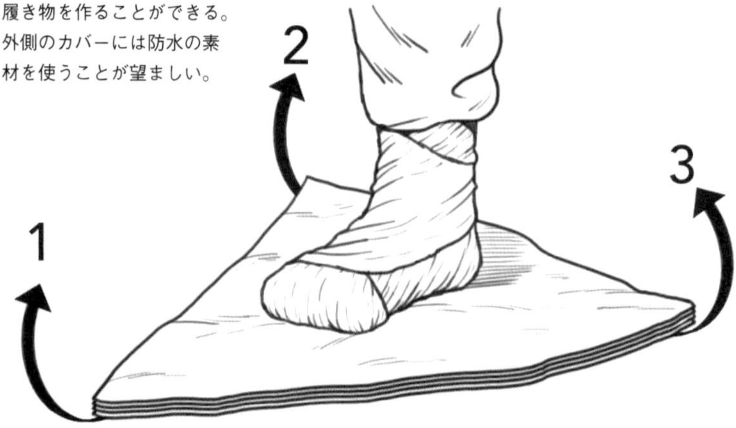

(b)　水分は軽く押さえるようにして拭きとる。決してこすらない。皮膚組織が敏感になっているため。
(c)　靴下と靴を乾燥させる。足もとを保護する。
(d)　血流改善のため、ブーツや足首まわりの装備などをゆるめる。
(e)　発症部位を乾燥させ、あたたかく、風通しをよくする。
(f)　クリームや軟膏は塗らない。

——*『サバイバル、逃走、救出』（1999 年）*

ゲートルがあれば足を湿気から守ることができる。ただし、水に浸かったときはかならず交換すること。

米陸軍による『サバイバル、逃走、救出』マニュアルによると、低体温症の原因となりうるおもな要因には、この他にも以下のようなものがある。

- 地面と体が接している状態（たとえば、行進や歩哨勤務、屋外での種々の任務）
- 長時間の静止状態（たとえば、暖房されていないか屋根のない造りの乗り物で移動するとき）
- 各個掩体《えんたい》（1人用の塹壕）などのなかで、足が水に浸かった状態での待機
- 身体を温めることができないまま、連日寒い屋外にいる状況
- 適切な食事や休息がとれない状況
- 身体の清潔さに配慮できない状態

このリストからわかることは、逃走を試みるとき、人はとりわけ低体温症にかかりやすいということだ。敵から逃げ出し、氷点下の荒野を突っきろうとすれば、獣の巣穴にじっと身をひそめるようなこともあるだろう。そうなると、すでに体力が落ち栄養も不足した状態で、火を起こして暖をとることもできず、冷たい地面に身体をじかに横たえることになる。

最善の予防策は、できるだけ体を暖めることと、衣服が濡れたらなるべくこまめに乾いた服に着替えて、体を乾かしておくことである。暖をとるための火を起こせる場所を前もって見つけておき、すくなくとも一日一回はあたたかい食事や飲み物をとるよう心がける。大雪や凍えるような暴風雨など、とくにひどい天気の時、それに耐えうる服装をしていなければ、シェルターを探すかあるいは作り出す。十分な休息をとること。

極寒の環境では、低体温症は命にかかわる病気だ。低体温症は熱射病のちょうど反対の現象で、深部体温が危険なレベルまで低下すると発症する。低体温症の初期の段階では、体が激しく震えたり、また体のシステムが体内の枢要な機能を維持しようとして脳への血液供給を抑えるため、簡単な作業もむずかしく感じて、こなしにくくなる。症状が悪化してくると、身体の震えがしだいに激しくなり、そしてある時点で震えが突然止まる。会話や思考の能力はさらに低下する。この段階に達するまでに対策をとらなければ、卒倒し、昏睡状態になり、場合によっては死亡する。

SASによる1991年のブラヴォー・ツー・ゼロ作戦の最中、イラクの砂漠地帯に季節はずれの吹雪が吹き荒れて、配備された部隊の全員が低体温症にかかりはじめた。クリス・ライアンは次のように言っている。「低体温症については、山のように授業を受けたこと

があったので、低体温症のいくつかの症状が自分の体に起きていることに気づいた。方向感覚の喪失、めまい、突然の気分変化、怒りの爆発、混乱、嗜眠状態といった症状だ」。ライアンはまた、進路を決められなくなったことに言及している。凍えながら地図とコンパスを使う頭脳労働をこなすのはむりだったのである。結局、８名の偵察隊員のうち２名が低体温症で命を落とした。

上記の症状を１つでも自覚したら、ただちにシェルターに逃げこんで火を起こし、体を暖める。濡れた衣服を脱いで、もっていれば寝袋を利用する。仲間と一緒なら、身を寄せて体を温めあう。単独行動であれば、胎児のように体を丸める。脚に両腕を巻きつけて、呼吸するときは息を胸もとに向けて吐き出す。呼気はあたたかいので、胸元と折り曲げた脚の間に溜めれば、胴体をあたたかく保てる。コートや毛布などの防寒具で体をおおい、手もちの衣服や近くの植物をぶ厚く重ねて体の下に敷き、地面と接しないよう気をつける。可能であれば、火の中に石をくべて、暖まったら（やけどしないように）布で包み、脚のつけ根の部分と腋の下、首もとに置いて、血液の温度を上げる。激しい運動は決してしない。

寒さのもたらすもうひとつの脅威は凍傷だ。凍傷は人体組織の水分が凍ると起こり、とりわけ傷つきやすい手足の指や耳などの末端組織を侵す。凍傷には前触れとなる症状がある。肌表面の血流がとどこおることで、肌に触れると冷たく硬く感じられる。その部分の肌は、肌が白い人では灰色か白っぽくなり、肌が黒い人ではピンクや赤に変色する。こうなったらすみやかに患部を暖め、乾いた衣服で包み、熱源に近づけておかなくてはならない。肌の状態は、数分でもとどおりになるはずだ。

症状が悪化して本格的な凍傷になってしまうと、状況は一気に深刻化する。患部の肌は凍ったように冷たくなり（実際、肌の表面に氷の結晶が見えることが多い）、色は青白くなり、その部分は重たくて動かしにくくなり、感覚が失われる。本当は医師による治療の他に選択肢などないのだが、極限状態においては、自分自身で凍傷を解凍せざるをえないかもしれない。これは、決して気軽に試せるような方法ではない。凍傷が生じた肌は非常に傷つきやすくなっていて、自己治療には敗血症などの感染症の危険がつきまとっているのだ。しかし、もしも他にどうすることもできなければ、肌を解凍する最善策は、ぬるま湯に浸してゆっくり解かすことである（冷めてきたらぬるま湯を注ぎ足す）。この処置はひどい苦痛をともなうものである。手足の先が解凍できたら、患部に圧力をくわえないよう注意し、何があっても絶対にふたたび凍らせてはならない。ふたたび凍らせてしまえば、皮膚組織は完全に破壊されるだろう。

骨折

1967年8月26日、米空軍少佐ジョージ「バッド」デイは自身のF-100F戦闘機、いわゆるスーパーセイバーを操縦中、撃墜された。北ベトナム襲撃中のことである。墜落時にデイ少佐の右腕は3個所骨折し、さらに膝はねんざし、片目も負傷していた。彼は地元のベトナム民兵に捕らえられ、数日にわたって暴行を受けた。先の見えない状況だったが、デイは早くも脱出の機会をうかがっていた。南ベトナムとの国境は歩いて行ける距離のところにあったのだ。

9月2日、デイは脱出をくわだてた。見張り兵たちはデイに、脱出不可能な

添え木による固定

添え木（副木）は、基本的には負傷した四肢を固定するための装置だ。負傷部分がさらにダメージを受けるのを防ぐ働きがある。左の図の男性は、負傷した腕を木片で添え木されている。一方、右の図の男性は片足を骨折しており、2本の棒と追加のひもで胴まわりを固定されている。

ほど重傷だと思いこまされていたため、監視を怠っていた。デイはチャンスをうかがって、拘束を解き、水の入った水筒を盗んでジャングルへと分け入った。そこで野イチゴの類や、柑橘類、蛙などを食べ、さらにヤシの木から水をとって、2週間生きのびた。竹筒や枝を使ってまにあわせの筏《いかだ》を作り、ベンハイ川を横切っていたある日のこと、北ベトナム兵が彼の筏に目をとめた。しかしどうやら、たんなる流木だと判断したようである。

デイは自由まであとわずか3、4キロのところまで来ていた。しかし、南ベトナム国境の近くにいたO-1米軍機に救助信号を出そうとしたとき、巡回中のベトナム民兵に発見されてしまう。銃撃戦が始まり、左腿と左手を負傷した。その後捕虜として拘束され、1973年の3月まで監禁された。

この脱出計画で注目すべきは、デイが腕を骨折しており、しかもほとんどなんの治療も受けないまま脱出を試みたという点である。このことは、たとえ激痛に耐えながらでも、意志の力という強力な武器があれば逆境に立ち向かえるということの証である。しかし、骨折が生存の努力をはばむ深刻な緊急事態であることは疑いようがない。逃走時に手や足が使えないばかりか、骨折部分が細菌感染を起こす危険もある。さらには、医療チームの助けなしに骨折が適切に治癒する可能性はほぼない。

成人の骨折にはおもに2種類ある。開放骨折と閉鎖骨折である。「開いている」タイプの骨折では、折れた骨の端が肌をつき抜け、その傷口から出血する。一方、閉鎖骨折では、折れた骨の端は身体の内部にとどまる。

どのような骨折であっても、自分の骨が折れた瞬間ほぼ確実に気づくものだ。

- 多くの場合、骨からポキッと音が聞こえて、折れたことを自覚する。
- まず激しい痛みを感じ、少したつと骨折部位の周囲が鋭く痛みはじめる。
- 四肢または関節があきらかに変形し、動かすのがむずかしくなったり、まったく動かせなくなったりする。
- 折れた骨の端どうしが擦れあって、きしむような音や感覚をひき起こす。
- 時として骨折部分のまわりの筋肉が痙攣を起こす。

開放骨折が起こった時は、応急処置の最初の目標は先に述べた方法で止血することである。つまり、傷口に異物が刺さった場合と同様に、飛び出している骨を避けて、そのまわりを圧迫する。開放骨折も閉鎖骨折も、次の目標は包帯や添え木で患部を固定することである。添え木をあてる際には、折れ

止血帯

止血帯は、四肢切断をはじめとする最重度の外傷で負傷者が大量出血していて、数分以内に死ぬ危険があるなどの場合にかぎって用いるべき最終手段である。下図の手順では、結び目をつけた布と棒を利用して負傷した下肢への血液

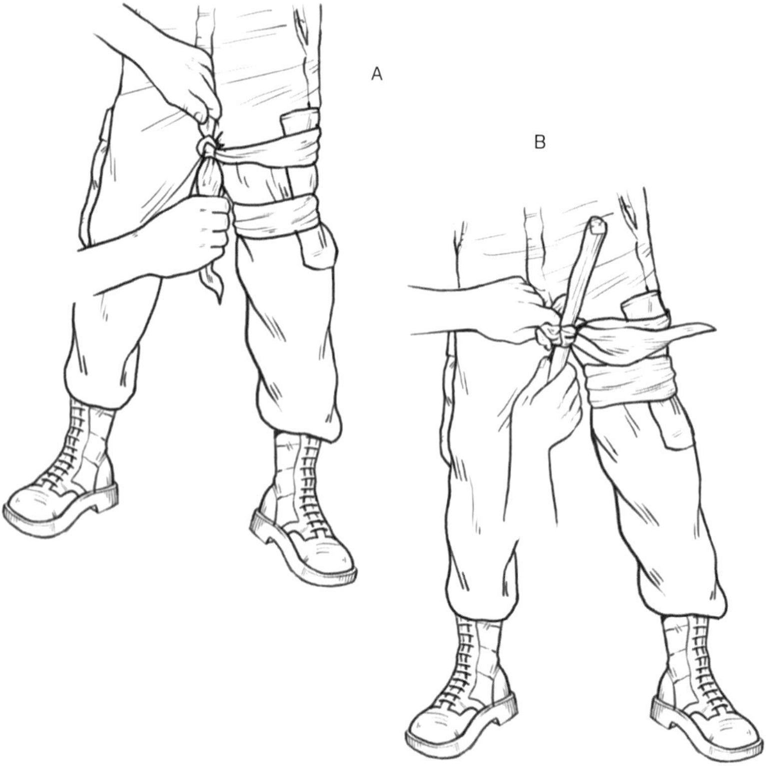

供給を遮断している。だからこそ、止血帯は最終手段なのである。健康な四肢の組織を死なせてしまうことになるのだ。

C

D

腕を三角巾で固定する

三角形のシンプルな包帯を使って、骨折した腕を下図のように固定することができる。また、折りたたみ方を工夫して肘の関節まで包むようにすれば、故障した肘も固定できる。三角巾の上から補助の包帯を胴まわりに巻きつけると、負傷者は腕をゆらさずに歩くことができる。

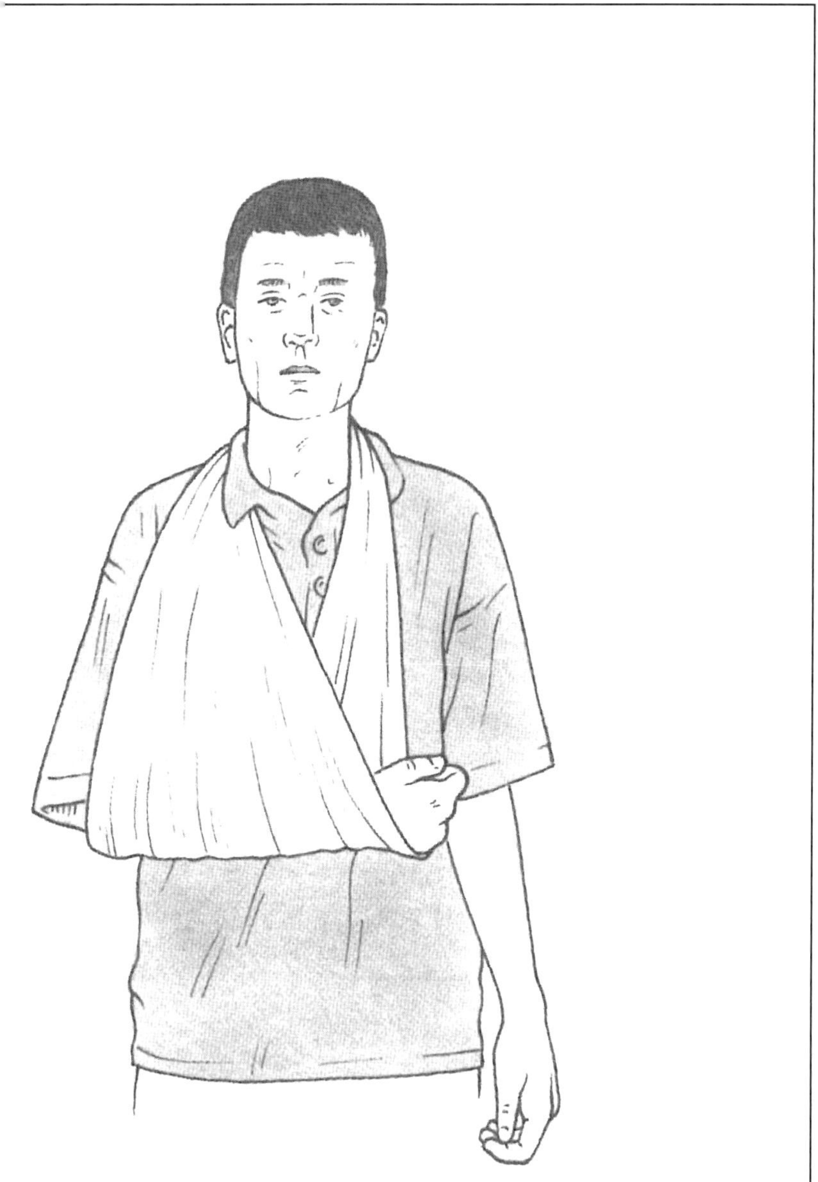

た部分の両側に曲がらない支柱（太い枝やポールなど）をあてがい、包帯を使って正しい位置にしっかりと固定する。この処置を負傷者が自力で行うのはあきらかにほぼ不可能なので、ほとんどの場合、第三者に協力を頼む必要がある。たとえば、恐るべきハノイ・ヒルトン収容所で、ジョージ・デイは同房だったあのジョン・マケインに、骨折した腕の添え木と包帯をしてもらっている。とはいっても、見張りのベトナム兵たちは残忍で、デイの骨折を何度もねじったり、再度折ったりして楽しんだのだが。

どちらのタイプの骨折も、神経や血管を圧迫することがある。そのため、もしも治療を受けなければ、結果として神経や血液循環の障害をまねき、最悪の場合、最終的に四肢を切断しなくてはならなくなるかもしれない。こういったけがに対応できるのは、医療スタッフだけである。すぐに救護を求められる確証があるなら、患部を固定するだけにして、目標に向かって進みつづける。しかしながら、もし医師の治療を受けられるまで時間がかかりそうなら、自分で折れた骨をひっぱってもとの位置に整復し、神経や血管が圧迫されるのを防ぐ必要がある（関節部分の骨折は整復してはならない。関節の

病気予防のためのルール

a　天然の水源から得た水は、かならず浄化してから使う。ヨウ素錠や漂白剤を使うか、または5分間煮沸する。
b　トイレは水源からは60メートル、また隠れ家からもある程度離れた場所に決めておく。
c　調理する前と飲み水を扱う前には手を洗う。
d　使用したナイフ・フォーク類は毎食後洗う。
e　忌避剤やネット、衣服を活用して虫刺されを防ぐ。
f　衣服が濡れたらできるだけ早く乾かす。
g　多様な食物を摂取する。
h　毎日7-8時間の睡眠をとるよう心がける。

——*『サバイバル、逃走、救出』（1999年）*

さまざまな種類の骨折

骨折には数多くの異なるタイプがあり、下の図はそのいくつかの例である。逃走中に骨折した場合、開放骨折と閉鎖骨折の見きわめが非常に重要である。応急処置としては、医療チームの治療を受けられるまで負傷部分を固定しておくことを最優先する。治療を受ければ、折れた部分は適切に接骨されるだろう。

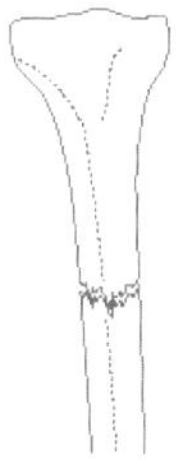

単純骨折

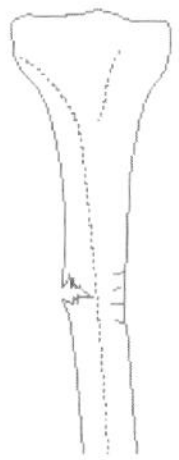

若木骨折

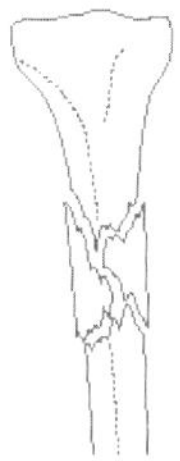

粉砕骨折

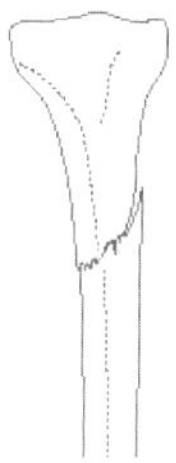

閉鎖骨折

開放骨折

巻軸包帯

巻いた状態の包帯は、傷を手あてするとき非常に便利である。巻軸包帯単体で出血をともなう傷の手あてに使うこともできるし、（右の図のように）添え木と組みあわせて骨折した手足を固定することもできる。巻軸包帯を使うときに重要なのは、きつく巻きすぎないことである。処置した四肢の血流を止めて

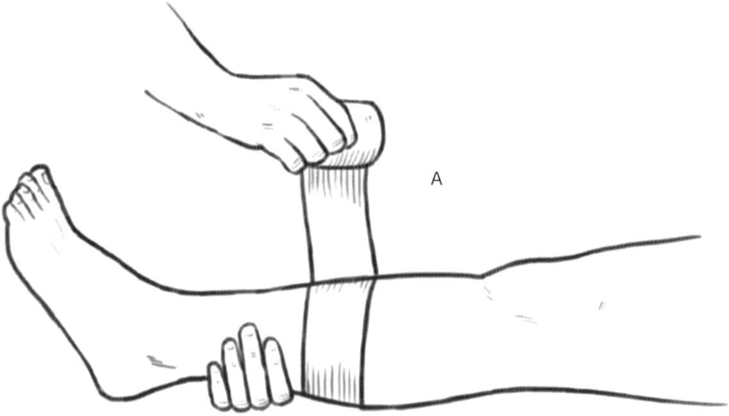

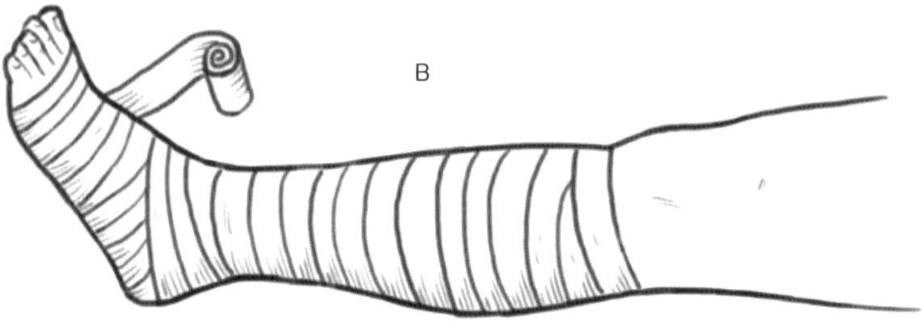

しまうかもしれないからだ。負傷した腕や脚を巻きおわったら、その手や足の爪を強くつまんでみて、つまむのを止めると血流が再開して爪がピンク色に戻ることを確認する。

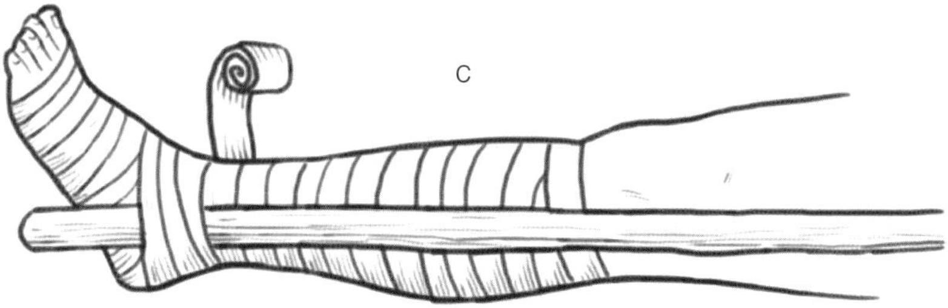

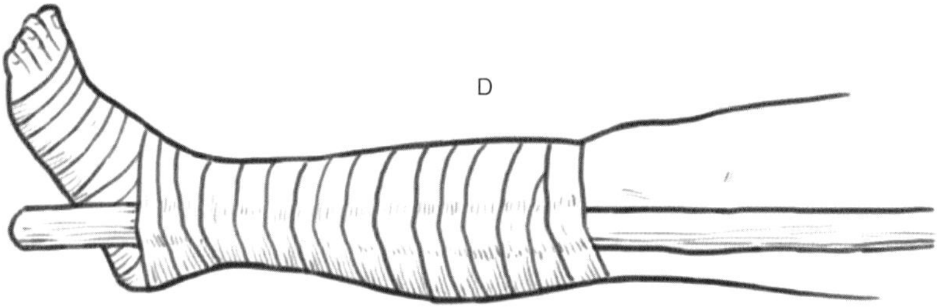

骨折した脚を整復する

骨折した四肢の整復は、医師の治療を受けることが不可能で、しかも折れた骨が神経を圧迫したり血液循環の妨げになったりしているとき以外は、自力で試みてはならない。整復するには、折れた手足をしっかりと、そして骨格の流れに沿ってひっぱる。骨がもとの位置まで戻ったら、ひっぱる力をゆっくりとゆるめる。

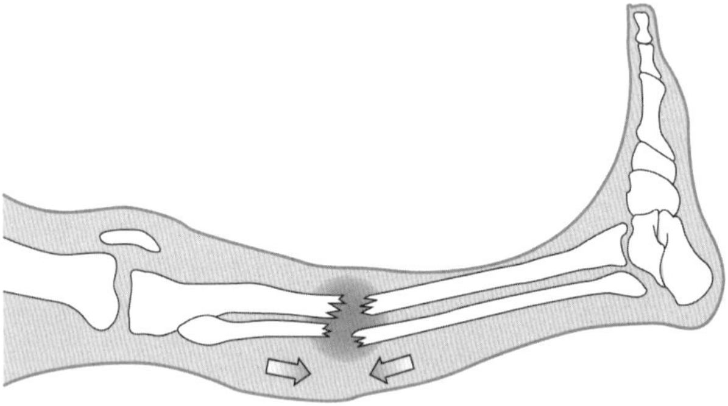

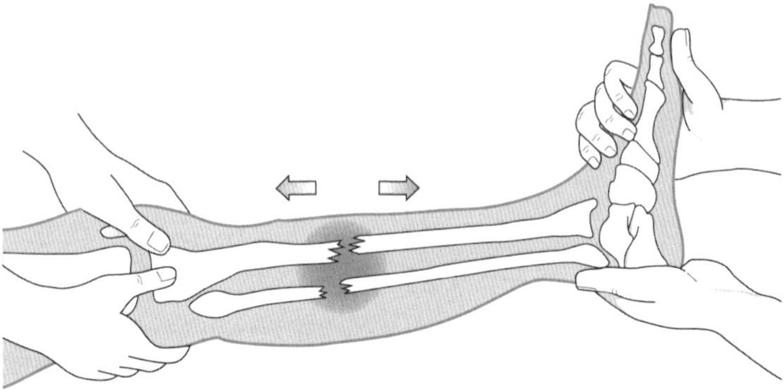

骨は通常の可動範囲の中心点なので、最適な位置に配置され支えられている。そのままの状態がもっとも安全なのだ)。

ここで扱うのは自分以外の人間が骨折した場合の整復方法だが、自分自身が骨折した場合も、他の人間にやり方を教えて整復してもらうことができる。まず、負傷者を横たわらせて、骨折した腕や脚の筋肉の力を抜いてもらう。折れた部分よりも末端に近いところを持ち、骨格の流れに沿ってゆっくりと、強くひっぱる。一度身体から引き離してから、角度を合わせて、もとの骨の流れに戻してやる。この処置には10-15分ほどかかる。その間、筋肉の抵抗に逆らって骨をひっぱることになる。場合によっては、負傷者を木などのしっかりした物体に寄りかからせ、負傷者の手足をひっぱりつつ片足で木を押すなど、補助的にてこの力を用いる必要があるかもしれない。

開放骨折では、整復を試みる前に、露出した骨と傷口を清潔にする。骨をひっぱって体内に戻すときは、皮膚をまきこまないように用心する。適切に整復できたばあい、骨折した四肢はもともとの配置に戻り、神経の感覚と血流が回復する。そのあと、負傷部分に添え木をあて、体を動かしてもその部分は動かないようにする。なおこの手順は、骨の脱臼の整復にも応用できる。肩や腰、指などの関節がはずれてしまったら、この手順を使ってもとの位置に戻してやることが可能だ。

ここまで本項は骨折の応急処置について扱ってきたが、そのほとんどを腕や脚といった四肢の骨折に関連する対処法にさいてきた。人体には、折れる危険がある骨が他にもたくさんある。そのなかには、骨盤や頭蓋骨といった人体の要となる構造体も含まれる。そのような部分を骨折したら、医師による治療が不可欠であり、逃走中に自分でできるような応急処置はほとんどない。

やけど

やけどもまた、生存の努力をはばむ脅威である。やけどを負う危険は、キャンプファイヤーでの不注意から、焼夷弾の爆発にまきこまれる事態までいろいろなところにある。傷と同様に、やけどにも軽症から重症までさまざまな度合いのものがある。軽いやけどの場合、肌がわずかに赤くなったり、水ぶくれができたりするくらいだが、重度のものでは、皮下組織も骨も筋肉も完全に破壊される。どのような原因でやけどを負ったときも、できるだけ早くやけどの熱をとりのぞくことを最優先する。やけどの原因がすでにとりのぞかれているとしても、患部の熱を冷やさなければ、皮膚組織はダメージを受けつづける。患部を冷やすには、大量の冷水（氷水や零度近い水ではなく）を、10分以上注ぎつづける。衣服が肌に張りついたりくいこんだりしていても、とりのぞこうとしてはならない。もしも出血が始まれば、患部の状態がさらに悪化するからだ。患部の周囲に指輪や腕時計、装飾品や窮屈な衣服などを着用しているなら、できるだけとりはずす。傷口周辺の皮膚組織は徐々に腫れあがってくるので、体を締めつけるような衣料品・装飾品を着けたままだと、血の流れが止まってしまう。水薬やクリームは塗らない。やけどの部分は皮膚組織がもろくなっているので、優しく取り扱う。

やけどを冷やしたら、清潔で毛羽立たない布地で患部を包む。手足のやけどなら、透明のビニール袋をかぶせて保護してもよい。ビニール袋は、手首または足首のところでゆるく結んでおく。ひどいやけどが治っていくときには、大量の体液が消費されるので、いつもより水分を多くとるようにする。

脱出とその後の逃走という試練を生き抜くための基本的な応急処置について、ここまで駆け足でとりあげてきた。

やけどの応急処置

やけどの治療でいちばん重要なのは、傷口に冷たい水を注いで(A)、できるかぎり早くやけどを起こした熱をとりのぞくことだ。その際、患部の周囲に指輪などの装飾品を着けていたら、すべてとりはずす(B)。それから清潔な生地を使って患部に包帯を巻く(C)。

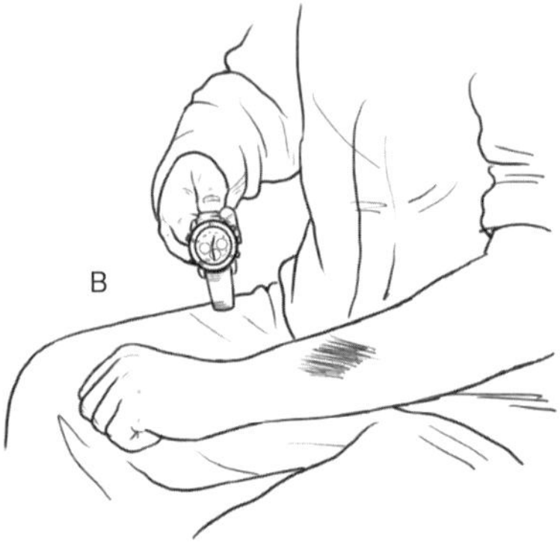

応急処置について考えてみると、身の安全を得ることこそ、脱出・逃走の最終目標なのだと実感する。荒野を逃げまわる時間が長引くほど、捕虜になったり負傷したりする危険は高まっていく。だからこそ、次の最終章では脱出と逃走における最重要目標をとりあげることにしよう――つまり、本拠《ホーム》へ帰る方法だ。

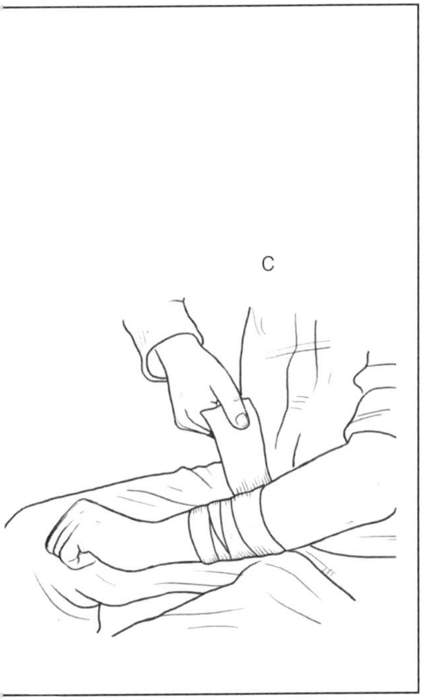

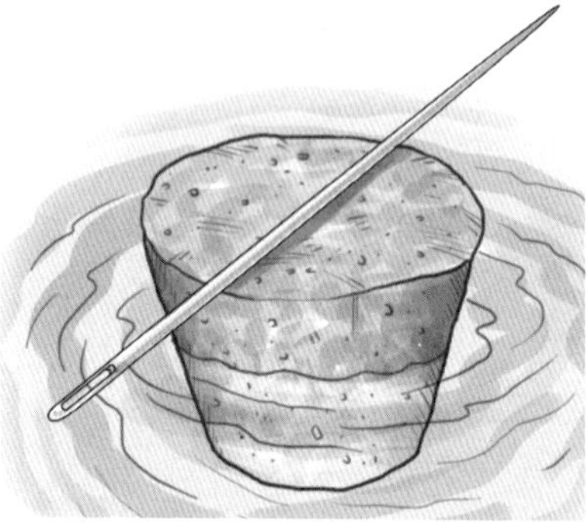

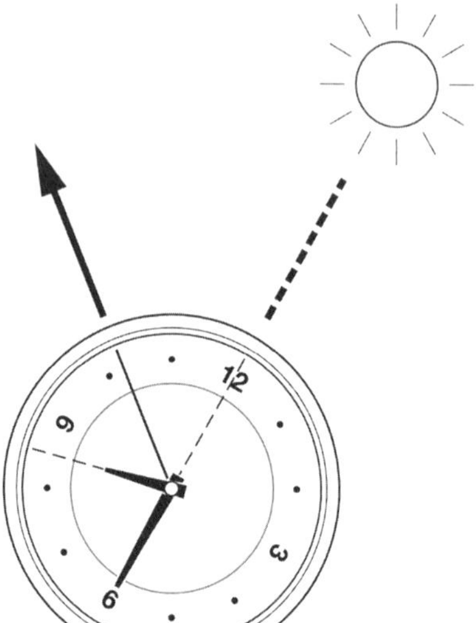

第6章

脱走した兵士にとって、最終的な目標とはつねに、味方の許に生きて帰ることである。しかしながら、逃走の最後の段階はもっとも危険な段階でもあるのだ。

ホーム・ラン――本拠地へ生還する

脱出と逃走の最終目標は味方のもとに戻ることだ。これまでの章では、逃走のさまざまな技術についてとりあげてきたが、逃走自体は目的ではなく、できるだけ早く終わらせるべき途中の段階である。したがって第6章では、「ホーム・ラン」、言い換えれば、逃走の最終局面で身の安全と自由を勝ちとるためには何をすればよいかについてとりあげることにしよう。本章を読み進めれば、逃走の最後の段階に重大な危険がいくつもひそんでいることがわかるだろう。実際に味方の陣営に戻れるまでは逃走者の身の安全は保障されていないことを、肝に銘じておかなくてはならない。

安全な場所をめざして敵対地域を通り抜ける時、進路決定にはいろいろな技術が必要になる。進路決定には人工的なナビゲーションツールか、自然が提供してくれる情報を活用する。

全体計画

脱出と逃走の全段階において、脱走者は自分がどこをめざしているか、そして安全な場所に到達するために何をすればよいかを明確にしておくことが不可欠である。逃走計画は、敵対勢力や危険な地形を迂回する余裕を残しながらも、基本的には味方のところまでいちばん近い直線ルートで組んでおくべきである。計画の目標設定にはいく

逃走経路

逃走経路とは、敵対地域を通過するときの予定ルートのことだ。スタート地点から最終目的地までの進み方を前もって決めておく。逃走経路を決めておけば、兵士はその日どこまで行けばいいか把握することができる。また救出作戦の際には、この情報をレスキュー隊員にあらかじめ周知するとよい。

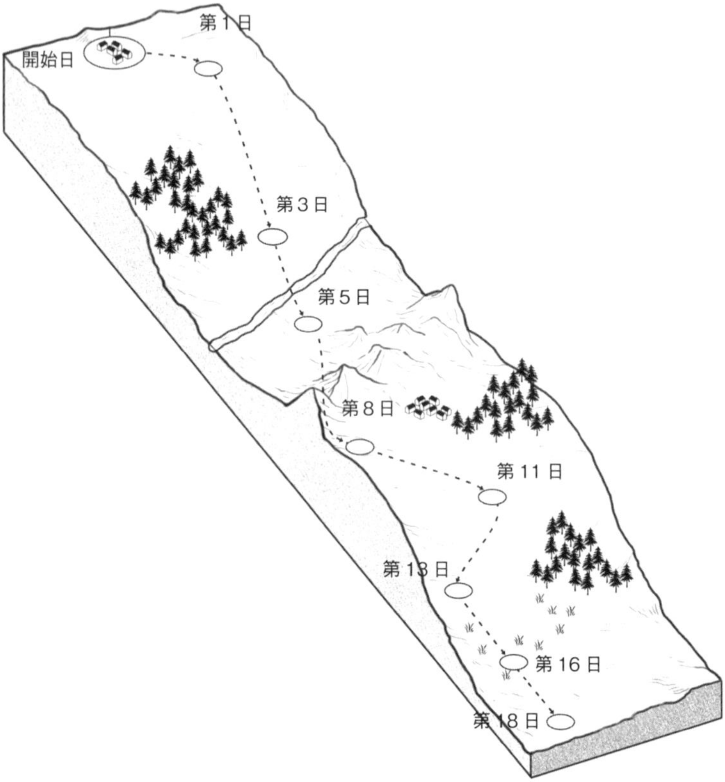

つかの選択肢が考えられる。

- 友好国か同盟国をめざして、国境地帯を越える。
- 味方の前線をめざして、実戦地帯を通り抜ける。
- レスキュー部隊と交信して、出動を要請する。
- 救助を求められる状況になったときに、なんらかの救助信号を出す。

本章ではこれらの選択肢を１つずつ詳しく見ていく。だが、どの選択肢を選んだとしても、そのとき直面している脅威や、本人の体調などと両立可能なものでなければならない。第５章で紹介したSAS兵士のクリス・ライアンは、イラクの凍えるような、かと思えば焼けるような砂漠地帯を徒歩で300キロ移動して、シリア国境を越えて身の安全を手に入れた。この逃走劇はライアンの体に深刻な影響をおよぼした。体重は16キロ減った。さらに彼はこう言っている。「今でもまだ、わたしの歯茎はもとどおりになっていない。歯はまだ何本かグラグラしている。栄養失調のせいだ。手足を思いどおりに動かせるようになるまで６週間かかった。ユーフラテス川の汚染された水を飲んでいたので、血液の病気にかかったし、毒物中毒を起こして、肝臓の酵素の数値は異常に高くなった」。それでもライアンは完治といえる状態までたどり着くことができた。しかし、この経験談からわかるのは、このような逃走をやりとげられるのは、スタート地点で万全の体調だった人間だけだということである。

ライアンがこの英雄的な逃走に成功したのには、もう１つ大切な要因がある。それは彼のナビゲーション能力である。シリア国境まで、彼は正しい方向へ進みつづけた。砂漠では、方角を確認したり把握しつづけたりするのがとくにむずかしい。広大な土地に目印となるものはなく、熱のせいで蜃気楼が見えることもある。景色がたえず変化する砂だらけの土地で進路を決めるのは至難の業だ。だが、どんな地形であっても、すぐれたナビゲーションツールや適切な地図なしに進路を決めるのには問題がある。進む方向のずれが積み重なると、その場その場では気づかないほどごくわずかなずれであっても、最終的には目的地から何十キロも離れた場所に出てしまうかもしれない。そして、それまで以上に危険な状況におちいっているかもしれないのだ。だから、逃走が順調にいくように、手持ちのものを使って方角を調べる基本的な方法を知っておく必要がある。

コンパス方位

コンパスの底板の片側の縁を、予定している進路に合わせて地図上に置く。底板に刻まれた進行方向を示す矢印を、自分が進みたい方向に向ける。方位磁石上の基本線が地図上の格子線と平行になるように、コンパス本体を回転させる（針の向きは無視する）。最後にずれを補正する。これで、コンパスはめざす場所の方向を指し示すことになる。

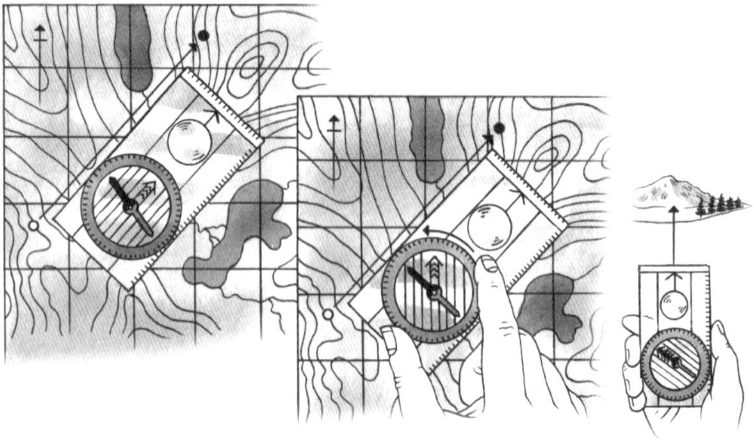

後方交会法

後方交会法とは、２つ以上のコンパス方位を交差させることで、自分の現在地を割り出す方法だ。自分の位置から見て、互いに 90 度ほど離れた目印を選び出す(A)。この角度によって、位置決定の誤差の範囲を最小限にすることができる。角度がこれよりも小さかったり(B) 大きかったりすると、誤差の範囲が拡大する。

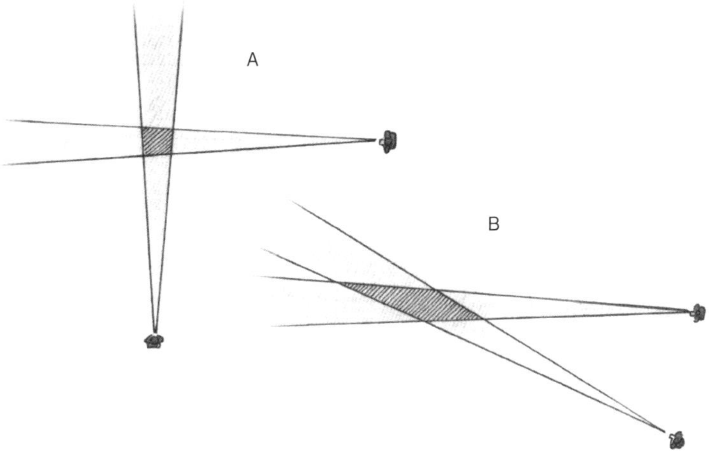

ナビゲーション

コンパスや詳細な地図、GPS端末といった専門的なナビゲーションツールを所持していることは、どのような逃走者にとっても理想的状況であるといえる。自分の部隊から離れてしまった当初から運よくこういった道具を所持していれば、その兵士は非常に有利な条件で逃走を開始できる。しかし、捕虜収容所や人質用の独房から逃げ出してきたのであれば、こういった道具を何ひとつもち出せていない可能性が高い。その場合は、もっと初歩的な方法を使って、自分の位置と方角を確認する。

身の安全をめざして進むとき、兵士にとって予備知識は貴重な財産となる。部隊に配属される前に、目的地の地理についてぜひ予習しておくべきである。目的地のようすで、知っておくとよいのは以下のような情報だ。

- その地域のおもな河川の位置と、流れの方向。
- 風景を特徴づけるおもな山脈や氷河、谷などの位置関係。
- 配置先と国境を接している国々の名前、および国境から各国の主要都市までの距離。
- 各国陸軍基地（敵味方をとわず）および敵の本拠地だと思われるエリアの正確な位置。
- 卓越風（当該地域でその季節にもっとも吹きやすい風）の吹く方向。
- その地域で、それぞれの季節で夜間に見ることのできる星。
- その地域の全体的な特色、および人間の通行に適さない地帯の把握。

これらの予備知識があれば、逃走者が荒野を正しい方向へ進む能力は飛躍的に向上する。たとえば、ある特定の国境地帯にたどり着きたいときに、つねに右手側に特定の山並みが、左手側に大きな川が見えるように進みつづければよいのだ、などと気づくことができるかもしれない。

逃走をくわだてるときに、いちばん役立つ道具は方位磁石である。方位磁石は天気に関係なく使用することができ、電池切れの心配もなく、きちんと使用すれば方向を見失うことなく進みつづけられる。本格的な方位磁石が手に入らなければ、身近にある最低限の材料でごく簡単なコンパスを作ることもできる。次のコラムを参照のこと。捕虜収容所で作られたコンパスのなかには、驚くほど品質の高いものも見受けられる。ドイツ空軍の捕虜収容所だったスタラグ・ルフトⅢに収容されていたオリヴァー・フィルポットは、水に浮かべて使うコンパスを作った。そ

米陸軍からのヒント――コンパスの作り方

コンパスは、身近な物を使って手作りすることもできる。鉄を含んだ金属片を針状にしたものか、または平らな両刃のかみそりを指針として使い、非金属性の糸か長い髪の毛で針を吊り下げる。金属片は、絹製の布で一方向にくりかえしゆっくりなでつけるか、または時間をかけて髪の毛の間をくぐらせると、磁性をおびる。あるいは、磁石で金属片の一方の端をくりかえしなでてもよい。かならず一方向に向けてなでること。電池と金属製のコードが手もとにあれば、金属片を電気的に分極させることもできる。コードは絶縁しておく。絶縁されていない場合、金属片を薄くて細長い紙に包んで、接触を避ける。最低でも２ボルトの電池が必要だ。コードをコイル状に巻いて、電池の端子に接触させる。金属片の一方の端をコイルに通して抜き出す作業をくりかえすと、針状の金属片は電磁石になる。非金属性の糸で吊り下げるか、または水に浮かべた小さな木片の上に乗せれば、針は北と南を結ぶ線と同じ向きになる。

――フィールドマニュアル21-76、『米陸軍サバイバルマニュアル』（1992年）

影を使って方角を調べる

方角決定に影を利用するのは古典的な方法だが、東と西を結ぶ線を正確に見つけることができる。北と南を結ぶ線もそこから割り出せる。まず、地面に1メートル前後の長さの影を作り出す棒を見つける。この程度の長さの影なら、30分ほどで、東西を割り出すのに十分な角度をもつ2辺を作り出してくれる。詳しくは下図を参照のこと。

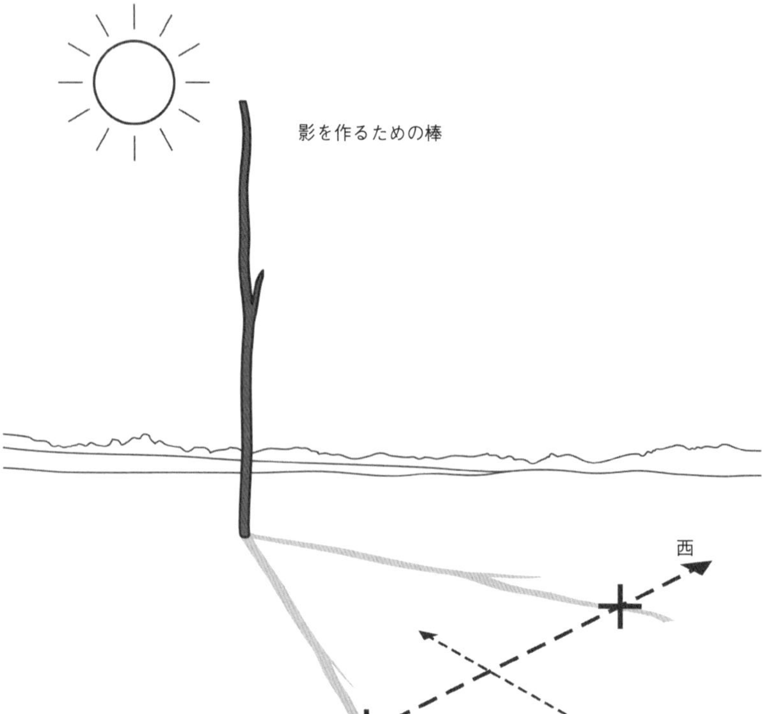

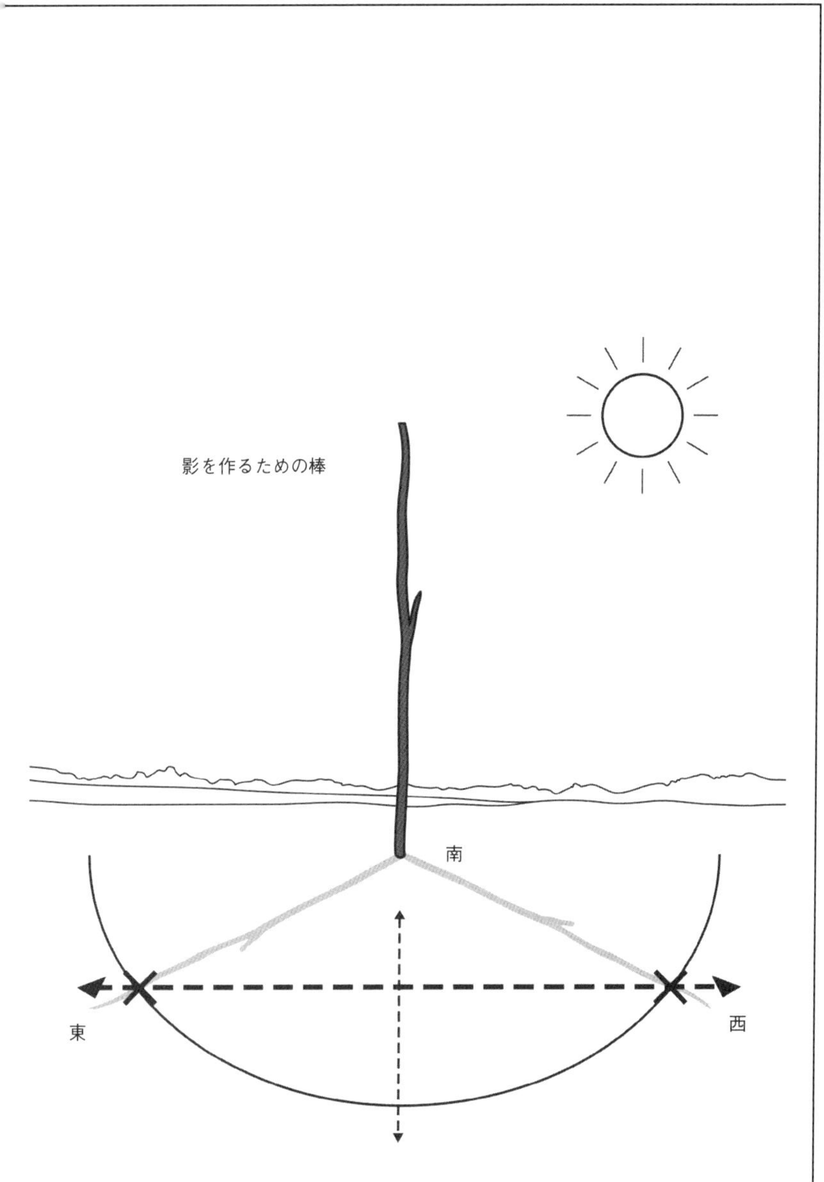
影を作るための棒
南
東
西

れは方角を示すベゼル（丸い縁）と蛍光塗料を塗った針をそなえた完璧な品だった。かみそりの刃と蓄音機の部品、段ボールの断片、それに壊れた腕時計からとったリン光性の長針・短針を使って作ったのである。

自分の位置が確認できたら、定期的にチェックをくりかえす。このとき、手元のコンパスをラジオや自動車のエンジンから離して、磁気の影響を受けないように気をつけること。磁気の影響があると、測定結果には誤りが生じる。自作のコンパスの精度には限界があり、それを使用したナビゲーションにそれ以上の正確さを望むことはできない。だが、自作のコンパスがあれば、おおまかに正しい方向へ進むことは可能だ。

自然を利用して方角を調べる

逃走者の身のまわりにある自然そのものも、方角決定の助けになる。ナビゲーションツールとしてどの程度信頼できるかは季節と天気に応じて非常に大きな幅があるが、人間は何世紀にもわたって自然の事物を上手に利用しながら旅してきたのである。晴れた日中なら、東から上って西へ沈む太陽を、巨大な方位測定のツールとして利用できる。正午の北半球では、太陽は真南の位置にある。正午の南半球では真北にある（正午の赤道付近なら、真昼の太陽は頭の真上にくる）。

太陽を利用して方角を知るために、古くから日影用のコンパスが使われてきた。このコンパスは1本の棒と2、3個の石だけでつくることができる。まず、長い棒を凹凸がなく水平な地面に垂直につき刺す。棒は地面から1メートルくらいの高さになるようにする（棒が長いほど結果は正確になる）。直射日光の下では、計測用の棒の影が、地面にはっきりと映し出される。その影の先端のところに目印の石を置いて、30分待つ。その間に太陽が空を移動して、同時に棒の影も地面の上を移動する。移動後の影の先端を別の石でマークしたら、2つの石の間に直線を引く。これが今回割り出された東と西を結ぶ線である。さらにこの線を二等分すると、北と南の方向がわかる。この作業を定期的にくりかえせば、正確な位置を把握しつづけられるので、無意味に歩きまわらなくてすむ。

太陽から方角を割り出すために、アナログ式の腕時計（短針と長針をもつ時計のこと）を活用することもできる。まず、時計の時刻を真の——つまり、夏時間として日光節約のために時計を進めたり遅らせたりする地域であっても、その制度を考慮に入れない時刻に——合わせる。次に時計の文字盤を水平に持って、太陽が見える位置に立つ。北半球では、短針を太陽の方角に向け

腕時計を使って方角を調べる

腕時計を使って方角を知りたいときは（詳しくは前ページを参照）、アナログ式の（長針・短針をそなえた）ものが必要である。ただしデジタル式の腕時計をもっていれば、紙に時計のダイヤルと正確な時刻を描いて、同じ計測ができる。

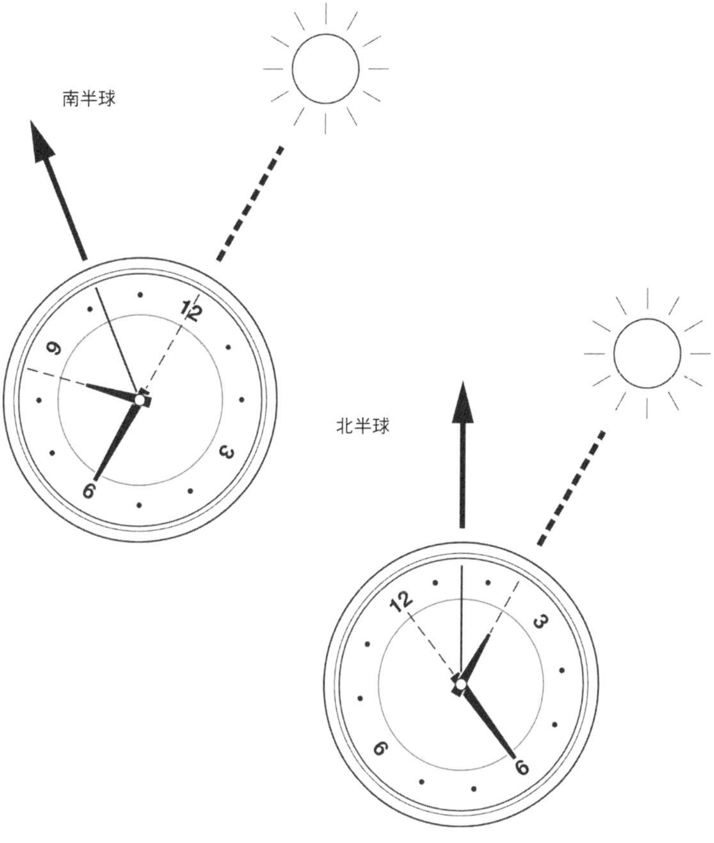

北極星／ポラリス

北極星は、下図のように北斗七星あるいはカシオペア座の星の位置関係を使って特定することができる。北極星は北の空の定位置から決して動かないので、それ自体を旅の指標としても、または、自分の決めた別の目印の方角を旅の途中で確認するための星としても利用できる。空が雲でおおわれてしまうと、星をナビゲーションツールとして使うことは当然できなくなるので、星が見えているうちに、めざしている方向と、地上の風景の位置関係を把握しておく。

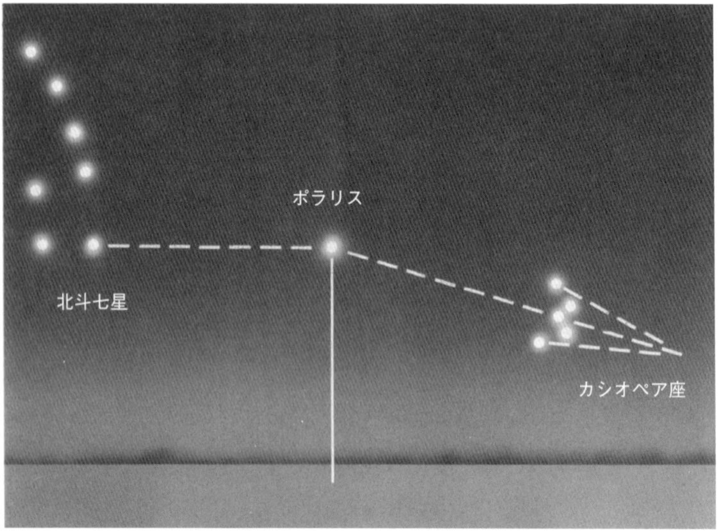

て、短針と文字盤の12時の印が作り出す角を二等分する。この二等分線がさす方角が南である。ただし、時刻が午前6時より前か午後6時より後である場合、この方角は北である。南半球で方角を調べる時は、12時の印のほうを太陽の方角に向けて、この印と短針の間の角度を二等分すると、北の方角がわかる。ただし午前6時より前か午後6時より後であれば、この方角は南である。手もちの時計がデジタル式であれば、紙か地面にアナログ時計の

簡単な絵を描いて、同じような計算をすればよい。

逃走中の身であれば、おそらく大部分の行動を夜間に行うことになるだろう。夜間でも、運がよければ古来からの天測航行と同じことができる。ただし、雲が邪魔をして星が見えなくなることも多い。北半球で、ナビゲーションの目印に最適な天体はポラリス、つまり北極星である。北極星はいつでも天空のおなじ位置にあるからだ（大熊座／北斗七星とカシオペア座を使って北極星を見つける方法は、左ページを参照）。

北極星の位置がわかれば、それを目印にして進むことも、あるいはめざしている方向に合わせて他の星を選んで目印にすることもできる。北極星以外の星を目印にする場合、20-30分おきに進行方向を確認する。それらの星は、北極星を中心として1時間に15度ずつ回転しているからだ。また、目印にする星は適宜変更して、正しい方向へ進みつづけられるようにする。

北半球では他にオリオン座も方角を知るのに役立つ。オリオン座には3つの星が互いに等しい距離で一直線にならんだベルトがある。ほぼ真東から上り、ほぼ真西に沈む。そして3つの星は東から西にならんでいる。したがって、オリオン座が水平線に沈むとき、ベルトが見えなくなる場所が真西であ

星から位置を知る

空を見上げて、もしも特定の星や星座を見つけられなくても、方角を知るための情報はどの星からでも得ることができる。この方法を実施するには、15分から20分ほど同じ場所で座りつづける必要がある。まず、地面の上に2点、距離を空けて印をつける。それから星を1つ選び、この星の動きを2点の印の位置と比較しながら観察する。この星の進行方向を下に示した法則に照らしあわせると、そのとき自分がどの方角に向かって座っているのかがわかる。

北半球では
上っていく――星は東にある
沈んでいく――星は西にある
左側にある――星は北にある
右側にある――星は南にある

南半球では
上っていく――星は西にある
沈んでいく――星は東にある
左側にある――星は南にある
右側にある――星は北にある

る。

南半球では、南十字星がわかりやすい目印になっている。南十字星が空にまっすぐ立って見えるとき、いちばん下の星の真下が南だ。傾いて見える時は、頭の中で十字の長い方の軸を4.5倍して水平線の上あたりまで延ばす。このポイントのすぐ下が真南である。

植物と地形

太陽や星を使ったナビゲーションは、時に驚くほど正確である。けれども、天候の影響でそれらを利用できないことも多い。そういった場合、精度は比較にならないが、自然の要素や風景で方角についての情報を与えてくれるものが他にもある。たとえば、海岸周辺で木々や草むらが同じ方向に傾いていれば、そこからおもな風向きを知ることができるし、雪の積もり方や砂丘の模様に一定のパターンがみられる場合も同じことがいえる。横列砂丘のうち、砂の層が非常に厚い場所でみられるものは、風向きと直角をなすように形成される。風上側の斜面は長くてなだらかで、風下側の斜面は急勾配になる。砂の層が浅くて空気がひどく乾燥した地帯では、砂丘は風向きと平行に形成される。

植物からも、方角についてのヒントを得ることができる。草や木は、ひたすら南（北半球の場合）あるいは北（南半球の場合）に向かって生長しようとする性質がある。そちらの方角から降りそそぐ日光がもっとも強力だからだ。また北半球では、山の南側のふもとに、より多くの草木が生えていることが多い（また春になって冬場の雪や氷が最後まで残っているのは多くの場合北側の斜面である）。南半球ではちょうど逆の法則が成り立つ。

ただし、自然を利用したナビゲーションについてはつねにいえることだが、植物から位置の情報を読みとるときは慎重に行うこと。土壌の状態や周囲の植物相との競争など、多様な要因が植物の生長に影響する。そのため、植物をナビゲーションツールとして完全に信頼することはできない。だが、自然のもたらす情報をいくつか組みあわせることで、自分の方向感覚を補強することは可能だ。

交信と信号

逃走者が無線機を所持していれば、無線通信という手段を利用できる。味方の部隊との無線通信に成功すれば、最終的な救出に向けてまちがいなく大きな一歩を踏み出したといえるだろう。仲間との交信が一度でもうまくいけば、捕虜奪還作戦であれ、捕虜に前線を安全に通過させる方法であれ、なんらかの手段を使ってこちらを助けようとす

衛星電話

衛星電話はサバイバル用品としては高価な機器だ。けれども、とくに人里から遠く離れたところでは、通常の携帯電話を使うよりもずっと安定して通信できる。携帯電話を使用する場合は、国際ローミングか地元のネットワークを利用できるよう設定しなおす必要がある。

る仲間と効率よく協力できる。軍の本格的な救命用無線機の多くは、ロケーター（位置表示）ビーコンを搭載している。信号の受信者が、発信者の正確な位置情報を得られるようにするためだ。

無線通信はあきらかに危険をともなうものである。敵も聞いているかもしれないからだ。実際、聞かれていると想定しておいたほうがよい。したがって、軽率な、あるいは過度の無線通信は、むだなうえに危険である。

不用意な交信で敵に潜伏場所を知られてしまえば、自分自身を危険にさらすことになる。さらに救助隊は、敵が待ち伏せているところへ救助しに来ることになり、彼らまで危険にさらすことになる。くわえて、手もちの無線機のバッテリーにはかぎりがある。逃走行動は何日も、あるいは何週間もかかるかもしれない。だから、通信時間はたとえ1分でもむだにする余裕などない。

以下は米陸軍の定義する「対電子対策（ECCM）」のおもな規則だが、これは要するに、電子的に居場所を特定されない工夫のことである。

交信は最低限に

電波送信は分量も時間も最低限に抑えること。絶対不可欠な情報のやりとりだけをするために、言葉少なく話す。むだ話はしない。前もって伝達する内容を決めておき、会話の効率を最大に高める（1回の送信は最長でも3-5秒にする）。

手もちの電波送受信機器にデータのバースト送信機能がついているなら、この機能を使用する（これはモールス信号による情報を圧縮し、超高速で送信するシステムのことだ）。

交信を隠す

敵に電波を傍受されるリスクを最低限に抑えるために、無線機は省電力設定で使用する。可能であれば、搭載された指向性アンテナを味方側の受信装置の方へきっちりと照準線（LOS）の位置関係になるように向ける。電波の送信は身を隠しながら行い、LOSの両脇の信号が地形でさえぎられるようにすること。救出部隊の現在地がわからなければ、照準線は赤道の方向へ向ける。

敵を混乱させる

戦闘地域では、交信を行うたびに場所を移動すること。そうすれば敵は、潜伏場所を正確に特定しにくくなる。合言葉やコードネームをあらかじめ決めてあれば使って、敵に交信の内容がわかりにくくなるようにする。さらに、無線交信の前には、かならず相手に認証コードを要求して、通信相手が名のったとおりの人物であることを確認す

電波の強度

電波信号の強度は、利用者の位置関係によって変化する。発信者が受信者の真正面にいるとき、電波は最強になり、その角度が広がるにつれて、電波は弱まる。

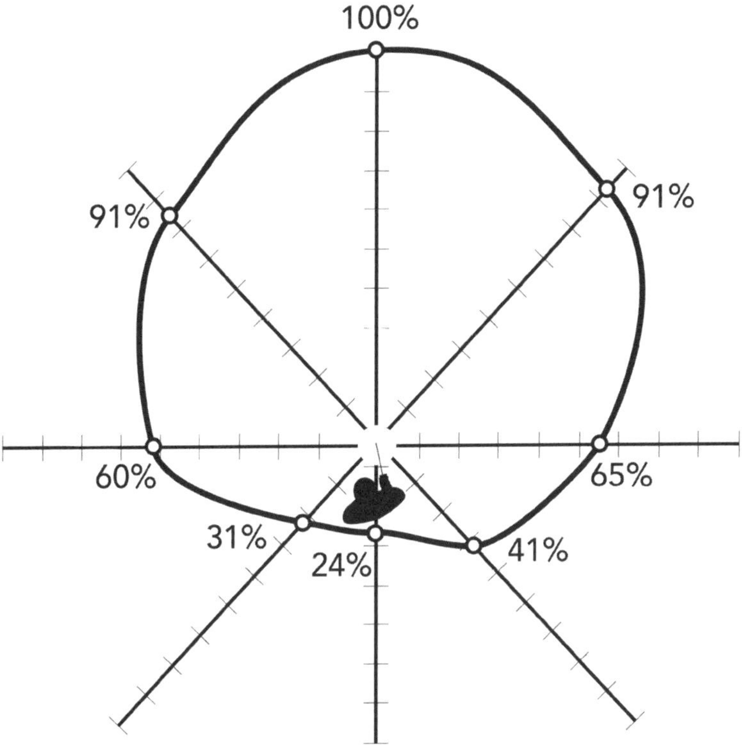

る。交信時におとり用のアンテナを中継して自分の現在地を隠す技術を身につけており、手元の無線機がその対応機種であるなら、通信を暗号化する。

交信に成功したら、実際の救助計画と救出場所について仲間と打ちあわせることになる。それらの方法については後で詳しく解説する。だが、救助へ向けた交信方法について、まずは実体験から学ぶことにしよう。ここでスコット・オグレイディの話に戻ろう。オグレイディは、1995年にユーゴスラヴィア上空で撃墜された米軍パイロットである。セルビア軍から逃げ出した彼にとって、米軍のレスキュー部隊との交信は不可欠であった。

彼のF-16機が搭載していたサバイバルキットに入っていた機器でいちばん有用だったのは小型の非常用無線機PRC-112だ。7時間の通信が可能で、ロケーター（位置表示）ビーコンと、モールス信号および音声の送信機能がついていた。

オグレイディは、敵から逃走しながら、電波交信と安全な救助の両方に最適な小高い場所を探した。そして敵に撃墜されて5日ほどのち、彼は位置発信機能を使って、米軍の電子偵察機とのコンタクトに成功したのである。

これに米空軍は大がかりな対応でこたえた。戦闘機と偵察機が周囲を飛びまわった。ついに、オグレイディは頭

モールス信号

モールス信号の利点は、視覚的に伝える（たとえば光の点滅）ことも、聴覚的に伝える（たとえば口笛）こともできるという点である。いうまでもなく、モールス信号自体は暗号化されておらず、安全であるとはいえない。ただし、高性能の無線機のなかには、モールス信号を録音し、超高速でバースト送信できるものもある。

A .—

B —...

C —.—.

D —..

E .

F ..—.

G ——.

H ....

I ・・	W ・——
J ・———	X —・・—
K —・—	Y —・——
L ・—・・	Z ——・・—
M ——	1 ・————
N —・	2 ・・——
O ———	3 ・・・——
P ・——・	4 ・・・・—
Q ——・—	5 ・・・・・
R ・—・	6 —・・・・
S ・・・	7 ——・・・
T —	8 ———・・
U ・・—	9 ————・
V ・・・—	0 —————

対空信号

対空信号は、頭上を飛びまわる飛行機から確認できるように、相当大きなサイズで作るようにする。また、信号がもともとの地面から引き立って見えるように作る。たとえば草原では、岩石で作った信号のほうが、葉の茂った枝で作ったものよりも目立つだろう。

支援が必要

地図／コンパスが必要

信号用ランプが必要

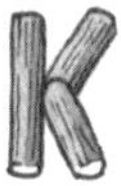

進行方向は？

こちらへ向かう

離陸を試みる

飛行機を損傷

医者が必要

薬品が必要

前進不可能

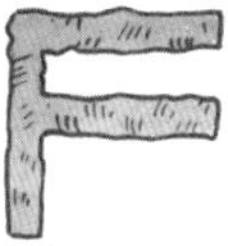

食料と水が必要

着陸可能

燃料／油が必要

全員ぶじ

ノー

イエス

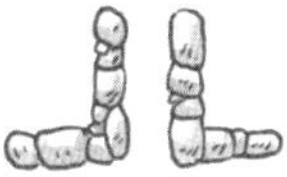

了解できない

エンジニアが必要

上にいたF-16機と音声による通信に成功した。「こちらバッシャー52。生存。救助求む」。F-16機のパイロットが応答して、認証の合言葉をたずねた。実際にはその時みなが感きわまっていたのだが、この非常に短くコントロールの効いた会話だけで、大規模な救出作戦が立てられ実行されたのである。それについては、もう少しあとで検討することにしよう。

もちろん、逃走者にとっていちばん手に入れやすい機器は携帯電話だ。もし電波がとどいていれば、携帯電話を使って、救出作戦にとりかかってくれる誰かに連絡することができる。安全対策されていない携帯電話による会話は簡単に傍受できるので、上記の交信ルールをすべて遵守し、危機に瀕したとき以外は使わないようにする。

新世代の「軍用スマートフォン」と呼ばれる端末も、最近では逃走時に非常に役立つ機能を搭載しつつある。それはGPSナビや、リアルタイムの軍勢力図、暗号メッセージ通信機能、無人飛行機が撮影した映像のダウンロード機能などであり、これらを使えば、逃走者は技術的におとった敵に対して決定的に優位に立つことができる。

急造信号

逃走兵の多くは、無線機を所持しているという恵まれた状況にはないだろう。そういったときに救助の目を向けさせるには、信号がいちばんである。

信号による伝達がうまくいくためのポイントは、場所と方法の２つである。場所については、味方に対しては照準線の位置にあり、しかも敵からは見えないところから合図するのが理想的である。もちろん、そのような場所がかならず見つかるわけではない。そのときは、敵がいる方向からは確認しにくくできるような合図の方法を選ぶか、もしくは、救助隊が敵よりも先に到着できるときにかぎって信号を送るようにする。

信号を送る目的は、多くの場合、頭上にいる偵察機や戦闘機に気づいてもらうことである。それらの機体がそもそも逃走者を捜索するために飛んでいる場合もある。パイロットに合図する方法の１つは、対空信号を組み立てることだ。対空信号は、頭上の飛行機から確認できるよう、地面に大きく描いたサインのことだ。これらのサインの意味は世界共通である。

信号は、パラシュートの布地やアルミ製のスペースブランケットなどの人工物を材料にして作ることもできるし、木の枝を利用したり、石を積み上げたり、雪を盛ったり草を踏みつぶしたりなど、手近の自然にあるものを使って作ることもできる。

ポイントは、信号が地面からできる

信号鏡

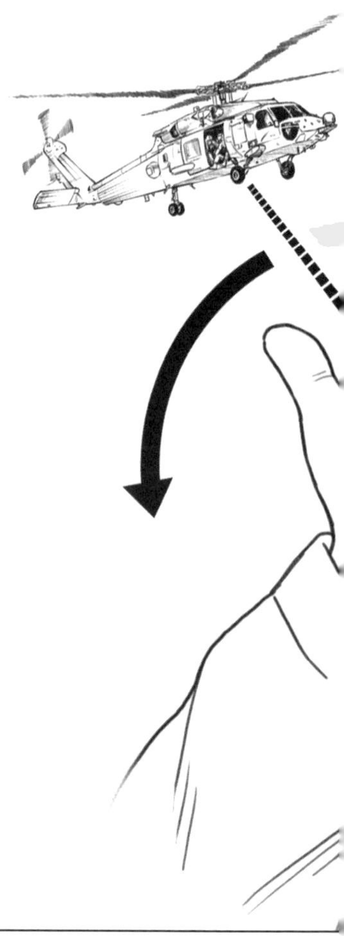

信号鏡は、強力な光を何キロも先まで伝えることができる。下図は、光線の「狙いを定める」やり方の１つだ。左手を目標に向け、反射光を手のひらにあててから、その手を鏡の前で上下に動かして、点滅信号を送っている。

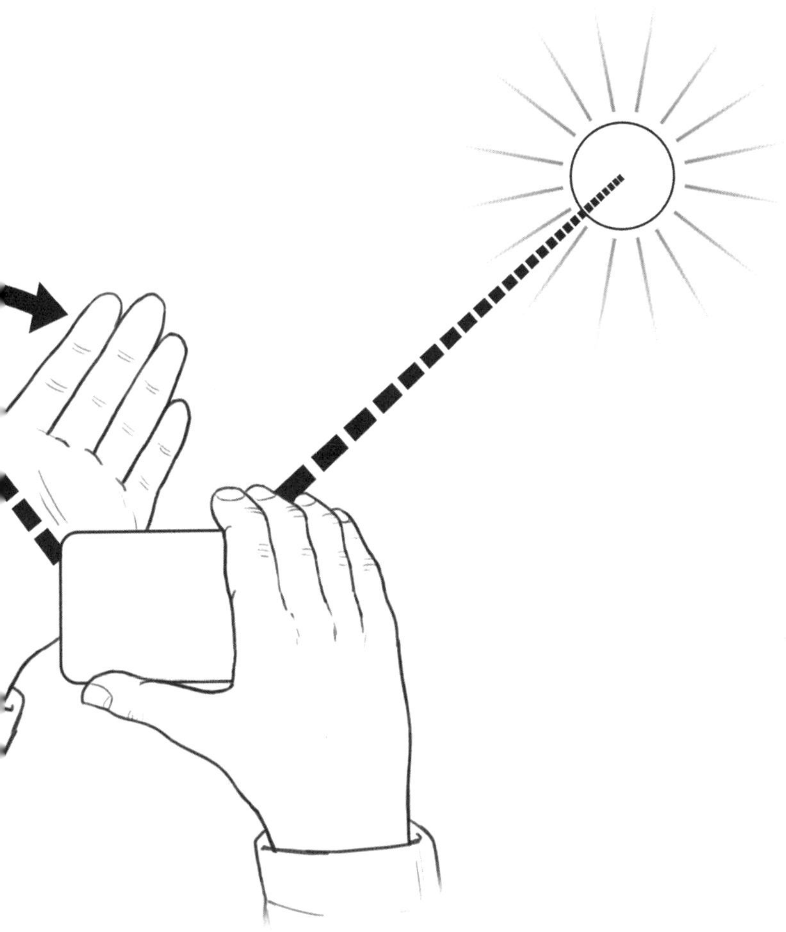

日光反射信号機で合図する

日光反射信号機は、信号鏡をさらに進化させたものである。鏡に日光があたっているかどうか、日光反射信号機の中央に空いている穴から手のひらに落ちる光で判断できる。確認がとれたら、鏡を目標の飛行機に向けて光らせる。

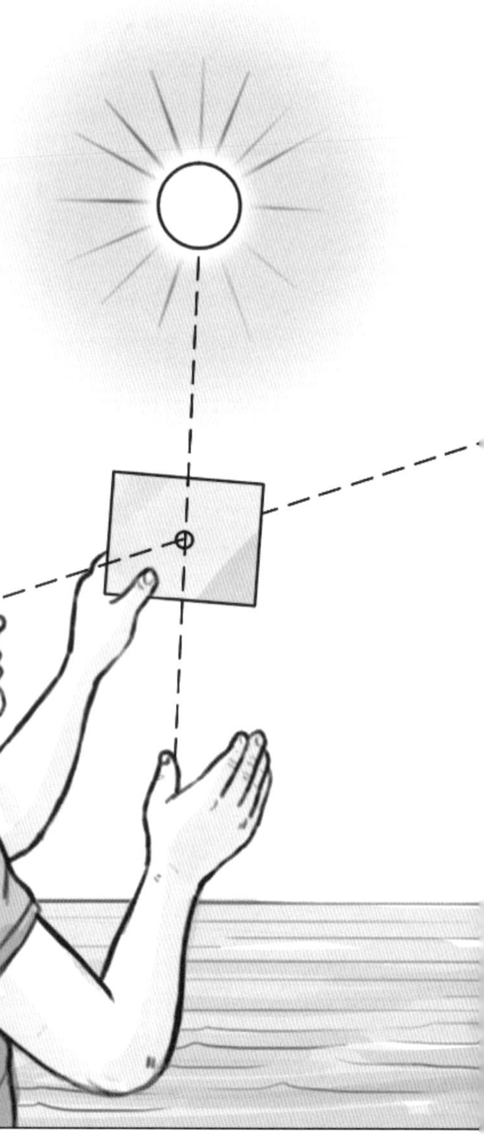

だけ引き立って見えるように、しかもごく大きく作ることである。最長で1辺5.5メートルほどあってもよい。また、信号を作るとき、角はくっきりさせ、直線はまっすぐにする。そういったものは自然には存在しないので、とてもきわだつ。

基本的なコードには次のようなものがある。

V＝支援が必要。
X＝前進不可能。
N＝ノー／いいえ
Y＝イエス／了解
h＝こちらの方向へ進む。

鏡で信号を送る

味方に注目してもらうには、対空信号にくわえて、素晴らしい方法があと2つある。もしも逃走者が本格的な信号弾や照明弾をもっていなくても、鏡か、あるいは火や煙を利用すれば信号を送ることができる。信号鏡は、晴天の昼間にはとくに効果絶大だ。鏡で日光を反射させると、条件さえ整えば、30数キロ以上離れていても確認できることが実験で証明されている。鏡で信号を送るときには、本格的な日光反射信号機を使うのがベストだが、光沢があり金属的で、表面が光を反射するものなら何でもかまわない。研磨した金属片や、CD／DVDの光沢面で十分である。

基本的な信号鏡の使い方は、まず鏡に日光があたるようにしてから向きを変え、足下の地面に反射させる。次に、通信したい目標物（たとえば救出隊や遠くの飛行機など）に目を向ける。鏡の角度を変えて、反射した光がまっすぐ目標物にあたるように地面から上昇させる。光をただ反射しつづけるのではなく、不規則に点滅をくりかえすようにする。そちらのほうが遠くからでも目にとまりやすいし、シグナルの内容は少しぐらいあやふやでも問題ないからだ。

鏡で通信するもう１つの方法では、鏡を片手で持って、自分の顔の近くまでもってくる。反対側の手は身体の前方へ伸ばして、銃の照準を合わせるようにして目標へ向ける。鏡の反射光を伸ばしたほうの手の甲にあててから手を下ろすと、反射光がそのまま目標の方を照らす。鏡を細かくゆらして、点滅して見えるようにする。

手もとに質のよい、もしくは強力な懐中電灯があれば、反射鏡の代わりになるが、前もって信号を送る目標をはっきりさせておくこと。貴重なバッテリーの一部を消耗することになってしまうからだ。

のろし

のろしは、仲間の注意を引きたいとき、信号鏡のようにスマートではないが、むしろずっと効果的な方法だ。のろしにはおもに２種類ある。日中であれば、たくさん煙を出すのろしが最適だ。煙の色が、背景となる色から引き立って見えるからである。黒っぽい煙を作りたければ、タイヤやプラスティック、石油製品などをくわえる。白っぽい煙を作りたければ、緑色の葉が茂った植物をくわえる。これとは対照的に、夜間ののろしには暗闇の中で明るく燃える炎が最適である。

すでに見てきたように、一から火を起こすのは瞬時にできる作業ではない。飛行機が通過するのに気づいてから、急いで火を起こしてパイロットに気づかせるのは不可能だろう。そのかわり、仲間の飛行機が行きかうルートになりそうな場所に、あらかじめ種火を用意しておくとよい。いちばんよいのは、この種火にガソリンや銃の発射火薬などの燃焼促進剤をくわえることだ。これならば飛行機を確認したらただちに発火できる。ただし、このようにのろしを上げるときは用心すること。促進剤の類は点火した瞬間、爆発に近い反応をひき起こす。

合図の方法にかかわらず、味方の軍に気づいてもらうことができて、彼らのほうでも自分が誰でどこにいるかが確認できたら、救出作戦が始まるだろう。いうまでもなく、敵に用心するこ

のろしを上げる

　のろしに必要なのは、乾燥して着火しやすい大量の可燃物と、それらに炎や熱が効率よくまわるように隙間をたくさん空けておくことだ。下図では、隙間のある木枠の上に、乾いた草や枝を積み上げている。

木を用いた信号

のろしの準備をする時間的余裕がなければ、付近のよく目立つ木に火を放ってもよい。森林火災にならないよう、他から離れて立っている木を選ぶようにする。

と。彼らもまた、信号に気づいたかもしれないのだ。

救出

今日の戦争における救出作戦の多くは、航空機を使って行われている。おもに、救助／特殊部隊のヘリコプター(実際に逃走者を救い出す）と、救出現場の保安をになう固定翼の戦闘機と偵察機が混成部隊を結成して実行する。

着陸地帯

逃走者は、ヘリコプターの適切な着陸地帯（LZ）を機数に応じて見つけておく必要がある。着陸地帯には、ヘリが安全に着陸できるか、地面すれすれをホバリングして救出用の巻き上げ装置を降ろせる場所を選ぶ。よい着陸地帯とは、一般的に直径が45メートルあり、表面に起伏のない水平な土地で、木や大きな岩などの危険な障害物がない場所である。その周囲あるいは付近には、複数の隠れ場所を確保しておき、救出のときが間近に迫るまで身を隠す。

救出作戦を中断せざるをえない場合の対策も立てておかなくてはならない。着陸地帯から抜け出せる安全なルートを調べておくこと。救出チームとは最初から最後まで連絡をとりつづける。敵が救出現場に進入してきた場合など、危険が訪れたらすぐに伝えるようにする。

実際の救出の局面では、脅威を与えない姿勢をとり、レスキュー隊員の指示に徹底的に従う。ヘリの作り出す下降気流に吹き飛ばされそうな装備品はすべてしっかりと固定する。指示があるまではヘリに近づかないこと。回転翼にまきこまれないように注意する。ヘリに乗りこんだら、シートベルトをしっかりと締める。ここまできたら家路への旅を楽しんでよい。救助に巻き上げ装置を使う場合は、手順はかなり異なる。次のコラムを参照のこと。

スコット・オグレイディのケースでは、1995年6月8日深夜に米軍との連絡に成功してまもなく、海兵隊進行部隊第24隊の協力により、迅速な救出計画が実行に移された。メインの救出実行部隊は、米艦キアーサージから出動した2機のシースタリオン（米海兵隊大型ヘリCH-53）と、それに搭乗した51人の海兵だったが、全体では40機もの航空機が関与し、そのなかには重量級の戦闘機も含まれていた。

救出チームのヘリは6月9日、日の出の直後に救出現場の上空に到着して、ロケータービーコンの方向へ進行を始めた。するとオグレイディが黄色の信号灯に点火して居場所を伝えた。1機目のシースタリオンが着陸し、20人の海兵が飛び出して保安のために防御線を確保した。続いて2機目が着陸す

ホイスト（巻き上げ装置）を使う

救出用ホイストがヘリから投下されたら、まず頭の上からかぶり(A)、腰のまわりにしっかりと固定する(B)。次に胸の前で腕を組み(C)、空中に巻き上げられている間、しっかりとつかむ(D)。

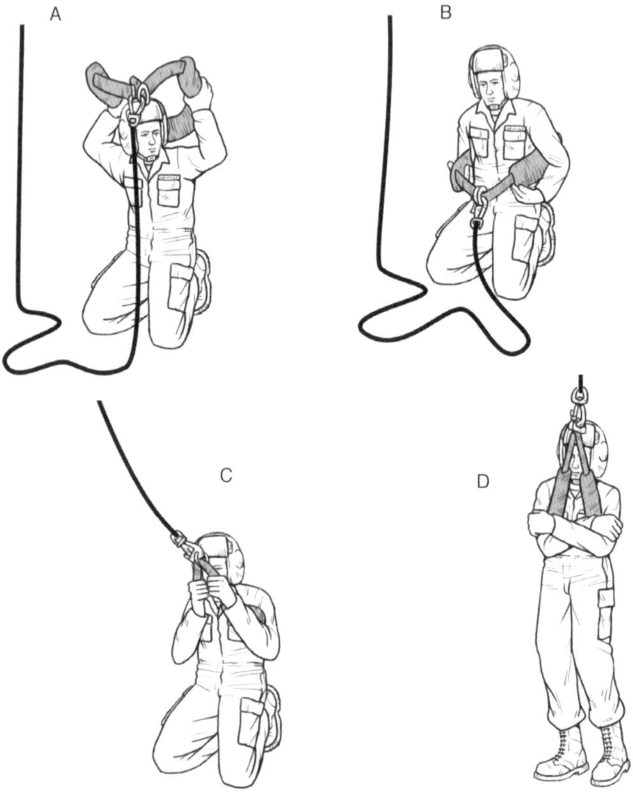

ると、乗組員は朝もやの中をかけよってくるオグレイディを確認した。サイドドアが開け放たれ、着陸して７分たたないうちに２機のヘリはぶじオグレイディを乗せてふたたび飛び立った。まさに教科書どおりの救出作戦であり、また教科書どおりの脱走のクライマックスだった。

国境と前線

救助される以外に身の安全を手にする方法としてすでに紹介したのは、国境を越えて中立国または友好国に入るか、あるいは前線を通り抜け味方の陣地へ引き返す方法である。どちらのアプローチも非常に危険なものである。国境地帯は、交戦国や非友好国との間ではとくに、非常に厳しく警備されている。国境を非合法に突破しようとする者に対して、国境警備員は問答無用で武力を行使するかもしれない。

このリスクは、前線付近ではさらに深刻である。戦闘員は前線地帯ではひどく神経質になっていることが多く、敵の侵入に対してつねに臨戦態勢を整えている。それに比べれば、捕虜になっていた仲間が逃げ帰ってくることはあまり想定していないだろう。こうした状況では、逃走者があっけなく仲間に銃撃され命を落としたとしてもむりはない。

国境を越える

国境を越す計画を立てるときは、そもそも越えた先の国が友好的であるかどうかまず確認しておく。今回の戦争にはくわわっていなくても、逃走者を捕虜にした国のほうへ送り返す国際条約に署名しているかもしれないし、その国際条約が逃走者を敵と見なすよう定めている場合もありうるのだ。ここでも下調べがものをいう。配置される地域をとりまくすべての国の政治・文化・社会についてできるだけ多く学んでおくこと。身の安全を求めて国境を越すときの目標とは、まず国境地帯を安全に越え、地元の当局に出頭して、自国の領事とできるだけ早く接触することである。地元の当局とのやりとりでは従順さを保ち、情報をきちんと提供する。ただし、他国民として諸権利を有すること、領事との接触が不可欠であることはしっかりと伝える。

越境とは細心の注意を要するプロセスである。いちばん安全なのは、人里から比較的離れていて警備の甘い地帯の国境を越えて他国へ入る方法だ。そういった地域なら、軍隊や国境警備員の配置は最低限に抑えられている。一方で、こういう場所は地形的に危険だったり（地理的に危険な地帯がすなわち警備不要の国境地帯であることも多い）、強盗や犯罪の多発地域だったりもする。注意して進むこと。

ヘリコプターの着陸地帯

ヘリが着陸するには、垂直または斜め45度角のアプローチが可能となる開けた場所が必要である。着陸時にヘリが回転翼と背の高い障害物の間に十分なゆとりを保てるよう確認しておく。下図は自然の中での理想的な着陸地帯の寸法を示している。

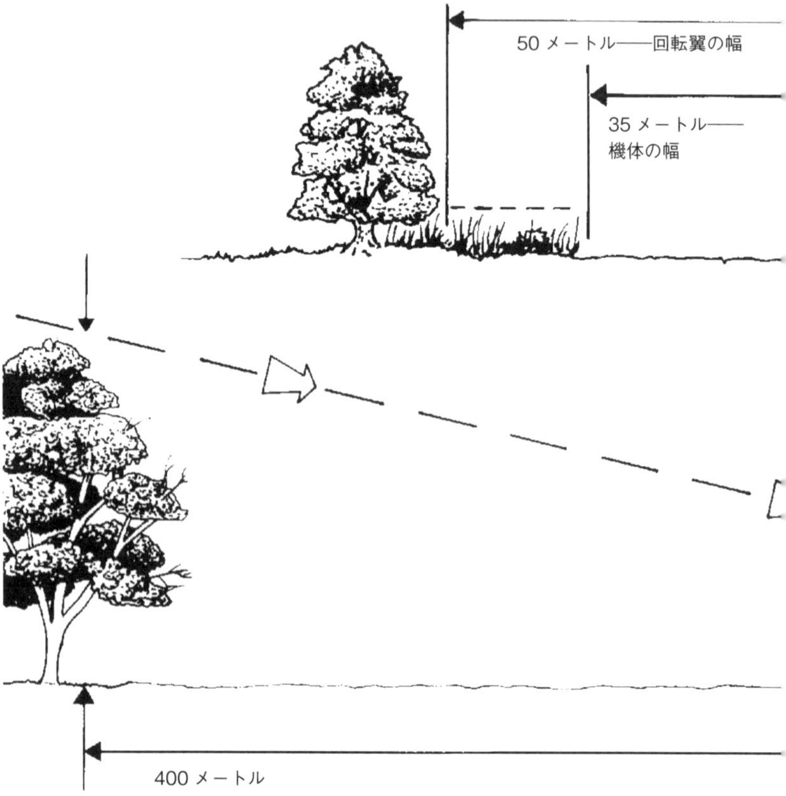

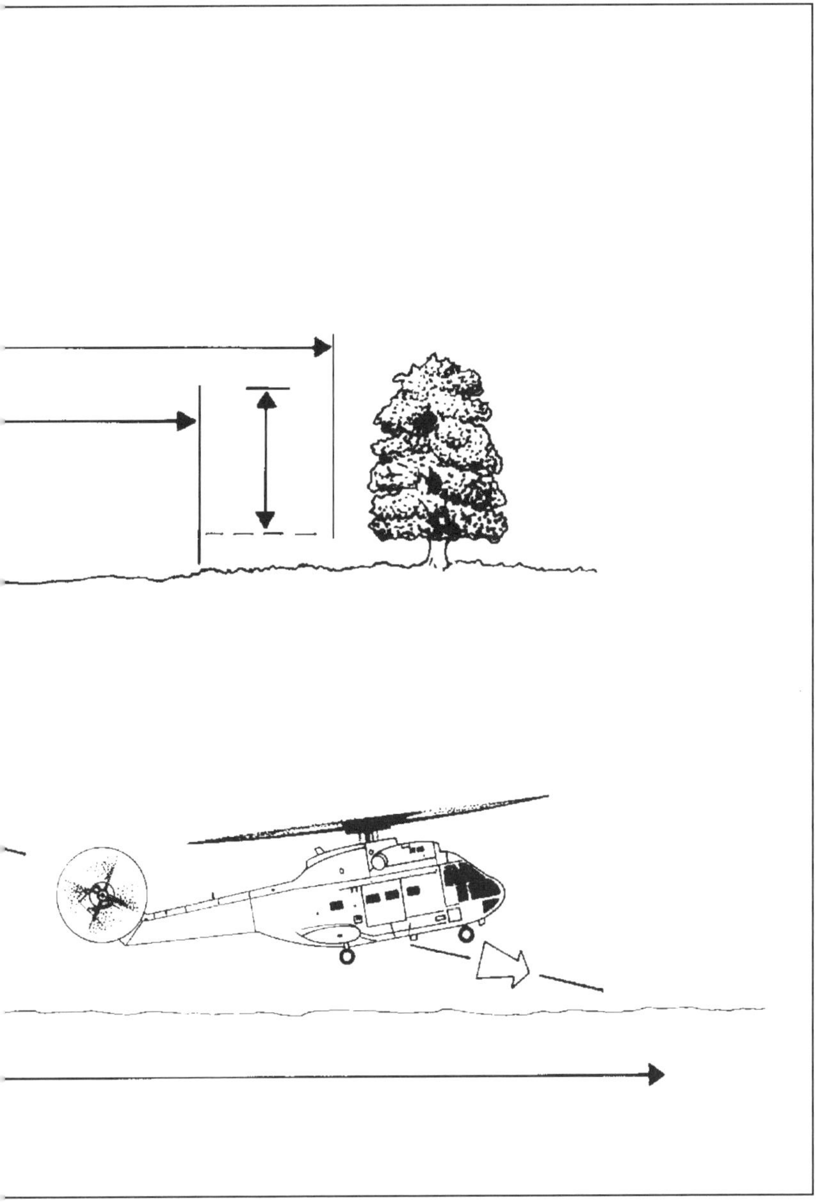

米陸軍からのヒント——救助用のホイスト装置を使う

救助用のホイスト装置の使い方

（1） 目を保護する道具があれば使う（メガネやヘルメットのバイザーなど）。
（2） 静電気で負傷しないよう、触れる前に装置の金属部分を地面に接触させる。
（3） 装置を身につける間は、座るか地面に膝をついて体を安定させる。
（4） 腋の下に安全ストラップを通す。
（5） ケーブルが体の前にあることを確認する。
（6） 機器と配線にはいっさい触れないようにする。
（7） 決してケーブルにまきこまれないよう気をつける。

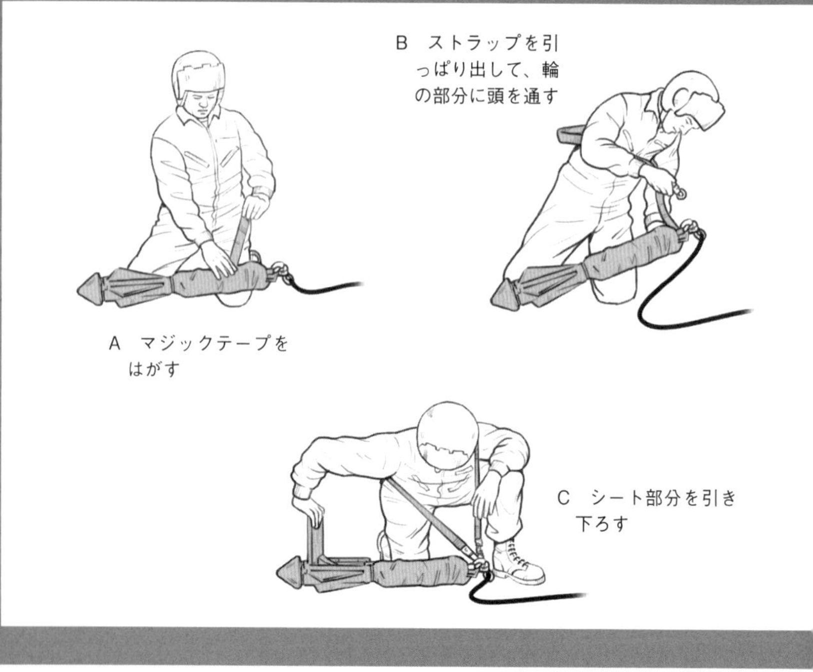

B ストラップを引っぱり出して、輪の部分に頭を通す
A マジックテープをはがす
C シート部分を引き下ろす

(8)　準備ができたら、親指を上げるか、ケーブルを激しくゆするか、無線信号を使って伝える。

(9)　足を地面に引きずるようにして、振動を抑える。

(10)　決して隊員を手助けしようとしてはならない。ホイストの最中も、救出機に引き入れられてからも、指示に従う。

——空地海応用センター、『サバイバル、逃走、救出』（1999年）

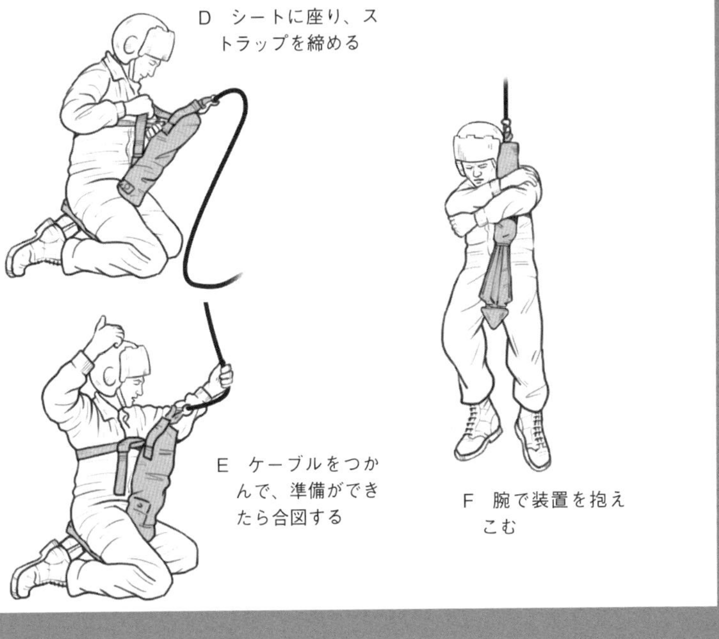

D　シートに座り、ストラップを締める
E　ケーブルをつかんで、準備ができたら合図する
F　腕で装置を抱えこむ

国境線に近づく

国境を越える瞬間はあらゆる逃走者にとって危険な一瞬である。たいへんなのは、国境のどちらの側にも警備兵がいることだ。とくに政治的または軍事的にデリケートな地域では、引き金にかけた兵士の指が緊張のあまり痙攣を起こさないともかぎらない。多少遠まわりになっても、見張りの少ないエリアを選んで夜中に越境するのが望ましい。

手厚く警備され鉄条網が張られた国境地帯を正面切って越えるのなら、おそらくハイテク技術への対応も迫られることになるだろう。今日の国境防護柵には、地震計、動作検知器、動作反応型照明、閃光弾発射装置、電気柵、金網の切断を検知するセンサーといった機能が搭載されており、それにくわえて、警備兵が犬をつれて見張っているのである。

国境を越えるなら、事前の偵察は絶対に欠かしてはならない。突破するためには、警備の配置が甘く、守備がほんの少しでも万全ではないようなエリアを選んでおく。暗闇にまぎれて国境線に近づく。悪天候ならなおよい。そういった夜は大雨や暴風に飛ばされてきたものなどで警報機の誤作動がくりかえされるため、警備兵は警報音に無頓着になっている可能性がある。それなりの防護柵には切断対策の警報がついていることが多いので、金網に穴を開けるだけですぐに侵入者に対する手立てが始まってしまうだろう。

それよりは金網の下をくぐるほうがずっとよい。金網を非金属製の棒で用心しながらもちあげる。金網が地中に埋まっているなら、その下に抜け道を掘り背中を下にしてすり抜けるとよい。

下側をくぐり抜けられないなら、金網をよじ登らなくてはならないかもしれない。ただし、乗り越えるときは体を金網に密着させて姿勢を低く保つ。国境を越えたら、国境地帯から退避し地元の交番や役所などに出頭する。

前線を越える

仲間と敵が戦っている前線を通り抜けようとするなら、危険はさらに大きくなる。前線を越えるときに敵に気づかれないようにすればするほど、今度は味方に発見されたときに敵だとかんちがいされる危険が増すというジレンマにおちいるのだ。だからといって仲間に気づかれやすい格好をすれば、今度は敵にも気づかれてしまう。

前線を越える時も国境と同様、守備の甘いエリアを探すようにする。あるいは、戦闘がそれほど激しくない地域でもよい。当然のことだが、そのような場所であればいきなり銃撃戦が始まる可能性もやや低めである。味方の警備体制や人員配置について、また自国の交戦規定について知っていることを活用しながら、味方がこちらを目と耳で確認できる距離まで近づく。それから自分の存在を知らせる。名前、階級、所属部隊を告げる。ただし、神経過敏になった兵士が攻撃してくる可能性もあるので、身は隠したままでいること。相対することになる兵士たちは非常に用心深くなっているはずである。だから、姿を現すのは、求められた情報をすべて提供してからにする。姿を見せ

金網を越える

金網は、乗り越えるより下をくぐり抜けるほうがうまくいく場合が多い。まず、金網の下に身体が通れる幅の溝を掘る。次に、金網を電気を通さない素材のものでもちあげながら、溝をすり抜ける。

るときは、両手を高く掲げておく。手もちの武器はすべて下に降ろすか肩からかけて、場の緊張を和らげるようにする。指示があったら、ゆっくりとルールに則って近づき、身をゆだねる。

前線地帯にひそむもう１つの危険は、そこが地雷原かもしれないということだ。地雷原はチェックしておいて、立ち入らないことが強く望まれる。地雷原を通り抜けなくてはならない場合は、地雷探知機を使って基礎的なやり方で地雷の有無を確認する。地雷探知機は、細長い非金属のじょうぶな素材から作られた棒で、一方の端がクギ状になっている。この部分を注意深く地面に押しあてて、地雷を検知するのだ。地雷探知の方法はコラムのなかで説明したが、これは精神的にも身体的にも非常に消耗する作業であり、またいらいらするほど時間のかかる作業でもある。地雷原は極力避けたほうがいい。

解放されたら

脱出と逃走の成功は、まちがいなく祝うべき喜ばしいことである。だが、突然自由の身になることは、それほど簡単なこととはかぎらない。多くの逃走成功者や脱出後の戦争捕虜が、心的外傷後ストレス障害（PTSD）の後遺症や、捕らわれていたときや逃走時に負った身体の傷で苦しみつづけている。こういった症状はただちに専門医の治療を受ける必要がある。長期にわたる深刻な合併症を避けるためだ。また、安全な場所に帰るときには、徹底的な任務報告も要求されるだろう。それにくわえて、一般に公表する内容にはよくよく注意しなくてはならない（317ページのコラム参照）。

米海兵隊からのアドバイスは、要するに、自分は自由の身になったが、仲間たちがまだ捕虜になっているかもしれないことを忘れるなということだ。その一方で、脱走の成功体験を軍の仲間と分かちあえば、次の世代の兵士たちを助けることにもつながるだろう。

米陸軍技師からのヒント――手作業による地雷除去

人の手による地雷探知（プロービング）は非常に時間がかかる作業であり、おもに地雷除去任務か脱走時に行われる。視覚的あるいは電子的な方法で地雷除去を行った場合も、最終確認としてプロービングを行う。地雷探知は、以下のような手順とテクニックを用いて行う。

- 触覚を鋭敏にするために、袖をまくり上げ、装飾品をとりはずす。ケブラーヘルメットをかぶってあごのストラップを締め、防弾チョッキを着用する。
- 偶発的な爆発の被害を抑えるため、地面にへばりつくようにして、身を伏せた状態のまま動く。うつ伏せの体勢をとるときは、

――膝を接地させないようにしてかがむ。

――前方２メートル以内、左右３メートル以内の範囲の地雷のサインを入念に探す。

――足下の地面を探査し、次に進行方向の地面をできるだけ先まで探査する。

――足下の地面の安全が確認できたら、うつ伏せの姿勢がとれるまで、前方の地雷探査を続ける。

- 視覚と触覚を使ってしかけ線や信管、圧力ピンを探す。
- 細長い非金属の物体をプローブ（探針）として利用する。
- ５センチ進むごとに前方左右１メートルの範囲をプロービングする。
- プローブを45度以内の角度で地面にそっと押しあてる。
- プローブが地面にゆっくりと入りこんでいくように、最小限の力をくわえる。
- プローブの先端を使って、注意深く土をとりのぞく。プローブが何かにあたり地中に入りづらい感触を受けたら、プローブが押しのけた土を手でとりのぞく。地雷を爆発させないよう慎重に。
- 固い物体に触れた場合はプロービングを中止して、両手の指を２本ずつ使って慎重に周囲の土をとりのぞく。物体が何であるか確認する。
- （物体が地雷だった場合）周囲の土を必要なだけとりのぞいて、地雷の種類

を特定する。埋められていた場所に印をつける。地雷を除去・処理しようとしてはならない。代わりに、発見した地雷は爆発物を使って爆破させるか、またはひっかけ鉤《かぎ》とロープを使って自爆させる。磁気導火線タイプの地雷に対しては金属製のひっかけ鉤を使わないこと。

——米陸軍、フィールドマニュアル 3-34-2、『諸兵科連合作戦』（2001 年）

前線を越える

前線地帯に近づくときは、できるだけ脅威を与えないように行動する。両手は身体から離して上に掲げるようにする。武器をもっている場合は、ゆっくりと地面に置く。急な動きは見せないようにする。すべての指示に徹底的に従う。

米海兵隊からのヒント――脱走兵の任務報告会

以下は、捕虜が脱走に成功した場合の実生活における対処法を示した米海兵隊の公式の勧告である。海兵隊員向けではあるが、脱走に成功したすべての戦争捕虜に同じことがあてはまるだろう。

当局の許に安全に帰還したら、かならず全面的に協力する。仲間がまだ捕虜になっている場合はとくに協力をおしまないこと。解放後できるだけすみやかに覚えていることをすべて書き出す。見張りの位置、武器や爆発物の詳細と場所、そして救出部隊の役に立ちそうなあらゆる情報を記録しておく。敵からも当局からも自由の身になったら、今回の出来事の余波にそなえなくてはならない。報道機関がすぐにでもインタビューを求めてくるだろう。そして、その時点では賢明で正確な返答ができるような心身の状態ではないだろう。米当局から正式な任務報告の聴取を受け、軍の担当指揮官からきちんと許可されるまでは、報道機関に対しては何もコメントしないこと。生きていることの喜びと助けられたことへの感謝以外は口にしないこと。今もなお捕虜になっている仲間に危害がおよぶようなことを言ってはならない。テロリストたちの目的に少しでも共感するようなことは絶対に言ってはならない。それは彼らの支持者を増やすことになる。

――MCRP（米海兵隊リファレンス出版）3-02E、『テロリズム理解と生還のための個人用ガイド』（2001 年）

参考文献

AFM 64-5, *Survival*. Boulder, Colorado: Paladin Press (1979)

CJCS, *Antiterrorism Personal Protection Guide: A Self-Help Guide to Terrorism*. USA: Chairman of the Joint Chiefs of Staff (2002)

Dach Bern, von, Major H., *Total Resistance.* Boulder, Colorado: Panther Publications (1965)

Fowler, William, *Operation Barras: the SAS Rescue Mission, Sierra Leone 2000.* London: Weidenfeld & Nicolson (2004)

FM 21-77, *Escape and Evasion*. USA: HQ Department of the Army (1958)

FM 7-93, *Long Range Surveillance Unit Operations*. USA: HQ Department of the Army (1995)

Mears, Ray, *Essential Bushcraft*. London: Hodder & Stoughton (2002)

Canadian Government, *Never Say Die: the Canadian Air Force Survival Manual.* Boulder, Colorado: Paladin Press (1982)

Reid, Pat (MBE, MC), *Prisoner of War*. London: Hamlyn (1984)

Toliver, Raymond, *The Interrogator*. Fallbrook, USA, Aero Publishers (1978)

USMC, *Individual's Guide for Understanding and Surviving Terrorism*. USA: US Marine Corps (2001)

Air Land Sea Application Center, *Survival, Evasion and Recovery*. USA: Air Land and Sea Application Center (1999)

Wiseman, John, *SAS Survival Handbook*. London: HarperCollins (1986)

英文ウェブサイト

The US Fighting Man's Code:
www.loc.gov/rr/frd/Military_Law/pdf/US-fighting-code-1955.pdf

Code of the US Fighting Force: www.armypubs.army.mil/epubs/pdf/p360_512.pdf

US Military Field Manuals: www.globalsecurity.org/military/library/policy/army/fm/

USAF Air Rescue Service: www.airrescuemuseum.org

Wilderness Survival: www.wilderness-survival.net

Hostage Survival Skills for CF personnel: www.nato.int/docu/colloq/w970707/p6.pdf

用語集

足跡　線状の痕跡で、人間や動物がその場を通ったことを示す。

アールオーイー（RoE）　交戦規定。軍や警察において、いつ、どこで、どんな相手に、どの武器を使うかを示した規則のこと。

イーシーシーエム（ECCM）　対電子対策。敵が行う電子対策の影響を、電磁波を妨害したりブロックしたりすることで軽減すること。

イーティーオー（ETO）　ヨーロッパ作戦地域。

エービーシー（ABC）　応急処置における重要事項暗記のための略号。A（Airway＝気道）、B（Breathing＝呼吸）、C（Circulation＝血液循環）。

おとり（疑似餌）　魚釣りや狩猟で、獲物を罠または特定の場所に誘いこむために使うもののこと。

温帯　気候の一種で、穏やかな気温が特徴。

海抜／標高　平均海面からの高さのこと。

重ね着　生き残るための服装の工夫で、保温のために薄い素材をいくつも重ねて着用すること。

過マンガン酸カリウム　飲料水の消毒に利用できる化学物質のこと（$KMnO_4$）。

カロリー　1グラムの水の温度を1℃上げるのに必要な熱量。

簡易爆弾（IED）　即席の爆発装置のこと。

季節風／モンスーン　インドや東南アジアで、風雨の激しい期間のこと。例年、5月から9月まで。

グリッド表示　地図上の格子線を使って示された位置のこと（C3、B2 など）。

燻製　食物を燻《いぶ》すことで乾燥させ、長期間保存できるようにする過程のこと。

軍用リュック　サバイバル用品をもち運ぶための大型のリュックサックのこと。

形跡　人間や動物を追跡するとき、その場所を先に通ったことで周囲の環境に生じたと思われるさまざまな変化のこと。

格子線（グリッド）　地図上に引かれた縦と横の線のことで、これを使うと位置の説明が簡単にできる。地図の北から南、東から西に引かれている。

座標　特定の地理的位置を指し示す、1 組の数字や文字のこと。

ざんごう足　浸水足とも呼ばれる、肌の深刻な状態のこと。湿度が高く、寒くて不潔な環境に足が長時間さらされることで発症する。

ジェーダム（JDAM）　統合直接攻撃弾。無誘導爆弾を精密誘導兵器へと作り替えるキットのこと。

しかけ罠　獲物をしとめるための罠のこと。獲物の頭上に重い物体を落とす。

シーピーアール（CPR）　心肺蘇生法。人工的に血液循環と呼吸を維持させる応急処置方法のこと。

ジーピーエス（GPS）　全地球測位システム。地球の周囲をまわっている航行衛星をさし、これらから発信される電波によって、各 GPS 受信器の正確な緯度と経度がわかる。

脂肪　体内にある天然の油脂性の物質のこと。食物から吸収され、皮下組織の中や主要な臓器の周囲に蓄えられる。

磁北　磁石が指し示す北の方向のこと（＊「真北」とはずれがある）。

循環性ショック　治療における緊急事態。負傷者の血圧が危険水域まで低下すること。

針葉樹　松ぼっくりのような球果と針状の葉をもつ常緑樹の呼び方。

ストーキング　追跡の際に、静かにこっそりと行動する技術のこと。自分の存在に気づかれないよう工夫する。

赤痢　慢性の下痢性疾患。重度の脱水症状をまねき、ひどい場合、死亡することもある。

太陽蒸留器　地中の水分を集める装置のこと。広げたビニールシートに土中の水分を溜めこんで蒸留し、飲料水にする。

焚きつけ　点火した火口《ほくち》に添えて焚き火にするための乾いた細かい素材のこと。おもに細い小枝など。

脱水症状　身体の中の体液が大量に失われ、水分の補給も行われない状態のこと。

炭水化物　炭素・水素・酸素からなる有機化合物 。多くの食物に含まれる。体内に摂取されると、分解されてエネルギーとなる。

追跡　動物や人間の居場所を見つけ出すために、残った痕跡を観察して後を追う行為。「形跡」の項も参照のこと。

低体温症　体温が危険なレベルまで低下した状態のこと。風雨にさらされた結果として発症することもある。

等高線　地図上で、標高の等しい地点を結びあわせた線のこと。

トランシット　２つの目印の間に引かれた想像上の直線のことで、位置線として利用される。

熱射病（高体温）　体温が危険なレベルまで上昇している状態のこと。熱中症とも呼ばれる。

反乱分子／反政府運動家　政党または行政当局に武力で反抗する人物のこと。

ビタミン　有機化合物のグループの一種。非常に微量で十分ながら、人間にとって欠かせないもの。

ピーティーエスディー（PTSD） 心的外傷後ストレス障害。一種の重い不安障害で、兵士が捕虜になった場合など、心理的なトラウマの原因となる出来事の後にかかることがある。

ビバークテント 携帯用のトンネル状テント。発見されにくい。1人用。

付帯的損害 想定外・予想外の損害。軍事行動中に市民が負傷したり、逃亡中に戦闘にまきこまれるなど。

方角 現在地で方位磁石が示す目印または目的地の方向のこと。

火口《ほくち》 焚き火の火を起こすときに用いる、非常に燃えやすく、乾いた細かい素材のこと。

捕捉 脱走兵がとらえられること。多くの場合、再度捕虜にされ、処遇はさらに苛酷になり、死亡する危険もある。

ボーラ 2個以上の重りをロープで結びあわせた投げ縄。獲物に投げあててしとめるのに使う。

ユーイーティー（UET） 世界標準可食性テスト。食べたことのない植物（キノコなどの菌類を除く）が食用になるかどうかを調べるテストのこと。

ユーコンレンジ サバイバルのために改良されたストーブのこと。泥を塗り固めた石の煙突と調理スペースから構成されている。

ヨウ素 飲料水の浄化に利用できる化学元素のこと。

炉床 非常時の火おこしにおいて、火口に点火するための熱をおこす台となる木片。

索引

【カ】

【マ】

【ヤ】

【ラ】

【ワ】

◆著者略歴◆

クリス・マクナブ（Chris McNab）

サバイバル技術の経験豊かなスペシャリスト。『SAS・特殊部隊 知的戦闘マニュアル――勝つためのメンタルトレーニング』、『SAS隊員養成マニュアル――訓練・戦闘技術・知能・闘争心』、『最新コンバット・バイブル――現代戦闘技術のすべて』〔共著〕（以上、原書房）など、20冊をこえる著書がある。故郷のイギリスのウェールズで、厳しい自然条件下での狩猟テクニックを教えている。

◆監訳者略歴◆

北和丈（きた・かずたけ）

1978年、富山県生まれ。2001年、東京大学教養学部卒業、2012年、東京大学大学院総合文化研究科博士課程修了。現在、東京理科大学工学部第一部講師。専攻は応用言語学。翻訳には、ガイ・クック『英語教育と「訳」の効用』（共訳、研究社、2012）、チャールズ・ストロング『SAS・特殊部隊式 図解ロープワーク実戦マニュアル』（共訳、原書房、2013）がある。

◆訳者略歴◆

橋本大樹（はしもと・だいき）…1章、2章担当

1990年、群馬県生まれ。2012年、群馬大学教育学部卒業、現在、東京大学大学院総合文化研究科修士課程在籍中。専攻は言語学（音韻論）。

中村彩（なかむら・あや）…2章、3章担当

1987年、東京都生まれ。東京大学大学院総合文化研究科修士課程在籍中。

中川映里（なかがわ・えり）…4章担当

1982年、東京都生まれ。2006年、一橋大学社会学部卒業、2008年、東京大学大学院総合文化研究科修士課程修了。現在、東京大学大学院総合文化研究科博士課程在籍中。専攻は翻訳論。翻訳には、マイケル・パターソン『図説ディケンズのロンドン案内』（共訳、原書房、2010）がある。

浅田美智子（あさだ・みちこ）…5章、6章担当

東京都生まれ。東京大学大学院総合文化研究科博士課程在籍中。

SAS・特殊部隊《とくしゅぶたい》
図解敵地《ずかいてきち》サバイバル・マニュアル

●

2013年8月25日　第1刷

著者………クリス・マクナブ
監訳者………北和丈《きたかずたけ》
訳者………橋本大樹《はしもとだいき》、中村彩《なかむらあや》、
中川映里《なかがわえり》、浅田美智子《あさだみちこ》

装幀者………川島進（スタジオ・ギブ）
本文組版・印刷………株式会社精興社
カバー印刷………株式会社精興社
製本………東京美術紙工協業組合

発行者………成瀬雅人
発行所………株式会社原書房
〒160-0022　東京都新宿区新宿1-25-13
電話・代表03(3354)0685
http://www.harashobo.co.jp
振替・00150-6-151594
ISBN978-4-562-04939-4